さあ、才能《じぶん》に目覚めよう

NOW, DISCOVER YOUR STRENGTHS

あなたの5つの強みを見出し、活かす

マーカス・バッキンガム&ドナルド・O・クリフトン
Marcus Buckingham & Donald O. Clifton
田口俊樹［訳］

日本経済新聞出版社

NOW, DISCOVER YOUR STRENGTHS
by Marcus Buckingham & Donald O. Clifton

Original English Language Publication 1999
Simon & Schuster, New York, NY, USA

Japanese translation rights arranged
with Gallup EMEA Holding, B.V., Netherlands
c/o Gallup Press, a division of Gallup, Inc., California
through Tuttle-Mori Agency, Inc., Tokyo

三つの……に強い妻、ジェーンに
マーカス

私が自分の強みを見つけるの手助けをしてくれた人たち――
妻、シャーリーと家族に
ドナルド

目次 *Contents*

第II部　強みの源泉を探る

第Ⅲ部　強みをビジネスに活かす

第5章　疑問を解く　181

第6章　強みを活用する　241

装丁　渡辺弘之

はじめに　企業における「強み革命」

われわれ人間は、「善は悪の対極にあるもの」という考えに固執し、何世紀にもわたって欠点や弱点にとらわれてきた。医師は健康を知るために病気を研究し、心理学者は喜びを知るために悲しみを探究し、セラピストは幸せな結婚生活を知るために離婚の原因を探ってきた。また、世界じゅうの学校や職場で生徒や職員は、優秀な人間になるには、まず弱点を自覚すること、分析すること、そして、それを克服することだと教えられている。

こうしたことは悪意があってなされているわけではもちろんない。しかし、指導法としてはまちがっている。欠点や弱点を研究することに価値はあっても、研究したからといって強みについてわかるわけではない。強みには強み独自のパターンがあるからだ。

自ら選んだ分野で並はずれた才能を発揮し、常に満足を得るには、その強みのパターンを知らなければならない。自らの強みを発見し、顕在化させ、活用する術《すべ》を身につけなければならない。本書を読むことで、まずこれまでのものの見方を変えてほしい。どれほど弱点が気になっていようと、それをまず脇に置き、強みを徹底的に探ってほしい。〈ストレングス・ファインダー（強み探索システム）〉を大いに活用し、強みのなんたるかを知り、自らの強みの源泉を見つけてほしい。

あなた自身、それにあなたのまわりの人々に関するあなたの正しい判断力をさらに確実なものにすること、それが本書の目的である。

革命

――すぐれた企業が指針としなければならない二つの認識とは何か

本書は「強み革命」を起こすことを目的に書かれたわけだが、この革命のためにやるべきことはいかにも単純明快だ。従業員の性格や能力は一人ひとり異なるという事実を踏まえて、**そのちがいを活かすこと**、ただそれだけのことだ。一人ひとりの天賦の才と、一人ひとりに適した業務を察知するアンテナを張りめぐらし、才能が確固たる強みとなるよう指導する。人材の配置、評価、育成、昇進、これらに関する基準と方法を変える。ただそれだけのことで、従業員一人ひとりの強みで固められたゆるぎない企業を築くことができる。

以上のことを実践するだけで、その企業は、その業界で他を圧倒する存在に成長することができる。これは最新のギャラップの調査報告だが、三六の企業、七九三九の組織で働く一九万八〇〇〇人の従業員に、「最も得意な仕事をする機会に毎日恵まれているか」という質問をして、メタ分析を行い、回答と実際の業務を比較した結果、以下のことがわかった。「恵まれている」と答えた従業員の割合は、従業員の移動率が低い組織のほうが五〇%、生産性の高い組織のほうが三八%、顧客満足度の高い組織のほうが四四%、それぞれ他の組織より多かった。さらに、過去の数値と比較すると、「恵まれている」と答える従業員数が増加した組織では、生産性、顧客ロイヤルティー、従業員の定着率すべてに同様の伸びが見られた。どういう観点からこれらのデータを分析しようと、自分の強みが日々活かされていると従業員が感じている企業はたくましくゆるぎない、ということは明らかだ。「強み革命」の先陣を切ろうとしている企業は、この事実に大いに勇気づけられることだろう。なぜなら、多くの企業がいまだに従業員の強みをまったくと言っていいほど活かしていないからだ。ギャラップはこれまでに六三カ国、一〇一の企業で働く一七〇〇万人以上の従業員に、先ほどと同じ「最も得意な仕事をする機会に毎日恵まれているか」という質問をし、その結果をデータベースにまとめているが、実際に何%の従業員が「恵まれている」と答えたか。何%の従業員が自分の強みを発揮できていると実感していたか。

答えは二〇%だ。この地球上で、企業に勤める従業員のわずか二〇%しか、自分の強みを毎日発揮できていると感じていないのである。この調査では、さらにおぞましい事実も明らかになった。それは、勤続年数が長くなり、従来どおりの出世コースを進むにつれ、自分の強みが活かされていると思えなくなる人が増えるということだ。

大多数の企業が持てる人材の二〇%しか活かせていない、などと言うと、不安を覚える人がいるかもしれない。しかしこの結果から類推してほしいのは、むしろすぐれた企業になることへのかぎりない可能性だ。収益の増加に拍車をかけ、企業の価値を増すには、内部に眼を向け、個々の従業員の埋もれた能力を発掘することに、ただ力を注ぎさえすればいい。そう考えてほしい。二〇%という数値が倍増し、四〇%の従業員が毎日強みを活かす機会に恵まれていると実感できるようになれば、生産性および収益がどれくらい増すか想像してみてほしい。では、それが三倍になるとどうなるか。最強の企業にとって、六〇%というのは無謀な数字とは言えまい。

では、どうすればこの数字を実現できるのか。一〇人中八人の従業員が適所に配属されていないと感じているのはなぜか、まずそのわけを考えてほしい。従業員（特に勤続年数が長く、意欲的に取り組めるポジションを与えられてもよかった従業員）の能力を活かした配置ができない企業がこれほどまで多いのはなぜなのか。

理由はきわめて明白だ。人に対する認識が根本的にまちがっているからである。これは過去三〇年にわたって、潜在能力を最大限に活かす最良の方法についてギャラップが実施した調査によって明らかになっている。この調査の軸となったのは、アメリカ内外の何百という企業に勤務する八万人のマネジャー（卓抜したマネジャーから平均的なマネジャーまで）を相手に行ったインタビューで、世界クラスのマネジャーたちの共通点を見つけることに主眼が置かれた。その調査結果については、『まず、ルールを破れ』（日本経済新聞社刊）でくわしく述べたが、さまざまな発見の中でとりわけ興味深かったのが、人間に対する二つの誤った認識に基づいて築かれている企業がいかに多かったかということだ。その二つとは――

1　人はだれでもほとんどすべてのことにおいて、能力を発揮することができる。

2　だれにとっても最も成長の余地があるのは、その人の一番弱い分野である。

こうあからさまに文字にしてしまうと、あまりにも単純すぎて、逆に納得がいかない人もいるかもしれない。では、この認識に基づいていると、結局、どのような方策が立てられてしまうか見てみよう。あなたの企業がこの認識に基づいて築かれているかどうか、以下に挙げる特徴を点検してほしい。

・適切な人材が選択できる採用の段階ではなく、採用後の教育に資金が投じられている。
・一律に定められた業務形態を基準にして、従業員の勤務実績が評価される。すなわち、就労規則、方針、手順、そして「コンピテンシー」が重要視されている。
・従業員の教育にかける時間と経費の大半が、従業員間の技術および能力の差を埋めるために費やされ、その差は「向上する可能性がある分野」と呼ばれている（個別の教育プランがあるとしても、それはあくまで「向上する可能性のある分野」――弱点を補強するためのものだ）。
・習得された技術と積み上げられた経験に基づいて、昇進および昇給の査定が行われている。これは、だれもがほぼすべての業務を行うことができると仮定した場合、より多くを身につけた人により高い評価が与えられることを意味している。つまり、より経験豊富で、どんな業務も器用にこなす従業員が最高の栄誉に浴し、尊敬され、最高の給与を得ているということだ。

これらの特徴を持たない企業を見つけるのは、持つ企業を見つけるよりはるかにむずかしい。大多数の企業は、従業員に得意分野があるのはあたりまえと考え、弱点を極力減らすことに力を注いでいる。こういった企業は、従業員が悪戦苦闘させられる分野にばかり強くなり、そうした分野に「スキル・ギャップ」や「向上する可能性のある分野」といったデリケートな命名をして、弱点を克服させるべく、従業員をせっせと研修講座に送り込む。なるほど、このような手引きもときには必要かもしれない。同僚とうまくつきあえない従業員には、センシティブ・トレーニング（感受性強化訓練）が役に立つこともあるだろう。頭脳明晰だが、話し下手な従業員には、コミュニケーション・スキルアップを目的とした講座が効果を上げることもある。しかし、これらはあくまでダメージコントロールであり、発展にはつながらない。ダメージコントロールだけでは、企業戦略としていかにもお粗末だ。それだけでは、従業員も、企業自体も世界に通用するレベルまで高めることはできない。

先ほど挙げたような認識を企業が持っているかぎり、従業員一人ひとりの強みが活かされるなどまったく望めない。

「強み革命」を起こすには、弱点にこだわるのをやめ、人に対する認識を改めることが何より大切だ。人に対する正しい認識を持ちさえすれば、配属、評価、教育、育成などその他の事柄もすべて自ずと正しい方向に向かうはずだ。それをすでに実践している、すぐれたマネジャーが、共通して持っている二つの認識を示そう。

1 人の才能は一人ひとり独自のものであり、永続的なものである。

2 成長の可能性を最も多く秘めているのは、一人ひとりが一番の強みとして持っている分野である。

すぐれたマネジャーはこの二つの認識に基づいてさまざまな業務にあたり、さまざまな従業員に接している。この二つを見れば、なぜ彼らが細心の注意を払って従業員一人ひとりの才能に眼を配るのか、なぜ従業員を決まった型にはめず、思い思いのやり方で仕事にあたらせるのか、なぜ黄金律を無視して従業員一人ひとりに異なる対応をするのか、なぜ最もすぐれた従業員とのつきあいに最も長く時間をかけるのか。端的に言えば、なぜ彼らはマネジメントの常識とされてきたルールを破るのか。

それがよくおわかりいただけると思う。

こうした優秀なマネジャーにならって、そろそろルールを変えてもいいころだ。この二つの革新的な認識を新しい経営方針の要《かなめ》にするのである。この二つの認識こそ、新しい企業、より強力な企業、個々の従業員が個々の強みを最大限に活用できる企業を築くためのカギだ。

実物資源を効率よく利用するためのプロセスを導入している企業は少なくない。シックスシグマやＩＳＯ９０００も今や一般的なものになった。また、金融資源を効率的に活用する企業も増えており、近年、ＥＶＡやＲＯＡといったメトリクス（測定基準）も注目されている。その一方で、人的資源を効率的に活用する体系的なプロセスを備えた企業はまだほとんど見受けられない（個人開発プログラムや三六〇度評価、コンピテンシー診断をすでに実施している企業はあるかもしれないが、それらはどれも従業員の強みを伸ばすことではなく、弱点を見つけ、矯正することを目的としたものだ）。

本書を通じて、強みを確立する体系的なプロセスの築き方をぜひ知ってほしい。それには第７章「強みを土台にした企業を築く」が特に役立つはずである。適材適所に従業員を配置するシステムとはどのようなものか、従業員を勤務評定する際、採点対象となる三つの分野とは何か、教育訓練のための予算はどのように使えばいいか、従業員のキャリアパスはどのように用意すればいいか。第７章ではそういったことに触れている。

あなたがマネジャーで、直属の部下の強みを効果的に活用する方法が知りたければ、第６章「強みを活用する」が役に立つだろう。第６章では、〈ストレングス・ファインダー〉で明らかになる資質ごとに、従業員の強みを最大限に活かす方法について書いた。

しかし、まずはあなた自身から始めよう。あなたの強みは何か、それをどのように活用すればいいか、あなたにとって、一番強みが発揮できる資質の組み合わせは何か。どのような業務が適しているか。大勢の中であなたが秀でた才能を発揮できる分野とは何か。第1章から第5章では、そうした疑問について例を挙げて説明した。自分自身の強みを把握し、それを伸ばす方法がわからなければ、「強み革命」を起こすことなどとてもできるものではない。隗より始めよ、だ。

二〇〇万人に対するインタビュー
——人間の強みを知るためにギャラップはだれにインタビューをしたか

二〇〇万人の人を相手に「強み」についてインタビューをしたら、どのようなことがわかるものなのか、まず考えてほしい。最初は世界最高クラスの教師たちにインタビューしたとしよう。彼らはほかの教師なら生徒が退屈しかねない教材を使いながら、どうやって生徒を愉しませる授業をしているのか。どうやってタイプの異なる数多くの生徒と信頼関係を築いているのか。どうすれば生徒がのびのびと個性を発揮し、かつ統制の取れたクラスがつくれるのか。世界最高の教師たちはどのようにして自らの能力を発揮しているのか。そういった質問をぶつけているところを想像してみてほしい。

さらに、次の人々を相手にした場面も思い描いてほしい。世界最高の医師、世界最高の販売担当者、世界最高の弁護士(そう、そういう奇特なご仁も探せばいるはずだ)、プロのバスケットボール選手、株式仲買人、会計士、ホテルの清掃主任、指導者、軍人、看護婦、牧師、システムエンジニア、経営幹部。あなたはどんな質問をするだろう? 質問だけでなく、(これが大切だが)返ってくる答えも具体的に想像してほしい。

過去三〇年にわたり、ギャラップは分野を問わず、傑出した才能を持つ人々に関する体系的な調査を行ってきた。大規模というほどではない。現時点で二〇〇万人強の人たちにインタビューを実施し、そのうち八万人のマネジャーについては、『まず、ルールを破れ』で触れたが、インタビュー自体は毎回、先ほど述べたような自由回答形式で行われた。彼らが実際に行っていることを彼ら自身のことばで聞きたかったからだ。

職業がさまざまなら、彼らの知識も技術も才能も驚くほど多様性に富んでいた。が、彼らを観察し、彼らの話に耳を傾けるうち、彼らの資質にはパターンがあるということが徐々に明らかになった。われわれはそんなパターンの中から三四のパターン、すなわち「強みとなりうる資質」を抽出したのだが、ここで言っておきたいのは、その三四の強みとなりうる資質は特殊なものではないということだ。人間が持つむしろ最も普遍的な資質である。この三四の資質（さらにそのさまざまな組み合わせ）がすぐれたパフォーマンスを可能にする鍵を握っている。それはすでにわれわれの調査から実証ずみである。

もちろん、この三四の資質は人間の特質すべてをとらえているわけではない。人の多様性にはかぎりがなく、そのすべてを分類するのは不可能だ。しかし、この三四の資質は、ピアノの八八の鍵盤に似ている。鍵盤を一つずつたたいているだけでは、弾ける曲はかぎられるが、いくつもの鍵盤を組み合わせれば、モーツァルトからマドンナまで、あらゆるジャンルの曲を演奏することができる。三四の資質もそれと同じだ。この資質を踏まえたうえで、人を観察し、理解すれば、その人が奏でる独自の旋律を聞き取ることができるはずだ。

では、まずあなたから。あなた自身の特性を知るのに有効な方法を紹介しよう。第3章まで読んだら、いったん本を閉じ、インターネットで〈ストレングス・ファインダー〉を試してほしい。それであなたの五つの才能、あなたのトレードマークとなる資質がわかるはずだ。その資質があなたの強みの最も確かな源泉である。あなたのもとで働く従業員や家族や友人についても知りたければ、第4章に紹介した三四の項目を読むといい。しかし、まずはあなただ。自らの資質を確認し、それを磨けば、強みを最大限に活かせる地点まで必ずたどり着けるだろう。

最後に、五つの資質を特定したあと、それを活用する際に心にとどめておいてほしいことがある。それは、人生における真の悲劇とは、傑出した強みを持たないことではなく、強みを活かせないこと、ということだ。かつてベンジャミン・フランクリンは言った。「日陰の日時計がいったいなんの役に立つのか」と。眠れる強みとは「日陰の日時計」にほかならない。自らの中に「日陰の日時計」を隠し持っている企業やチームや個人があまりに多すぎる。本書はそうした状況に向けての一つの刺激剤である。

眠れる強みを目覚めさせ、才能を発揮する一助に、どうか大いに本書を利用していただきたい。

第Ⅰ部

強みを解剖する

第1章

強固な人生を築く

投資家、局長、皮膚科医、編集者
タイガー・ウッズ、ビル・ゲイツ、コール・ポーター
三つの革命ツール

投資家、局長、皮膚科医、編集者
——強固な人生とはどんな人生か

強固な人生とはどんな人生か。自らの強みを中心に据えて築かれた人生とはどんな人生か。そうした人生を実現させた人たちを何人か紹介しよう。

「私はきみたちとなんら変わりません」

ウォーレン・バフェットは、すこぶるラフな服装で現れると、ネブラスカ大学の教室を埋め尽くした学生たちをまえにして言った。学生はみな忍び笑いをもらした。無理からぬことだ。バフェットは世界長者番付にその名を連ねる一人であり、かたや学生の大半は電話代の支払いにも困るような身なのだから。

「私はきみたちより裕福かもしれませんが、お金は大した問題ではありません。なるほど私は最高級のスーツをオーダーメードであつらえることができます。でも、私なんかがそういうスーツを着ても、せいぜいそこらの安物に見えるのがおちです。実際、高級レストランで一〇〇ドルの食事をとるより、デイリー・クイーンでチーズバーガーにかぶりつくほうがどれほどいいか」。学生たちはけげんな面持ちだった。それを見て、バフェットは話題を変えた。「もしきみたちと私になんらかのちがいがあるとすれば、私は毎日朝から晩までこの世で一番好きなことをしている。ただそれだけのことではないでしょうか。きみたちに向けて何かアドバイスめいたことが私にあるとすれば、それに尽きます」

このことばだけを聞くと、巨万の富を築いた人物が結果を見てものを言っているように聞こえなくもない。が、バフェットは心からそう思って言ったのである。彼が仕事をこよなく愛し、世界一の投資家という名声が得られるまでになったのは、自らの強みを活かす道を切り開く才能があったからだ。彼自身もそう信じている。

ところが意外にも、彼の強みは投資家に不可欠と世間で考えられているものではなかった。今日の世界市場はめまぐるしく変化し、途方もなく複雑化し、さらに道徳規準というものをすっかり失ってしまっている。そういう世界で成功を収めるには、即断力や、複雑な市場の流れを読む能力や、ライバルたちの心の内を見抜く天賦の才が必要だとだれしも思うところだ。

しかし、実際のところ、バフェットはそういった才能とは無縁の人だ。「辛抱強い男」というのがまわりのバフェット評で、概念の人というよりは実務の人である。他人に対しては疑うよりも、まず信用しがちなところもある。そんな彼がどうして生き残れたのか。

これは成功を収めた人々すべてに共通することだが、持てる才能を最大限に発揮し、自らの強みを磨き、仕事に活かす術を知っていたからだ。今やよく知られるようになったバフェットの「二〇年の展望」には、彼の天性の辛抱強さがよく表れているが、彼は確信を持って将来二〇年の予想図が描ける企業にしか投資しない。また、物事は徹底して実務的に考え、投資理論にも市場の流行にも懐疑的で、バークシャー・ハサウェイ社の年次報告書にはこんなことを書いている。「株の予想屋の仕事はただ一つ、株の予想屋に比べたら、占い師のほうがまともな商売であると世間に思わせることだ」と。

デイリー・クイーンやコカ・コーラやワシントン・ポストといった、直感的に製品とサービスがわかる企業にしか投資しないことを彼は初めから決めているのだ。

そして、いったん投資をしたら、人を疑うかわりに信用するという生来の性向に従い、一歩退いたところから企業の経営陣を慎重に見守り、彼らの日常業務に口をはさむことはめったにない。

実際、一九五六年にわずか一〇〇ドルという最初の投資をして以来、ウォーレン・バフェットが辛抱、実務、信頼というこの三つの信念を曲げたことは一度もない。そういった自らの姿勢を貫き、異なる戦略がどれほど魅力的に見えても信念に反することにはいっさい手を出さなかった（お気づきだろうか。彼はマイクロソフトにも、いかなるインターネット・ビジネスにも投資していない。ハイテク産業の将来二〇年の正確な未来図が彼には描けなかったからだ）。その結果、独自の投資法で成功を収めた。一個人としても幸せをつかみ、世界有数の投資家となって、今でも自分の仕事を心から愉しんでいる。これらはすべて強みに準じたからこそ可能となったのである。

彼もまたわれわれとなんら変わらない。われわれ同様、彼もまた自分のやり方で身のまわりの世界に対処しているだけのことだ。この意味においては（いや、もしかしたらこの意味においてだけは）本人が学生たちに言ったことは正しい。ただ、彼の場合、リスクに対処するにしろ、人間関係を築くにしろ、決断を下すにしろ、満足を得るにしろ、それをでたらめにはやってこなかった。彼の家族や旧友たちが口をそろえて言うことだが、彼の行動パターンはネブラスカ州オマハの高校時代からずっと変わっていない。

彼が特別な人間になりえたのはその行動パターンのおかげだが、まず最初に、彼は自分にはそうした行動パターンがあることに気づいた（ここが大切なところで、われわれはこの最初の段階にも達しないことが多い)。次に彼は、(ここがもっと大切なところだ) 弱点を克服することに重きを置かなかった。それどころか、彼がやったのは正反対のことだった。最も強力な自らの特徴を特定し、教育と経験によってその特徴を補強し、それを今日だれもが認める最も大きな強みに成長させたのである。

ここでバフェットを紹介したのは、彼が巨万の富を築いたからではない。われわれの実用的なガイドとなる何かを見出した人物だからだ。まずは自分の内側を見つめること。自分の強みの源を見つけ、実践と学習を通してその強みを補強し、その強みを日々活かせる役割を見出すこと。または、新たな道を開拓すること。それができれば、みなさんもより生産的になれるはずである。さらにより多くの目標を達成し、バフェットのようにより大きな成功を収めることもできるようになるだろう。

自らの強みを中心に据えて人生を築いた人物は、もちろんバフェットだけではない。教育から電話セールス、演劇、会計管理まで業種に関係なく、自らが選んだ分野で真の成功を収めた人の話を聞けば、成功への秘訣とは、自らの強みを見つけ、それを活かした人生を築く能力を身につけることだというのがわかるはずだ。

パム・Dは、ある大きな郡(彼女の郡より年間予算の低い州が全米には二〇もある)の医療福祉局の局長だ。そんな彼女が今取り組んでいるのが、郡で行われているすべての高齢者向け福祉プログラムを一つに統括するという難事業である。不幸なことに、郡も国も、今ほど多くの高齢者がこれほど多くのサービスを必要とするようになるとは考えていなかったため、彼女はすべてを一から始めなければならなかった。そのような役まわりで成功を収めるには、戦略的思考、少なくとも緻密な分析能力とプランニングの才が必要だと思う人もいるだろう。彼女にもその重要性はわかっていた。が、彼女自身は分析にもプランニングにも特に長《た》けているわけではなかった。

実際のところ、パムの最も強力な特徴は、職員の労働意欲を鼓舞し、仕事に情熱を注がせずにはいられない性格と、並はずれた行動力にあった。そして、彼女もまたバフェットと同じように、そうした長所を軽視して弱点を克服する道を選ぼうとはしなかった。かわりに自らの強みを常に活かせる役割を見出した。彼女のやり方はこうだ。まず最初に、今日行動に移せる目標を立て、実際に行動し、一つの目標が達成できれば、次にまた同じように実現可能な目標を立て、行動に移すということを繰り返した。何千という職員には最重要課題を明確に伝え、最後に、外部からコンサルタントを雇って、戦略構想は全面的にそのコンサルタントに任せた。その結果、彼女と職員たちは常に前進し、コンサルタントがその後方から彼女らを見て、戦略構想からはずれないよう調節するという体制ができあがった。

現在のところ、この体制は実にうまく機能し、パムは常に最前線に立って、各部門ごとに別個に交わされていた重要なサービス契約を一括契約することに成功した。まさに快進撃といったところだ。

パム同様、シェリー・Sも自らの強みを中心に据えた人生を築くのに、実際的な方法をとった一人だ。今は医師として立派に成功しているが、まだ医学部の学生だったころ、彼女はなんとも心をかきみだされる自己発見をしてしまう。それは、病人に囲まれているのがいやでならないという事実だった。患者が嫌いな医師というのは、リスクを嫌う投資家のようなものである。シェリーは自らが選んだ道に疑問を抱きはじめた。それでも、悲観はしなかった。ただひたすら自分の考え方、自分の性格を見つめ直した。その結果、徐々に次の三つのことに気づくようになった。それは、人を助けることに何より喜びを覚えるということ、しかし、重病患者は苦手だということ、そして、自分は成果を具体的に見ることができたときにこのうえない満足を覚え、常にそういう目標を求めている、ということだった。この最後の二点によって彼女は、自分を最大限に活かせるのは皮膚科だとわかったのである。現在、彼女は皮膚科医として、日々自らの強みを発揮している。彼女のもとに重病患者がやってくることはめったになく、たいていの病状は肉眼で見られ、回復状態もひと目でわかる。

ポーラ・Ｌの場合は、目先を変えることなく、自らの強みを発揮することができた。バフェット同様、彼女も早くから自らの強みを自覚し、さまざまな誘惑に惑わされることなく、自分の信ずる道を歩んできた女性で、世界で最も人気のある女性誌のうちの一誌の上級編集者をしている。そして、そこでの実績を買われ、他社から編集長として迎え入れたいとのオファーをこれまでにいくつも受けた。それはもちろんとてもうれしいオファーだった。が、彼女はそのまま一編集者でいつづけることを選んだ。

なぜか。概念的で創造的な性向が自分の強みであることをよく心得ていたからだ。何年もライターや編集補佐とともに仕事をしてきて、彼女のその強みにはさらに磨きがかかり、今や彼女自身が雑誌に独自の特色を与える強力な武器になっている。編集長になってしまうと、編集の仕事は激減してしまう。ＰＲ活動に時間を取られ、洋服や友人や趣味に至るまで、雑誌のイメージを損なわない選択を強いられ、どこに行っても注目を浴びる存在になってしまう。彼女は、そのような生活には耐えられないと判断し、自らの強みを活かせる道を選んだのである。

ウォーレン・バフェットが特別であるのと同じ理由で、ここに紹介した三人の女性もまた特別だ。しかし、全員に共通して言えるのは、みな繰り返される自らの行動パターンを把握し、それを生産性のある真の強みにする道を見つけたということである。

タイガー・ウッズ、ビル・ゲイツ、コール・ポーター
——強みとは何か

話を明確にするために、われわれが言う「強み」そのものをもっと明確に定義しておこう。本書のテーマである「強み」とは、ひとことで言ってしまえば、「常に完璧に近い成果を生み出す能力」のことだ。この定義に準じて言えば、的確な判断力と、一つの目標に向かって関係者を一致団結させる能力がパムの強みで、皮膚病の治療に心血を注げることがシェリーの強み、雑誌を特徴づける記事を創作し、構想を練る能力がポーラの強みということになる。

彼女らに加え、さらに三人の超人を登場させよう。最初はプロゴルファーのタイガー・ウッズ。彼の強みが発揮されるのはロングゲームである。彼がウッドやアイアンでたたき出す飛距離にかなう者はいない。パットにも同様の才能を見せるものの、バンカーからのチップショットは、ほかのトッププロと大差はない。事実、米プロゴルフ協会《PGA》のツアーでのサンドセイブ・ランキングは六一位である。

実業界の超人ビル・ゲイツは新技術を生み出し、ユーザーが使いやすいアプリケーションを開発する天才だ。しかし、法務や営業に関してはパートナーのスティーブ・バルマーほどの手腕はない。

芸術畑からはコール・ポーターを紹介したい。彼の強みはすばらしい歌詞を生み出す才能だが、彼の描く登場人物とプロットには意外性がなく、その点では特に秀でているとは言えない。

「強みとは常に完璧に近い成果を生み出す能力」という定義に従って、強固な人生を築くのに最も大切な三つの原則を次に挙げよう。

まず一つ、強みは首尾一貫することができて初めて、真の強みになるということだ。安定性があってこそ成果も予見できる。タイガー・ウッズでさえきっと自慢するのではないかと思われるような見事なショットがたまたま打てたとしても、コンスタントにそういうショットが打てなければ、それは強みとは言えない。さらに、真の強みは真の満足感をもたらす。成績優秀だったシェリーは、望めばどんな科にも進めただろう。しかし、皮膚科を選び、皮膚科の診療が彼女の強みとなった。それは皮膚科が彼女にエネルギーを与えてくれたからだ。ビル・ゲイツの場合はそれとは対照的だ。彼にもマイクロソフトの企業戦略を推進する能力は充分にあった。が、彼自身、公の場で述べているように、そうした職務を遂行するには多大なエネルギーを消費しなければならなかった。そういう場合、たとえ能力があっても、それは強みにはならない。このように書くと、強みか否かを判断するのはむずかしいように思われるかもしれないが、常にうまくいき、満足感が得られる場で発揮される才能が真の強みなのだ。

第二に、満足のいく成果を得るには、自らの職務に関わるすべての業務に適した強みを持つ必要はないということだ。パムは与えられた役割に最適の人物ではなかった。シェリーにしてもそれは変わらない。これまでに紹介した人たちはだれ一人、それぞれの役割に最適の人物ではない。彼らはオールマイティーの札を持っているわけではなく、ただ、手持ちの札を最大限に活かしているだけだ。満足のいく結果を出すには、あらゆることがうまくこなせなければならないといった考え――これこそ本書を通じて何より払拭したい世間一般の思い込みである。われわれが調査をしたのはそもそも優秀な人たちではあったが、それでもオールラウンド・プレーヤーはめったにいなかった。それどころか、みんななんらかの弱点を抱えている人たちだった。

最後に、傑出した存在になるには強みを最大限に活かせ、ということだ。決して弱点にこだわってはいけない。だからといって、「弱点を無視しろ」と言っているのではない。これまでに登場した人たちも弱点を無視したりはしていない。ただ、もっと効果的なことをしただけだ。弱点とうまく折り合いをつけ、強みを解き放ち、より鋭いものにした。ただそれだけのことだ。その方法は一人ひとり異なる。パムは外部のコンサルタントを雇い、戦略構想をすべて任せた。ビル・ゲイツも同様のやり方を取った。最高経営責任者にスティーブ・バルマーを据え、会社経営は彼に任せ、自らはソフトウエアの開発に専念し、強みを活かせる道を新たに歩んだ。皮膚科医のシェリーは自分に向かない分野を選択肢からはずした。雑誌編集者のポーラは魅力的なオファーを蹴った。

タイガー・ウッズの場合は、事情がいささか複雑だ。苦手なバンカーショットはやはり克服せざるをえず、多くの人がするようにダメージコントロールを余儀なくされた。弱点が強みの枷《かせ》にならないように努力した。しかし、ある程度満足のいくレベルに達したところで、彼と彼のコーチのブッチ・ハーモンは、最も大切で最も生産的な練習、すなわちウッズの最強の武器であるスウィングを磨く練習に切り替えた。

そんな中で、弱点と折り合いをつけるのに、最も危険ともいえる戦略を取ったのがコール・ポーターである。彼は自分の強みである作詞作曲の腕だけを磨きつづければ、観客はすぐに彼のドラマツルギーのまずさや、ステレオタイプの登場人物のことは気にならなくなるはずだ、というほうに賭けた。つまり、自分の強みが観客の眼を弱点から遠ざけるほうに。今日、彼のその戦略の成功は多くが認めるところだろう。彼がつくった歌のように躍動感と洗練された美を備えた歌詞や曲が作れる才能と、それをだれにどうやって歌わせるか判断する才能とは、また別のものなのである。

ここに紹介した分野のまったく異なる人たちが、それぞれの仕事で成功を収めたのは、自らの強みを自覚し、それを活かしたからである。みなさんにも彼らと同じ道を歩んでほしい。その手助けをすることが私たち著者の望みだ。自らの強みがどんなものであれ、どうかそれを活かしてほしい。自らの弱点がどんなものであれ、どうかそれとうまく折り合いをつけてほしい。

三つの革命ツール

——強みを中心に据えた人生を築くには何が必要か

「強みを活かし、弱点と折り合いをつける」。頭ではわかっていても、実践するのは案外むずかしい。そのことはみなさんも経験上よくおわかりだろう。結局のところ、強みを中心に据えた人生を築くというのは、自己認識、成熟、チャンス、あなたのまわりの人々、つきあわざるをえない人々といった無数の変化要因がからむ、挑戦的な人生の任務と言えるだろう。そこで、最初に断っておきたいのは、あなたが強みを基盤にした新たな自分を築く際、本書にはその一助になれることとなれないことがあるということだ。

まず一つ、強固な人生の完成図をお見せすることはできない。たとえできたとしても、その図はたちまち無意味なものになってしまう。なぜなら、人間は成長を続ける生きもので、完成と言えるときなど決して訪れないからだ。また、われわれには、いかに学べばいいかをお教えすることもできない。おわかりと思うが、すべてはあなた次第なのだ。行動を起こし、その結果から眼をそらさず、学んだことを次に活かす。すべてあなた自身がやらなければならないことだ。だれもかわりにやってはくれないのだから。

とはいえ、われわれにもできることがある。みなさんが強固な人生を築くのに必要となる三つの革命ツールを紹介しよう。

1　「才能」と「経験によって身についた能力」を区別する

第一の革命ツールは、天性の才能か、後天的な能力かを見分ける方法を知ることだ。「強みとは常に完璧に近い成果を生み出す能力」と先に定義したが、では、どうすれば能力をそこまで高めることができるのか。各自が選んだそれぞれの分野でひたすら努力を重ねればいいのか。それとも、やはり特別な天性の才能が必要なのか。

人づきあいが下手でも、経験を積めば、向こうから進んで手を差し伸べてくれる人のネットワークができるようになるのか。先見性がなくても、学習すれば、非の打ちどころのない戦略を立てられるようになるのか。堂々と人と渡り合うことができなくても、練習と実践を通して、だれにも負けない説得力を身につけられるのか。

問題は、苦手なことでも経験を重ねれば上達するかどうかではない。もちろん上達は可能だろう。人間は適応性に富む動物である。必要に迫られると、程度の差こそあれだれでも上達する。しかし、ここで問題にしているのは、経験だけで「常に完璧に近い成果」を収められるようになるのかどうかということだ。答えはノーだ。経験を積んだからといって、「完璧に近い成果」が収められるとはかぎらない。分野に関係なく、強みを発展させるには天性の才能が必要となる。

では、「才能」と「強み」はどうちがうのか。そう思った人もいることだろう。人のネットワークを築く、戦略を練る、相手を説得する、これらの能力は、学習や経験によってどの程度身につけることができ、どの程度天賦の才が必要なのか。さらに、強みを発展させるうえで技術や知識、経験、自己認識はどのような役割を果たすのか。こうした疑問に対する答えがわからなければ、自分にはない強みを身につけようと多大な時間を浪費するだけで、結局のところ、ほんとうの強みの芽を早々に摘んでしまうことになる。

こうした疑問を解決するには、天性の才能と、経験によって身についた能力を区別することが何より大切になってくる。そのための実用的な方法については次章で説明することにして、ここではまず三つの大切な用語、才能、知識、技術の定義をしておきたい。

・**才能**とは、無意識に繰り返される思考、感情、行動のパターンである。才能となるさまざまな資質。それは〈ストレングス・ファインダー〉で見つけてほしい。
・**知識**とは、学習と経験によって知り得た真理と教訓である。
・**技術**とは、行動のための手段である。

才能、知識、技術。この三つが組み合わさって初めて強みが生まれる。

たとえば、見知らぬ人との出会いを求め、新たな人間関係を築くことを愉しむことができるのは、一つの才能である（この才能の基《もと》になる資質を〈社交性〉と言う。くわしくは後述する）。この才能を活かして、支持者や援助者のネットワークづくりができるまでになると、その才能は強みとなる。簡単に言ってしまえば、技術と知識を使って天性の才能に磨きをかけると、強みになるということだ。

同様に、人と渡り合えるのも一つの才能だが（この才能の基《もと》になる資質は〈指令性〉。後述）、この才能を販売実績につなげることができれば、それは立派な強みとなる。この場合は、天性の才能に製品知識と販売の技術が加わり、客に製品を買わせることができるようになったというわけだ。

強みを築くには才能も知識も技術もすべてが必要となるが、なかでも最も大切なのは才能だ。なぜなら、技術と知識は学習と経験によって身につけられるが、才能は天性のものだからだ（その理由についてては次章を読んでいただきたい）。たとえば、販売員の場合、学習に励み、経験を積めば、製品知識を得ることも、それを客に説明する方法を学ぶことも、何を必要としているかを客から聞き出す技を身につけることもできるが、絶好のタイミングかつ絶妙のやり方で、客に製品を購入させる術は天性の才能であり、決して学ぶことができない（くわしくはあとで述べるが、この才能には〈指令性〉と〈個別化〉という二つの資質が関係している）。

販売員になるために生まれてきたような人がまれにいる。こういう人は、充分な製品知識がなくても、天賦の才を活かすだけで実績を上げることができる。つまり、関連知識や技術を身につけなくても、強みを築くことはできるということだ。言い換えると、かかる業務に必要な天性の才能がなければ、強みを築くことは決してできないということである。自分の業務を無事にやり遂げるのに必要な知識や技術を学ぶことは、たいていの分野でできる。しかし、どんな分野であれ、必要とされる才能がなければ、「常に完璧に近い成果」を収めることは絶対にできない。

つまり、自らの才能を正確に把握し、知識と技術でその才能を磨くこと、それが真の強みを築く鍵となる。

しかし、才能とはいかなるものかを正しく理解せず、当然のことながら、自分にはどんな才能があるかもわかっていない人たちのなんと多いことか。そういう人たちは経験さえ充分積めば、ほとんどのことが修得できると考え、才能を磨くための知識や技術を積極的に身につけようとしない。それどころか、できるかぎり多くの知識や技術を修得すれば、結果的に弱点も克服でき、あらゆる業務をまんべんなくこなすことができるようになり、出世もできると思い込んでいる。これは危険な落とし穴だ。

少しでも強みを築こうと思うなら、この落とし穴に落ちてはいけない。リーダーシップを養いたいとか、聞き上手になりたいとか、あるいは、他人に共感できるようになりたい、スピーチの技術を身につけたい、自己主張ができるようになりたい、といった理由で、ただやみくもにビジネス講座に通うのは愚の骨頂である。通ったところで、飛躍的な成長など絶対に期待できない。それ相応の才能がなければ、大きな成長は絶対に見込めない。結局のところ、真の成長のためではなく、ダメージコントロールに無駄なエネルギーを使うのに終わるのがおちだ。自分に投資できる時間にはかぎりがある。ダメージコントロールにこだわることが一番生産的なことかどうか、よく考えてほしい。

まずは、自分の知識と技術と才能をじっくりと見つめ、どれが知識で、どれが技術で、どれが才能か、それぞれを見きわめることだ。自分の才能を特定することだ。それが何かわかれば、あとは的を絞り、必要な知識と技術を身につけ、真の強みを築いていくことができる。

2　才能を特定する

第二の革命ツールは才能を特定するシステムだが、強みとなる隠れた才能を確実に見つける方法が一つある。それは客観的な眼でしばらく自分を見つめることだ。何かの業務を遂行するにあたり、いかに早くその業務をこなすコツをつかめるか、いかに早く上達し、学んだことを発展させられるか、さらに、時間を忘れるほどその業務に没頭できるかどうか。こうした観点から三カ月ほど自分を観察するといい。どの点についても満足できる結果が出ないようなら、自分はその業務に向いていないと考え、別の業務に取り組むといい。そこでもまた同じ状態でしかなければ、さらに別の業務に取り組む。そうしているうちに、自分の才能とは何か必ずわかるはずである。あとはその才能を磨くことで、強固な強みを築くことができるようになる。

思えば、これこそ学校のあるべき姿ではないだろうか。すなわち、子供の最もすぐれた潜在能力を見つけることに重きを置くということが。同様に企業のあるべき姿とは、従業員一人ひとりが世界に通用するレベルに達する道を探ること、それに尽きるのではないだろうか。しかし、現実には学校も企業もそうした役割を充分果たすには至っていない。どちらも知識を与えることや、スキル・ギャップを埋めることばかりに力を注ぎ、生徒や従業員が天性の才能を発揮しようとしても、ほとんど気にとめようとしない。だから、一人ひとりが自分でするしかないのである。自らの才能は自らの力で発掘するしかないのだ。

第4章で述べる〈ストレングス・ファインダー〉を利用して、あなた自身の才能を見つけてほしい。もちろん、〈ストレングス・ファインダー〉で、あなたがどんな人間で、何に強く、何に弱いかすべてがわかるわけではない。われわれ人間はそれほど単純にはできていない。〈ストレングス・ファインダー〉は資質ということに焦点を絞り、あなたの中で優位を占める五つの資質を発見することを目的としている。しかし、それらの資質はまだ強みとは言えない。潜在能力を活かせる分野、世界に通じるような強みが築ける最も可能性の高い分野を示しているだけだ。〈ストレングス・ファインダー〉

はあなたの五つの資質にスポットライトを当てる。そこから先はあなた次第だ。

3　才能をことばで表す

第三の革命ツールは才能を表す共通の言語だ。強みを説明するには新たなことばが必要となる。このことばはまず、正確でなければならない。さらに、個人間の微妙な差まで表せ、弱点ではなく強みを説明するからには肯定的で、だれにでもわかることばでなければならない。たとえば、だれかが「マーカスは歩く〈指令性〉だ」「ドンは〈活発性〉そのものだ」などと言ったとき、だれが聞いてもその意味がまちがいなく伝わらなければならない。

こういった新たな言語がなぜ必要なのか。それは、われわれがふだん使っていることばでは用をなさないからである。

人間の弱点を表すことばは豊富にあり、細かい点まで指摘できる。神経症、精神病、鬱病、躁病、ヒステリー、パニック障害、精神分裂病など。これらはすべて症状が異なっている。精神医学にたずさわる専門家はそのちがいを正確に把握して、そのちがいを踏まえたうえで診断を下し、治療法を決めているわけだが、実際にここに挙げた病名は一般によく耳にするものばかりで、専門家でなくとも、多くの人がかなり正確に使い分けることができる。

それに対して、強みを表すことばは実に乏しい。どれほど乏しいか知りたければ、経験を積んだ人事担当者たちの会話を聞いてみるといい。たとえば、あるポジションを望む三人の志願者がいるとして、その三人の長所を人事担当者たちがどのように評しているか。おそらく「彼女の人あたりのよさが気に入った」にしろ、「彼には自主性があるように見受けられる」にしろ、きわめて一般的なことばしか使っていないはずだ。その結果、学歴や職歴など明白な事実を比較するところに話は戻る。これは人事担当者だけにかぎらない。経営幹部も同じ立場に立てば、似たり寄ったりのことばしか出てこないのではないだろうか。志願者のほうも変わらない。自らの強みをアピールしようとして、結局のところ、人事担当者と同じようなことばを並べたて、やはり最後には学歴や職歴といった安心材料を持ち出しているのではないだろうか。

残念ながら、どう考えても強みを表すことばは貧弱だ。たとえば、「人あたりがいい」ということばを用いて「AさんもBさんも人あたりがいい」と言った場合、実際にそれで何がわかるのか。二人とも人にうまく合わせられるタイプということはわかるかもしれないが、ただそれだけだ。Aさんに、一度しか会ったことのない人とでも信頼関係を築く才能があり、Bさんに、初対面で相手に好印象を与える才能があったとしても、「人あたりがいい」だけでは、これらのことはわからない。対人関係における才能という点は共通していてもその性質は明らかにちがう。しかも、このちがいには実質的な意味がある。経験や学歴に関係なく、信頼関係を築くのが得意な人と人脈づくりにすぐれた人とでは、適した業務が当然異なってくる。さらに、顧客や仕事仲間に接する方法もちがえば、それぞれの業務から得る満足感も質的に異なる。あまつさえ、上司が取るべき管理方法にもちがいが出てくるだろう。こうした相違の相互作用によって、個々の成果が生まれるのに、だれが信頼関係を築くのがうまく、だれが人脈づくりに長けているかを知らなければ、うまくいく仕事もうまくいかなくなってしまう。つまるところ、こういう状況下では、「人あたりがいい」という表現はなんの役にも立っていないということだ。

不幸なことに、これと同じことが人間の強みを表すことばのほとんどにあてはまる。「自主性がある」と言ったところで、実際何がわかるのか。どのような業務を与えられても意欲的に取り組む姿勢があるということか。それとも、意欲をかきたてられる目標を与えられると、がぜんやる気を起こして取り組むということか。もう一つ、「戦略家」とはどういう人か。概念的で理論好きということなのか、それとも、分析力に長け、何より事実を重んじるタイプなのか。「販売技術にすぐれた人」とはどういう人か。客の弱点を突くのがうまいのか、それとも、客に親しみを感じさせる技を持っているということなのか、理路整然とした話ができる説得上手ということなのか、製品に対するゆるぎない自信を客に伝えるのが巧みということなのか。客一人ひとりに適した販売員を選ぼうとするなら、この販売技術の相違はきわめて重要な要因である。

「販売技術がある」「戦略的思考に長けている」「人あたりがいい」「自主性がある」。これらのことばを個々がそれぞれ自分なりに定義するのは別にむずかしいことではないが、それでは、他人の定義はどうなるのか。同じことばを使っていても、互いに定義がちがっていては、話し手の意図どおりに相手に伝わるとはかぎらなくなる。これはコミュニケーションの最悪のパターンだ。同じ土俵で話をしていると思っているだけで、実のところ、同じ言語を使っているとさえ言えないのだから。

一方、目立つ行動パターンを表すことばは、不思議なことに、ニュアンスまで多くの人が同じ解釈をする。否定的なことばは特に。本章で紹介した医療福祉局の責任者パム・Dは、思い立つとすぐ行動に移す、待つということができないタイプだが、そういった人をわれわれはなんと呼ぶか。短気、あるいは衝動的、と言ったほうが意思疎通という点では誤解が生じにくいだろう。

では、人の上に立って、人々に秩序と統一を課することにすぐれた手腕を発揮する人は？　眼の上のたんこぶ。

自らの優秀さを公言する人は？　自信過剰。

先のことを考え、「もしこうなったら……？」とばかりききまわっている人は？　心配性、だ。

どう見ても、世の中に数知れず存在する才能を表すことばは豊富とは言えない。

第4章では、才能のもとになる三四の資質を紹介するが、もちろん、行動パターンを表すことばはそれだけではない。しかし、優秀さに関する調査をした結果、われわれは、その三四のことばが最も普遍的なパターンをとらえていると判断した。本書では、それらのことばを使って人間の才能を表し、強みを説明したいと思う。あなた自身にしろ、あなたのまわりの人々にしろ、それぞれが持つ最善のものを明らかにするための一つの方法として、みなさんにも大いにこのことばを活用していただければと思う。

第2章

強みを築く

彼はいつもこんなにすばらしいのか
知識と技術
才能

彼はいつもこんなにすばらしいのか
――コリン・パウエルから強みを学ぶ

先日ギャラップはコリン・パウエル将軍（現アメリカ国務長官）を招き、管理職を一〇〇〇人集めて講演会を行った。パウエル将軍は途方もなく輝かしい経歴の持ち主である。国家安全保障担当大統領補佐官や総合参謀本部議長を務め、湾岸戦争では「砂漠の嵐」作戦でNATO軍の最高司令官の任にあたった。「最も尊敬に値する指導者はだれか」という世界規模の調査では、一〇年連続してトップテンに入っている。当然のことながら、われわれは、そんな彼の講演に大いに期待していた。それでも、司会者の熱のこもった紹介のあと、彼が壇上に現れたときには、その経歴にふさわしい演説をほんとうに聞かせてくれるのかどうか、まだ半信半疑だった者も少なからずいたことだろう。

講演が終わったときには、それが「彼はいつもこんなにすばらしいのか」という疑問に変わっていた。一時間という短いあいだにパウエル将軍は見事な話術を披露してくれた。彼の話を聞いていると、まるでロナルド・レーガン大統領の執務室で政治に参加しているかのような、また、クレムリンでミハイル・ゴルバチョフと同じテーブルについて、彼が「パウエル将軍、あなた方はこれからは別の敵を見つけなければならない」とペレストロイカを宣するのを耳にしたかのような、さらに「砂漠の嵐」作戦で、H・ノーマン・シュワルツコフ将軍から空爆の第一報が入るのを電話のそばで待っているかのような、錯覚にとらわれた。そう、自分たちがどこにいるのかさえ忘れてしまったほどだったのだ。メモを見ることもない彼の講演はそれほどさりげなかった。政治家の型どおりのおしゃべりからも、聖職者の大言壮語からもほど遠い、融通無碍の講演だった。話すことはいくつか決めてあったようだが、自然とリーダーシップや人格に関する話になり、明快なその内容は聞く者みんなに一〇〇%伝えられた。

まさに圧倒的な強みである。将軍のパフォーマンスはわれわれ聴衆の分析を超越していた。だから、「どこでそんな話し方を習得したのか」などと彼に尋ねたいとは思わなかった。彼の話し方は、トースト・マスターズやデイル・カーネギーの演説法とはいっさい無縁であることが明らかだったからだ。それより、われわれが知りたかったのは、「この滔々《とうとう》とした話の源泉はどこにあるのだろう」ということだった。完璧で畏怖の念さえ覚えさせる彼の講演は、演じられているというより、まるで彼の体を通して自然と湧き出てくるかのようだったのだ。

これはあらゆる強みに共通することだ。たとえば、モネの絵のまえにしばらく立つといい。彼の絵はまるで円のように完璧に見える。通常われわれは、彼が絵を描きはじめたためらいも、何度となく繰り返される描き直しも、最後の一筆も思い描いたりしない。見る者はみな彼の絵全体を一瞬の完成として見る。

強みを発揮するのには、相手を威圧しようなどと思う必要はまったくない。完璧に近い行為はどんな行為も自然と畏敬の念を喚起するからだ。だれかが絶妙のタイミングで、爆笑を誘うジョークを言ったとする。その場にいた者は「どうやったらあんなにうまく言えるのだろう」と思うものだ。同僚がクライアントに、相手の興味をそそる、当を得た手紙を書いたとする。そういったときにもまわりの人間は同じように感じることだろう。

強みが人の心を惹きつけるのは、しかし、「完璧に近い」からだけではない。もう一つ、「常に」という点が重要だ。カル・リプケンは二六三二試合に連続出場したが、どうしてそのような偉業が達成できたのか。ディズニー・ワールドの最高のホテル清掃主任、ベティーナ・Kは、二一年以上も同じホテルの同じ部屋の清掃を担当しているが、どうしてそれほど長いあいだ続けられるのか。チャールズ・シュルツは、二〇〇〇年二月に亡くなるまで四一年以上にわたり、スヌーピーが登場する漫画「ピーナッツ」を描きつづけた。彼もまたどうしてそこまで続けられたのか。

どうすればそれほどうまくできるのかにしろ、どうすればそれほど長く続けられるのかにしろ、常に完璧に近い行為というものは、あまりにもすばらしく、とても分析などできないように見える。しかし、もちろん強みは最初から完成された形で現れるわけではない。どんな強みも一つひとつ個別の原石からつくられる。そして、その原石はだれもが持っている。知識と技術が学習と経験を通して身につけることができるように、その原石もまた磨くことで強みとなるのだ。

知識と技術
――自分のどのような面を変えることができるのか

知識

知識とは何か。何世紀にもわたって哲学者が挑みつづけている命題だが、そうした大きなテーマは哲学者に任せておくとして、本書で言う知識について説明したい。強みを築く上で必要な知識には二種類ある。このどちらが欠けても強みを築くことはできないが、幸いなのは、この二種類の知識は両方とも天性の才能とは関係がないということだ。

一つ、それは事実に基づく知識、つまりコンテンツである。たとえば語学の習得においては、語彙がコンテンツとなる。単語を覚えなければ、決してその言語を話せるようにはならない。これと同様に、販売員は時間をかけて、商品知識を身につけなければならない。携帯電話の販売店の店員は、何種類もの料金プラン個々の利点を理解していなければならない。パイロットは無線で使用するコールサインを覚えなければならず、看護婦は患者に応じた局所麻酔薬の適切な投与量を知らなければならない。

このような事実に基づく知識だけでは、もちろん、満足のいく成果を得ることはできない。それでも、この種の知識は必要不可欠だ。たとえば、絵を描く技術や才能がどれほどあっても、赤色と緑色を混ぜると茶色になるという事実を知らなければ、絵画の世界で他をしのぐことはできない。同様に、どれほど創造性豊かでも、照明デザインの世界では、赤い光と緑の光を重ねても茶色にはならないということを知らなければ、すぐれた照明プランナーにはなれない。赤い光と緑の光を合わせると、黄色の光になるということを知る必要がある。

こういった事実に基づく知識は、いわば一種のゲームのようなものだ。

もう一つの知識とは、経験によって身につく知識のことだ。それは学校で教えてもらえることでもなければ、マニュアルを読めばわかるようなことでもない。経験を経て学んだことを一つずつ蓄積していく。そういう類いの知識だ。

そういった知識にはいたって実用的なものがある。ケイティ・Mは朝のテレビ番組のいくつかのコーナーを担当しているプロデューサーだが、当初、二分間のコーナーをわかりやすくて興味深いものにできず、頭を悩ませていた。しかし、そのうち彼女は自分がジャーナリズムで最も大切な決まりを無視していることに気がついた。そう、「常にお膳立てをしておく」ということだ。だれが登場し、これから何が始まるのか最初にわからなければ、そのほかの部分がどれほどうまくつくられていても、視聴者はすぐにチャンネルを変えてしまうだろう。

映画「マン・オン・ザ・ムーン」でジム・キャリーが演じた実在のコメディアン、アンディ・カフマンも舞台の段取りをことさら重要視していた。舞台に立ちはじめたころの彼のネタは、気が弱くて純朴でお人好しの外国人とエルビス・プレスリー、この二人の物真似だった。どちらのネタもそこそこうけたが、拍手喝采とまではいかなかった。その当時を振り返って、カフマンはこう言っている。

「大学で舞台に立ったときのことだ。最初からプレスリーの真似をしてもうけないだろうと思った。そんなことをしたら、ブーイングが起きるんじゃないかとね。『あいつは自分がかっこいいとでも思ってるのか』というわけだ。舞台で何度か演じるうち、自然な無邪気さがいつのまにか失われてしまってたんだね。そのことに気づいたんだよ。でも、純朴なお人好しの外国人ならもっと無邪気になれる……で、初めて試してみたんだ。最初から最後まで外国人を演じて、途中で『では、今からエルビス・プレスリー、やります』って外国なまりで言って、プレスリーの物真似をする。そうして曲が終わると、またもとの外国人に戻ったんだ」。そのアイデアは大成功で、割れんばかりの拍手喝采を受け、彼は自らの選択がまちがっていなかったことを確信するのである。

ケイティ・Mの場合とカフマンの場合は、ともにパフォーマンスをどのように客に見せるかということが問題だったわけだが、経験に基づく知識は実に多種多様だ。たとえば、販売員はみな、店頭でまず最初にすべき最も大切なこととは客のニーズに合わせた対応であると心得ている。マーケティングの専門家は、世の母親に何かを売りたければ、テレビよりラジオで宣伝したほうがずっと効果的であることを知っている（日々忙しい母親には、テレビではなく、ラジオのほうがよき友なのだ）。彼らもまた知識を少しずつ蓄積して、その結果、より適切な行動が取れるようになったのである。

どんな環境もわれわれに学習の機会を提供してくれる。その機会を逃さず、得た知識を実践に結びつける。それは個々の責任だ。

経験から得られた知識には概念的なものもある。たとえば、価値観と自己認識。この二つを磨かなければ、強みを築くことはできない。また、この二つは時間を経て変わることがある。われわれはよく「だれだれは変わった」などと言うことがあるが、実は、それはその人の本質的な人格が変わったのではなく、その人の価値観や好みが変わったということを指している。

　リチャード・ニクソン元大統領の特別顧問、チャールズ・コルソンは、ニクソンに忠誠を尽くすあまり、罪を犯し、逮捕されたが、今では政治を離れ、敬虔なクリスチャンとして暮らしている。では、彼は変わったのだろうか。その答えはウィニフレッド・ギャラハーの著書 *Just the Way You Are*（素顔のままで）に書かれている。「チャールズ・コルソンは、特別顧問時代、すんでのところで祖母を殴り殺してしまうことさえあった人物だった。しかし、そんな彼も生まれ変わった。元来、感情の激しい性格のようだが、今の彼の敵は特別顧問時代の敵ではない。味方もしかり。元来の性格は変わらなくても、情熱を傾ける対象が変わったのだ。それはつまり、人生に対する個々の考え方は根本的に変わらなくても、何に心を集中させるかというのは変わりうるということだ……」。

　価値観が変わったことで、何に心を集中させるか変わった人はいくらでもいる。ダマスカスに向かう途中、キリストの声を聞いたサウロの改心、プロフューモ事件で有名な元イギリス閣僚のジョン・プロフューモや、ジャンクボンドの帝王マイケル・ミルケンの慈善事業、悪名高いロックミュージシャン、オジー・オズボーンの動物愛護運動、ヒットラーのお抱え建築家、アルベルト・シュペーアの悔恨といったふうに。さらに、強い意志でアルコール依存症を克服した禁酒会《AA》の何百万人もの人たち。

　こうした例はわれわれに、人生、やろうと思えば、やり直せるものだ、という希望を与えてくれる。が、ただ希望を持つのではなく、ここに挙げた人たちの基本的な本質である才能は、実は少しも変わっていないということを忘れないでほしい。彼らは自ら向かう方向を一大転換させ、持てる才能を建設的な方向に活かしただけなのである。才能はかぎりなく柔軟なものだ。使い方次第で、いい方向にも悪い方向にも向けることができる。才能は知性と同様、自らは方向性を持たない。もし人生を変えたいと思っているなら、人のために強みを活かしたいと思っているなら、価値観を変えることだ。才能が向いていない分野で優秀な成果を収めようとするのは、時間の無駄である。

自己認識についても同じことが言える。自分がどんな人間なのかということは、時間を経て徐々にわかってくるものだが、自分に対する意識の成長は強みを築く上できわめて重要だ。なぜなら、自己認識が芽生えるにつれて、天性の才能に気づき、その才能に磨きをかけて強みを築くことができるからだ。しかし、これは口で言うほど簡単なことではない。自分の才能をはっきりと自覚していながら、もっとほかの才能にも恵まれていればと願う人がいる。映画「アマデウス」に登場するモーツァルトのライバル、サリエリのように、自分にない才能を求め、失敗を繰り返してばかりいると、かかる才能を持つ者に憎しみを抱くようになる。このような心理状態にある人は、まわりに不快感を与えるだけだ。どれほど多くの特別講義を受け、どれほど多くの本を読もうと、不協和音を生み出してしまい、結局、自分一人が辛い思いをして、何もかもが困難になる。自分に適さない役割を与えられた経験が一度でもある人には、それがどんな気持ちかわかるのではないだろうか。

そんな気持ちになって、初めてわれわれは悟るのである。「販売の仕事なんて選ぶんじゃなかった。自分のほうから人に声をかけるのは大の苦手なのに」と。あるいは、「マネジャーなんてうんざりだ。部下の面倒を見るより、自分の仕事に専念してるほうがどれほどいいか」と。そして、自分の強みが発揮できる道にやっと戻ると、それに伴うすばらしい結果（生産性の向上にしろ、勤務態度の改善にしろ）に印象づけられ、まわりの人間はきっとこんなふうに言うだろう。「すごい、彼を見てみろ。彼は変わった」と。

これはまちがっている。本質的には何も変わっていないのだ。表面上変わったように見えたとしても、実は何も変わっていない。決して変えることのできないもの、すなわち才能を受け入れただけのことなのだ。われわれ人間は本質的には変わらない。そのことを踏まえ、自らの才能を素直に受け入れ、その才能を中心に日々の暮らしを集め直すことで、われわれはより自覚的になれる。

強みを築くにも同じことをする必要がある。

技術

技術は経験に基づく知識の体系化をもたらす。これはどういうことか。どんな分野であれ、賢明な人間は、何かをする際、どこかで一歩退き、蓄積したすべての知識を段階——たどっていけば、飛び抜けてすぐれた成果とはかぎらなくとも、とりあえず満足のいく成果に導いてくれる筋道——に変える。

具体的な例として、コリン・パウエルの講演を思い出してほしい。彼にしろ、だれにしろ、すぐれた講演者はまず最初に何について話すかということを必ず明確にしている。そして、そのとおり話を進め、最後にどういう話だったか、聴衆に思い出させて締めくくる。この一連の流れは講演の最も基本的な技術と言える。

1　まず最初に、何について話すか明らかにする。
2　そのとおり話をする。
3　何を話したか最後に確認する。

この手順を踏まえてさえいれば、だれでもよりよい講演者になれる。

さらに一歩踏み込んで観察をすれば、パウエル将軍をはじめ優秀な講演者はその場の思いつきで話をしていないことがわかるはずだ。それどころか、話すべきことを明確に定め、おそらく事前に一人で声に出して練習し、表現法、強調点、タイミングなどを確認しているはずである。ここまでわかれば、講演術の第二段階が見えてくる。

1　説得力を増すよう逸話や実例を準備する。

2　実際に声に出して練習し、自らの耳で確認する。

3　準備した個々の話はネックレスのビーズのようなものである。

4　あとは演説する際、そのビーズに正しい順番で糸を通しさえすればいい。そうすれば必ずよどみない自然な語り口になる。

5　取りはずし可能なカードやファイルを事前に用意し、必要に応じて新たなビーズを加える。

技術があれば、すぐれた人たちから学んだ教訓を活かして、試行錯誤を繰り返すことなく、すぐれた成果を収めることができる。販売、マーケティング、財務分析、飛行機の操縦、医療など、分野に関係なく強みを築こうとするなら、その分野に必要な技術を可能なかぎり身につけ、実践で磨くことだ。

しかし、気をつけてほしい。技術は強い味方だが、それに頼ってばかりいると、技術が持つ欠点を見逃してしまう。技術は仕事をする上では役に立つが、技術があるからと言って、めざましい成果が得られると決まったわけではない。話術を身につければ、それなりに上達はするだろうが、才能がなければコリン・パウエルの域には決してたどり着けない。パウエル将軍は壇上に立つと、ふだんにも増して弁舌がさえる。これは、講演者として天賦の才に恵まれているからだ。聴衆の表情を読み取ることで、より適切なことばがより多く早く出てくるのである。そうした才能がなくても、講演技術を少しずつ身につけていけば、よりよい講演を行うことができるようにはなる。それでも、卓越した講演を行うにはさらに努力を要する。外国語の文法がわかったからといって、外国語で美しい散文が書けるようになるわけではないのと同じだ。何をするにしても、技術だけでは完璧に近い成果は望めない。技術を身につけても才能がなければ、失敗は避けられるかもしれないが、栄光への道は開かれない。

技術のもう一つの欠点は、技術というものの性質上、分野によっては段階に分けられないものがあるということだ。たとえば共感。共感は他人の気持ちをくみとる才能である。どれほど頭脳明晰であっても、共感を何段階かに分解できる人はいまい。共感は瞬時に起こる感情作用だ。たとえば会話の中で、相手がだれかの名前を口にしたとき、一瞬の間があったのに気がついたとしよう。あなたは相手がその人の名前を口にするたびに必ず一瞬の間ができることを思い出す。そこで、その人について尋ねると、相手はいささか感情を昂ぶらせて答える。そのたかぶりは声にも表れ、大きさも一デシベル上がり、口調も断定的になる。その様子から、あなたは相手がその人に対して怒りを覚えていることを察する。

これこそが共感だ。瞬時にして直感的な感覚。また、真の主張も、共感と同様、技術とは無縁だ。

戦略的思考や独創性もまたしかり。どれほど観察力が鋭くても、どれほど万全の態勢で臨んでも、こうした感情や意識をまえもって予測することはできない。経験した人もいるのではないかと思うが、実際、そんなことをされたら、されたほうはただ迷惑なだけだろう。

要するに技術とは、容易に伝えられる極意を伝える手段にすぎない。技術を身につければ進歩はするかもしれないが、だからといって才能の欠如を補ってはくれない。そうではなく、強みを築くに際して、技術というものは、真の才能と手を結んだときにこそ大いに頼りになるものなのである。

才能
——あなたの中で永続するものは何か

すでに何ページかにわたって「才能」ということばを引き合いに出してきたが、そろそろ才能についてもっとくわしく調べてもいいころだろう。才能とは何か。なぜ才能は一人ひとり独自のものであり、永続的なものなのか。強みを築く上で、なぜ才能がそれほど重要なのか。これらの疑問を一つひとつ解き明かしていこう。

才能とは何か

才能とは「持って生まれた特殊な能力および素質」というのはよく耳にすることだ。しかし、強みを築くのに必要なものとしての才能については、何人ものマネジャーに関する調査結果も踏まえて、より包括的でより精細な定義をしたい。才能とは「繰り返し現れる思考、感情および行動パターンであり、何かを生み出す力を持つ資質」である。言い換えれば、あなたが天性の知りたがり屋だとしたら、それもまた才能だということだ。競争心旺盛ならそれも才能だ。愛嬌があるのも才能なら、根気強いのも、責任感が強いのも、どれもみな才能である。繰り返し現れる思考、感情および行動パターンが何かを生み出す源泉になっているようなら、それはれっきとした才能なのだ。

　この定義では、表面的には弱点と思われる特徴も何かを生み出す源泉になれば、才能ということになる。頑固さを例に考えてみよう。営業担当者や法廷弁護士は、激しい抵抗にあっても決して意見を曲げてはならない。この場合、頑固さは成功へのカギとなる。だから頑固さもまた才能なのだ。では、神経質な性格はどうだろうか。これも才能だ。「もしこんなことになったら……？」と自らに問いかけ、先に待ち受けているかもしれない落とし穴を予想し、不測の事態に備える計画を立てることができるからだ。先を見越して対策を考える能力は、むしろさまざまな分野で大いに重宝がられるにちがいない。

　言語障害のような「弱さ」も生産的に用いれば才能になる。巨大企業マイクロソフトの独占禁止法違反をめぐる裁判で、アメリカ政府側の弁護士を務めたディビッド・ボイズには言語障害がある。しかし、公判前の宣誓供述の際、彼は執拗なまでの馬鹿丁寧な尋問でビル・ゲイツを負かし、公判では隙のない意見陳述で裁判官の支持を勝ち得た。言語障害のため、彼は発音しづらい長い単語はいっさい使わない。その単語の効力はわかっていても、論争ではあえて使わないのだ。その理由について、最近のインタビューで彼はこう語っている――「発音をまちがえるのが怖いのです」と。しかし、実際にはこれが功を奏しているのである。簡単な単語に頼らざるをえない状況が、かえって彼の主張をより明確なものにしているのだ。さらに、これは必ずしも本人がわざとそう振る舞っているわけではないのだろうが、彼は庶民の中の常識人として通っている。その単刀直入な表現が、「私はみなさんよりものをよく知っているわけではありません。ただ、むずかしい問題を理解しようと努めているだけのことです、みなさん同様」というふうにまわりには聞こえるのだろう。

この場合、言語障害は才能となる。生産的に活かされ、知識や技術と結びつくことによって、強みになっているからだ。

ボイズの例は確かに極端でまれな例かもしれない。しかし、これで才能とは「繰り返し現れる思考、感情および行動パターンであり、何かを生み出す力を持つ資質である」という意味が、よくおわかりいただけたのではないかと思う。

なぜ才能は一人ひとり独自のものであり、永続的なものなのか

あなたの中で、繰り返し現れる思考、感情および行動のパターンを生み出しているものは何か。自らのパターンが気に入らなければ、新しいパターンをつくることは可能なのか。答えはノーだ。繰り返し現れるパターンは、脳の中の複数の神経が連動して生み出すもので（A）、ある一定の年齢を超えると、パターンを一からつくり直すことはできない（B）。つまり才能とは永続的なものなのである。

多額の資金をかけて、従業員を矯正プログラムに送り込むというのは、結局のところ、共感や競争心や戦略的思考を植えつけるために、脳の神経回路を変えようとしているのにほかならない。そういうことをしている企業には、（B）という事実をお教えしたい。（A）である以上、（B）は自明の理である。さらに、脳の中の神経がどのように連動しているかがわかれば、その構造を変えるのがいかにむずかしいかもわかるはずだ。（A）についてさらにくわしく見てみよう。

脳というのは、成長とともに一見退化していくように見える不思議な器官である。肝臓や腎臓、ありがたいことに皮膚などはすべて、赤ん坊のときは小さく、体が成長するにつれて次第に大きくなる。しかし、脳だけは逆の現象が起きる。脳は早い時期にかなりの大きさにまで成長し、成人になるとあとは縮んでいく一方という器官である。しかし、何より奇妙なのは、脳はより小さくなるのに、人はより賢くなるという事実だ。

では、なぜ脳だけが逆の現象を起こすのか。その謎を解く鍵は「シナプス」にある。シナプスとは、脳細胞同士がコミュニケーションを取るための脳細胞の接合部で、一つの脳細胞が受けた刺激を別の脳細胞に伝える役割を果たし、このシナプスが一人ひとり独自のパターンを生み出す回線をつくっている。だから、繰り返し現れる個々の行動パターンを知るには、この回線について知る必要がある。神経学の教科書に書かれているとおり、「人の行動は脳神経の連結構造で決まり、その構造は個々によって異なる」からだ。

簡単に言ってしまえば、このシナプスが才能を生み出すのである。

では、シナプス結合はどのように形成されるのか。卵子が受精すると、その後四二日間で脳は一気に四カ月分の急成長をする。実際の成長を考えると、「急成長」ということばでは追いつかないほどだが、四二日目に最初の神経細胞（ニューロン）がつくられ、一二〇日後には、その数が一〇〇〇億個にふくれ上がる。なんと毎秒九五〇〇個ものニューロンがつくられるのである。が、それ以降、その劇的な成長はぴたりとやむ。つまり、人間は一〇〇〇億個のニューロンを持ってこの世に生まれいずるというわけだ。そして、その数は中年期後半まで変わらない。

しかし、脳では、また別のところでほんとうのドラマが始まる。生まれる六〇日前、ニューロンは互いにコミュニケーションを取ろうとしはじめる。まず一つひとつのニューロンが伸びはじめ（厳密に言えば、軸索と呼ばれる神経突起が伸びて）、ニューロン同士がつながる。うまくつながれば、そこにシナプスが形成される。驚くべきは、そうしたニューロンの連結は生まれて最初の三年間で完成するということだ。事実、三歳の時点では一〇〇〇億個のニューロンが互いに連結し、一つのニューロンにつき一億五〇〇〇個のシナプスがすでに形成されている。繰り返すが、一〇〇〇億個のニューロン一つひとつに一億五〇〇〇個のシナプス、である。このようにして、広範囲にわたる複雑で、一人ひとり独自の脳内回路ができあがるのである。

しかし、ここで奇妙なことが起こる。なんらかの理由で、自然はわれわれに、きわめて入念につくられた回路の多くを無視するよう促すのだ。事物の常として、回路もまた使われないと、やがて修復不能になり、脳の中のあちこちで多くの回路が壊れはじめる。きわめて入念に形成されながら、使われないために三歳から一五歳までのあいだに、それこそ無数のシナプスが失われてしまう。そして、一六歳の誕生日を迎えるころには、回路の半分が使いものにならなくなってしまう。

さらに残念なのは、壊れた回路はもう二度と再生できないということだ。脳は生涯にわたり初期の可塑性を維持するのである。確かに学習したり、記憶したりするたびに新たなシナプスの連結構造が必要となり、それは四肢や視力を失った場合、その新たな事態に対処するために新たなシナプスの連結構造が必要になるのと同じだ。しかし脳内回路の設定は、強靭な結合にしろ、脆弱な結合にしろ、一〇代半ばを過ぎると大きく変化することはないのである。

実に奇妙な現象だが、では、どうして脳はそのようにできているのか。どうして多大なエネルギーを要する回路が形成されながら、その大半が衰えたり、死滅したりするのか。その答えは、教育学者ジョン・ブルワーが著書*The Myth of the First Three Years*（最初の三年の神話）で述べているとおり、脳に関するかぎり「小が大を兼ねる」からだ。シナプスの成長を促進させようと、ベビーベッドの上に白黒二色のモビールを吊るしたり、赤ん坊にモーツァルトを聞かせる親がいるが、それは実は見当はずれなことなのである。シナプスが多いほど、賢く優秀な子に育つというわけではないからだ。賢さや優秀さは、最も強固な回路をいかにうまく利用するかで決まる。自然は選ばれた回路を有効利用させるために、何十億ものシナプスを失うことをわれわれに強いるのである。だから、回路が失われること自体は案じなければならないことでもなんでもない。回路の減少こそむしろ重要なことなのだ。

　では、なぜ最初に必要以上の結合が形成されるのかというと、生まれて数年のあいだは実に多くの情報を吸収するからだろう。しかし、ただ一方的に吸収するだけで、世界観のようなものはつくられない。ありあまる脳の回路がまだすべて機能しているので、あらゆる方向からの多くのシグナルに圧倒されてしまうのである。世界を理解するには受ける刺激をいくらか遮断しなければならない。そのため吸収の時期が過ぎると、脳は遮断という作業に移る。その作業はそれ以後一〇年以上続き、その間に、親から譲り受けた遺伝的特質と幼児期の体験に基づき、遮断すべき回路と、流れがよくて使いやすい回路とが選別される。そこで、競争心を生む回路にしろ、知識欲旺盛な回路にしろ、戦略的思考にすぐれた回路にしろ、その人を特徴づける回路が決まるのである。そうして決められた回路は、使用頻度がさらに高くなることで、より一層強靭で高感度のものになる。インターネット回線にたとえれば、それらが高速のT１ライン（一秒一・五メガビットのデータを送る電話回線）となって、シグナルがより明瞭に、より確実に伝わるのである。

一方、遮断され、使われなくなった回路は衰退し、シグナルを送ってもなんら反応を示さなくなる。たとえば、競争心の強いT1ラインを持つ人は、営業成績を示す数値を見ると、自らの成績とほかの人の成績を比べずにはいられない。知識欲旺盛なT1ラインを持つ人は、常に「なぜ?」という疑問を抱えている。これらとは逆の極端な例としては、集中力の回路が遮断されてしまう場合もある。そういう人にはパウエル将軍のような講演はできまい。聴衆の視線を感じたとたん、脳の働きがぴたりと停止してしまうことだろう。また、共感の回路が遮断されると、頭では共感の大切さがわかっていても、次第にほかの人から送られるシグナルが感知できなくなる。

流れのスムーズなT1ラインから破損した回路まで、ミクロのレベルの脳のネットワークによって、感覚的に「ぴたりとくる」行動や反応、どれほど練習を積もうと、ぎこちなさしか感じられない行動などが決まる。これが正常な状態で、その後、年齢とともに使用可能な回路は減少の一途をたどり、少数精鋭の回路が生き残る。実際、そうならなければ、脳は成人レベルに達しない。必要以上の回路が生き残ってしまうと、外界からの刺激が多すぎて知覚機能が麻痺し、脳は一生子供のレベルから成長できなくなるのだ。

作家のホルヘ・ボルヘスはそういった人格をつくり上げた。ボルヘス自身のことばを借りると、それは「恐るべき記憶力を持った少年で、彼には忘れるということができない。生まれてこのかた、見たり聞いたりしたもの、すべての経験が細部に至るまで記憶に残るため、一度見てしまうと、刻々と変わる雲の形さえ、記憶にとどめてしまう。そのために一般的な概念をつくることができない。すなわち……考えるということができないのである」。このような少年は心で何かを感じることも、人間関係を築くこともできない。どんなに些細なことも決められない。個性、嗜好、判断力、情熱、すべてが欠如しており、要するに、いかなる才能にも恵まれていないのだ。

われわれが、この少年のような運命をたどらずにすんでいるのは、自然の摂理と教育のおかげだ。かぎられた脳内回路だけが強化され、それ以外の何十億という回路は機能を失うからだ。その結果、特定の才能に恵まれた一人の人間として存在し、幸か不幸か、一生変わることのない独自の方法でまわりの世界に対応できているのである。

しかし、自らの永続的な独自性をなかなか信じようとしない人は存外多い。才能は実に簡単に手に入るものである。だから、みんなも私と同じように世界を見てるんじゃないのか、みんなもこのプロジェクトを立ち上げたいと思ってるんじゃないのか、みんなも衝突を避け、共通基盤を見つけたいと思ってるんじゃないのか、今のまま進むと障害が待ち受けていることぐらいだれだってわかってるんじゃないのか、などと誤った安心感を持ってしまうのだ。才能というものはあまりにも身近にありすぎるので、あたかもそれが常識であるかのように思ってしまうのである。ほかの人々も自分と同じ意識を持っているものと信じたほうが、ある一定のレベルでは確かに安心なことではあるが。

しかし、実際には、われわれの意識はみな一人ひとり異なっている。だから、世の中の事象に対する考え方、感じ方も当然一人ひとり異なってくる。それは、われわれの意識――繰り返し現れる思考、感情および行動のパターン――がその人独自の脳内回路によって生み出されるものだからだ。脳内回路がフィルターの役割を果たし、日々出会う出来事をふるいにかけ、集中すべき対象と切り捨てるべき対象を分類しているのである。

具体的な例を挙げよう。六人の仲間がお気に入りのレストランで夕食をとっているとしよう。このような場面で、共感性にすぐれた人は脳内フィルターの作用によって、ほかのみんなはその夜の会食をどのように感じているか考え、一人ひとりに笑みを向け、問いかけ、本能的に脳内回路の周波数を相手に合わせ、相手から発信されるシグナルを正確に受け取ろうとする。そして、全員がだいたい同じ気持ちでいることがわかると、自分も愉しい気分になれる。ありていに言えば、この人はそうして安心感を得るのである。

しかし、もちろん全員が同じ気分でいることなどありえない。なかに一人遅れてきた人がいたとしよう。その人はそのことを気にかけ、食事代を持つことで埋め合わせをしようかと考えている。くわしくは後述するが、これは〈責任感〉という才能のなせるわざだ。また別の人はみんなが何を注文するか考えている。これは〈個別化〉という才能による。ある人は一番親しい人の横にすわり、その人の「近況をどうしても知りたい」と思っている。これは親密な人間関係を築こうとする〈親密性〉という才能。また別の人は同席している二人が、前回同じ顔ぶれで食事をしたときのように口論を始めないかと心配し、二人が激しやすい話題にならないよう気を配っている。これは〈調和性〉という才能だ。残る一人はまわりのことなど眼中にない。食事のあとでみんなに披露しようと思っている、ジョークを心の中でただひたすら練習している。これはことばでドラマをつくり上げようとする〈コミュニケーション〉の才能である。

置かれた状況は同じでも、六人の脳内フィルターは一人ひとり劇的に異なる。社交の場が盛り上がりながらも、どうして一人ひとり少しずつほかの人には理解できない部分があるのか、そのわけはその脳内フィルターにある。だから、脳内フィルターはその人独自のものだという事実を踏まえておくと、仕事の場でもほかの人をより一層理解しやすくなるだろう。みなさんにはこんな経験はないだろうか。わかりやすい簡単なことばで説明して、自分の考えをできるかぎり明確に伝えたつもりなのに、まったく理解してもらえていなかったという経験だ。どのように仕事を進めるべきか、順序立てて懇切丁寧に説明したにもかかわらず、自分が伝えたのとは異なるやり方で、まったく別のことをされてしまった。こういうときにはだれしもいらだってしまう。ちゃんと話を聞いていたのか。承諾できなければ、どうしてそう言わなかったのか。どうして何度も同じやりとりを繰り返さなければならないのか。

しかし、フィルターは一人ひとり劇的に異なるということを心得ていれば、相手が話を聞いていなかったわけでも、故意に別のことをしたわけでもなく、ただ、指示を与えた人間の考えが読み取れなかっただけなのだということがわかるはずだ。要するに、問題はフィルターの相違ということである。ことばの意味は理解できても、そこに込められた意図がくみとれなかったのである。色覚障害のある人に、紫色をことばで説明しようとするとどうなるか。もうおわかりだろう。どれほどことばを尽くそうと、その人が紫色を見ることはないのである。

ここに挙げたのは極端な例かもしれない。人間は一人ひとり独自性を持って生まれてくるが、だからといって、互いに意思の疎通ができないわけではもちろんない。われわれは多くの考えや感情を互いに共有し合っている。生まれ育った国や環境がちがっても、恐怖、苦痛、羞恥、自尊といった感情は万人に共通するものだ。マサチューセッツ工科大学教授、スティーブン・ピンカーは最近の著書 *How the Mind Works*（心の働き方）で、異なる国や環境で育った人たちには性質に根本的な相違が見られるという考えが誤謬であることを立証する、ある有名な実験について触れている。どういう実験かと言うと——数人の社会学者がニューギニア山岳地方に住む人たちにスタンフォード大学の学生の写真を見せた。幸福、愛情、嫌悪、苦痛といった感情を極端に表現した顔の写真である。それらすべての写真を見せたあと、社会学者たちはニューギニアの人々に、一つひとつの表情をことばで言い表してもらった。写真というもの自体が普及しておらず、英米人の容貌にもことさらなじみがなかったにもかかわらず、彼らはすべての表情を的確に言い表した。

これは喜ばしい発見だ。国や環境が異なっても、人は人と心を通わすことができるという一つの証《あかし》なのだから。しかし、だからと言って、人間一人ひとりのフィルターはその人独自のものだ、というわれわれの説がまちがっていることにはならない。人の経験領域は多かれ少なかれ限定的なものだが（苦痛も恐怖も羞恥も経験したことがないなどという人がいたら、その人はソシオパスか、あるいはエイリアンか）その境界の中でも重要な部分とそうでない部分があり、また、経験自体多岐にわたるものだ。人種、性別、年齢に関係なく、プレッシャーを好む人もいれば、嫌う人もいる。大勢の中で、自らの存在意義を見出そうと必死になる人もいれば、他人を気にせずマイペースでいられる人もいる。また、衝突を愉しむ人もいれば、何より調和を望む人もいる。

興味深い個人差というのは、人種や性別や年齢に起因するものではなく、たいていの場合、脳内回路の機能のちがいによるものだ。だから、自分の業績と今後のキャリアの方向性に責任を持たねばならない従業員にとって肝心なのは、自らの脳内回路がどのようになっているか正確に把握することだろう。一方、マネジャーのほうは時間をかけてでも、従業員一人ひとりの才能を見きわめなければならない。次章で説明する「才能を見つける鍵」と〈ストレングス・ファインダー〉は、そうした目的のためにも役立てていただきたい。が、そのまえに最後の疑問を解決しておこう。

強みを築く上でなぜ才能はそれほど重要なのか

常に完璧に近い成果を得られること、それが強みの絶対条件だが、「才能とは最強のシナプス結合から生まれるもの」という定義によって、天性の才能がなければ強みを築くことはできないということは、およそおわかりいただけたと思う。

どんな仕事でもなんらかの決断が日々要求され、その意思決定は才能すなわち脳内T1ラインによって左右される。しかし、ここで言う決断とは、工場をアメリカからヨーロッパに移すかどうか、だれを販売部からマーケティング部に異動させるか、といったむずかしい決断についてではない。日々数えきれないほど直面する、ちょっとした意思決定のことだ。たとえば、机の上を埋めているファイルをまえにして、あなたはどのファイルから取りかかるか。大した労力を要しない仕事からか、午前中いっぱいはかかりそうな骨の折れる仕事からかといったことで、あなたは後者を選択したとする。後者を選んだあなたは、困難な仕事から片づけるのが好きなタイプということになる。が、その仕事に取りかかろうとしたところで、電話が鳴ったとしよう。あなたは電話の音を無視して眼のまえの仕事に集中するか、それとも、電話に出るか。とりあえず電話に出たとしよう。声だけで相手がだれだかわかるか。名前を覚えているか。どんな口調で対応すべきか。相手があなたを非難してきたら、即座に言い返すべきか、相手の言い分を最後まで聞くべきか。このように些細なことであっても、われわれは日々決断に迫られている。

意思決定を要する場面はそれこそ分刻みで訪れ、たいていの場合、問題を分析する余裕はなく、反射的に決断しなければならない。こうした状況に置かれると、脳は当然のようにある決まった作業を開始する。つまり、最も抵抗の少ないシナプス結合（才能）を見つけ、そこに情報を流す。そして、選択の必要性が生じると、脳は即座に複数あるT1ラインの一つを選び、瞬時に決定を下す。さらに選択を迫られると、さらに適したT1ラインを作動させ、決定する。

このちょっとした決定の合計が、その人のその日の遂行能力を表している。一日に一〇〇〇回決定を下すとして、この数字に五をかけると、その人の一週間（ウイークデー）の遂行能力がわかる。一年の労働日数を二四〇日とすれば、一〇〇〇に二四〇をかければ一年間のその人の遂行能力の予想がつく。ざっと見積もって、下した決定は二四万回。その作業のほとんどすべてを最強のシナプス結合、つまり才能が行っているのである。

これで、なぜ新しい技術を教わるだけでは、完璧に近い成果を収めるのが事実上不可能なのか、よくおわかりいただけたことだろう。技術の項で述べたように、たとえ技術を身につけたとしても、それは何かをするための手段でしかない。学習によって、少しは新しいシナプス結合もつくられるかもしれないが、脳のネットワークを再編成する方法は学べない。決定を下す際、場合によっては身につけたばかりの新たな技術が邪魔をして、力の弱い回路のスイッチを入れてしまうこともあるかもしれないが、あったとしても数えるほどだろう。下すべき決定は数かぎりなく、その多くが即断しなければならないものばかりだから、技術がT1ラインを完全に遮断したり、行動を著しく変化させたりすることもない。技術はできるかできないかを決め、才能はより重要な問題、すなわち「いかに巧みに行うか、それをどれほどの頻度で行うか」を決めるのである。

たとえば、〈共感性〉という才能を備えていない人が、共感性を養うための講座に通ったとする。

それで、相手の気持ちを理解するには相手が発信するシグナルを逃さないよう注意していなければならないことや、「聞いてもらっている」と相手が思うように反応しなければならないことぐらいは、理解できるようになるだろう。しかし、会話がいくら進んでも、悲しいかな、脳は共感性に呼応しないT1ラインに情報を送りつづける。すると、どうなるか。共感を示すべきときに話の腰を折ってしまったり、視線を合わせておくべきときに眼をそらしてしまったりということが起こる。あるいは、相手の気持ちを理解していることを身ぶり手ぶりで表現すべきときに、椅子の上でもぞもぞと体を動かしてしまったりするかもしれない。さらに、「ここは黙っているべきだ」にしろ、逆に「何か質問をしなければ」にしろ、理性にそう囁かれても沈黙が長すぎたり、触れられたくないと相手が思っていることを尋ねたりしかねない。どれほど最善を尽くそうと、最初から最後までぎこちなかったり、場にそぐわなかったりする。どうしても共感の真似事にしかならないのである。

もちろん、共感の真似事であっても何もできないよりはいいかもしれない。人の気持ちにあまりに鈍感で、その結果、まわりの人間を遠ざけてしまっているような人には、口を閉じるにしろ、逆に何か尋ねるにしろ、それはそれでいいアドバイスになるかもしれない。われわれも、弱点を克服してはならないなどと言っているのではもちろんない。ただ、そういったことの本質（これはダメージコントロールであって、成長にはつながらないということ）だけは見失わないでほしいということだ。まえにも述べたとおり、ダメージコントロールによって失敗を回避することはできても、自分の長所を活かして、高みに昇ることは絶対にできないのである。

脳内回路は一六歳までに決まる、という説には異論もある。神経に刺激を与えられた大人のネズミや、手足の一部を失った成人にシナプスの成長が見られるように、訓練を充分に重ねれば、一六歳以降でも回路を組み替えることができるというわけだ。これは表面的には正しい。迷路やなんらかの作業やゲームなどが準備された刺激の多いスペースでネズミを飼うと、何もないスペースで飼うよりも、ネズミのシナプスが成長するというのは事実だ。また、成人してから手足の一部を失うと、平衡状態を取り戻すために脳内回路が再編成される、と考えられているのも事実である。しかし、われわれはみな訓練と反復練習を行って脳内回路の組み替えに取り組むべきだ、という主張があったとしたら、それはこれらの発見の拡大解釈以外の何物でもないだろう。

反復学習で新たなシナプス結合がいくらかは形成されるかもしれないが、新たなT1ラインがつくられるわけではない。天賦の才がなければ、いくら訓練を受けても強みは築けない。新たな結合をつくろうとして反復練習を行うのは、学習という観点から見て非効率的である。これはジョン・ブルワーが著書*The Myth of the First Three Years*（最初の三年の神話）の中で述べていることだが、大人が何かを自然に習得するには三つの方法がある。一つは、すでに形成されているシナプス結合を鍛えつづけること（適切な技術と知識によって才能に磨きをかける）、もう一つは、活かせない脳内回路を捨てつづけること（才能に重きを置き、関係のない結合は衰えるに任せる）、最後の一つは、さらにいくらかシナプス結合を増やすことだ。しかし、以上の三つの中で最も非効率的なのが最後の方法だ。なぜなら、新たな結合を生み出すには血管やアルファインテグリン・プロテイン（細胞接着分子の一部をなすタンパク質）などの基礎構造が必要となり、それらをつくるには多大な体内エネルギーを消耗しなければならないからである。

最後に、覚えておいていただきたいことが一つある。それは、天賦の才なしで訓練を重ねると、進歩するどころか燃え尽きてしまう危険があるということだ。どんな分野でも根気強く取り組まなければば進歩は望めない。怠けたいと思うときも当然あるだろうが、その誘惑に打ち勝つにはエネルギーがいる。さらに、進歩しつづけるには進歩の過程そのものからもエネルギーを得なければならない。にもかかわらず、壊れた結合の修復ばかりしていると、逆の現象が起きる。エネルギーの消耗だ。どれほど周到に計画を立てて訓練を行ったとしても、ぎくしゃくとした不自然な動きは改善されない。訓練を重ねれば重ねるほど、無理を感じ、もどかしい思いが増すだけだ。そうなると、気力が失われ、再度取り組もうという意欲が著しく減退する。要するに、シナプス結合の修復は割に合わない無駄骨折りということだ。

それがどれほど消耗的なことか、弱点の克服ばかりに重きを置いている企業の多くが理解していない。そして、皮肉なことに、近年のトレーニング技術の進歩が事態をさらに悪化させている。近頃は、目標を達成する手段ではなく、学習それ自体が一つのイベントになってしまっている。さらにそうしたトレーニング主催者は、トレーニング後も参加者たちを継続的にサポートすることを重視している。そうした方法は学ぶ者にそれ相応の才能があってこそ、初めて実を結ぶものだ。才能がなければ、意図したものとは反対の結果しか生まれない。進歩するかわりに、すり切れてしまうのがおちだ。

戦略的なものの考え方を身につけようと悪戦苦闘している従業員がいたとしよう。会社から勧められ、その従業員は最新技術を誇るその手の訓練プログラムに参加する。やがてプログラムが終了し、何カ月か、だれかがその従業員のお目付役になる。そのお目付役は会議の席で従業員を観察し、戦略的思考能力を査定した結果、あまり進歩が見られないと判断する。そして、どうすればまだ弱点のままの分野でも力をつけることができるか、その方法を提案する。これらはすべて善意の行為である。しかし、もうおわかりと思うが、従業員にしてみれば、ただただ困惑するだけだろう。見通しの甘さにしろ、見落とした手がかりにしろ、不要なのに手に入れてしまったコネにしろ、逐一お目付役から指摘されても、日々ますます困惑し、ストレスがたまり、自信をなくすだけだ。

こんなふうに苦境に立たされてしまった従業員の心理状態と、才能を日々活かしている人の心境には雲泥の差がある。才能は持ち主に、その才能を「活かしたい」と思わせる力だけでなく、活かして「愉しい」と思わせる力も備えている。どういうわけか、最強の脳内回路は、この「活かしたい」と「愉しい」という二つのシグナルがスムーズに流れるようにできているのである。そのため、才能が活かされたときには、即座に愉しいというシグナルがT１ラインを流れる。二つのシグナルが自由に行き来しているラインからはブーンという音さえ聞こえてきそうだ。それが才能を活かすという感覚だ。

さらに、才能は内蔵されたフィードバック機能に組み込まれ、繰り返し使われる。われわれの脳はそのようなつくりになっているのだ。ある意味で、才能とは永久運動をする機械が生み出す自然な働きとも言える。その人らしい反応というものがあるが、知らず知らずのうちに、同じ反応を示すことで満足が得られ、自然とその反応を何度も、場合によっては永遠に繰り返すようになるのだ。二六三二試合連続出場の記録を持つカル・リプケンにも、二一年同じホテルの部屋の清掃を続けるベティーナにも、四〇年間「ピーナツ」を描きつづけたチャールズ・シュルツにも、われわれはみな驚かされるが、それでも、少なくとも彼らのエネルギーはどこから湧いているのか、それはもうおわかりいただけたのではないだろうか。

強みを築く上で、最強のシナプス結合、すなわち才能は何より大切な要素だ。自らの最強の武器となるこの才能を把握し、必要な技術と知識の助けを借りて才能を磨けば、だれもが強みを活かした強固な人生を築くことができる。

が、ここで避けがたい疑問が一つ生じる。「強みを築くには才能が必要不可欠だとしたら、では、どうすればその才能を特定できるか」という疑問だ。皮肉なのは、才能はあなたが下す決定すべてに影響を与えている。ということは、あなたはすでに才能と親しくつきあっているということである。確かに、才能は人生という布地にあまりにしっかりと織り込まれ、あまりに絶大な影響力を持つので、一つひとつのパターンを認識するのは案外むずかしい。しかも才能というやつは自己主張をしない。目立たないやつだ。それでも、必ずどこかに痕跡を残している。その痕跡を見つけ、才能を突き止めるには、われわれはみな自分自身を見つめ直す必要がある。では、どうすれば自分を見つめ直すことができるか。次章ではその点について触れる。

第Ⅱ部

強みの源泉を探る

第3章

強みを見つける

才能の痕跡
ストレングス・ファインダー

才能の痕跡

――どうやって自分の才能を見つけるのか

才能を見つけるためにまず最初にやるべきことは、さまざまな状況下で自分は無意識にどのような反応をしているか、自分自身をよく観察することだ。反射的な反応は才能を見つける最も有力な手がかりだ。最強の脳内回路のある場所を教えてくれる。

実に興味深い例を紹介しよう。コンピューターのソフトウエア会社重役のキャシー・Pは年に一度行われる販売促進会議に出席するため、ドミニカ共和国に向かっていた。軽飛行機の狭い座席にすわり、まわりを見まわし、乗っている人たちを確かめた。後方の席には、気性が激しく、自己主張が強く、短気なCEOのブラッドが二人分の座席を占領し、そのまえの座席には、ソフトウエア細部の設計にかけては社内随一の天才エイミーがすわっていた。エイミーの奥には、下降気味だったヨーロッパの業績を独自の人脈を使って立て直した、社交的で魅力的なイギリス人、マーティンがいた。マーケティング部の責任者ながら、人間的魅力に乏しいゲリーは、いつものようにブラッドの隣にすわっていた。

「問題が起きたのは離陸直後のことだった」とキャシーは語る。「雲を抜けたとたん、警報器がいきなり鳴りだしたの。飛行機に警報器がついてることさえ知らなかったのに、それが突然ロバみたいにイーオーイーオーって機内にすごい音を立てはじめたのよ。通常灯が消えて非常灯がつくし。一秒か二秒のあいだに、一〇〇〇フィートくらい降下したんじゃないかな。で、開いていたドア越しに操縦室を見たら、パイロットが二人とも首筋まで真っ赤にして、じっと互いに顔を見合わせてるじゃないの。いったいどうなってるのか、二人にもわからないんだってすぐにわかった。

ショックで機内が静まりかえったいっときがあって、そのあとみんないっぺんに話しはじめた。エイミーは身を乗り出して、『キャシー、計器が見える？　見える？』なんて言ってた。マーティンは自分のバッグからウオッカの小壜を取り出して、『せめて最後の一杯をやらせてくれ！』なんて馬鹿なことを言ってて、ゲリーは体を前後に揺らして、『みんな、死ぬんだ、みんな、死ぬんだ』なんてぶつぶつ言ってた。ブラッドはもうコックピットの戸口に立っていた。うしろの座席からいつまえに出てきたのか、私には今でもわからないけど、ドアのところで、『いったいこれはなんの真似だ？』なんて怒鳴ってた。

私？　私は何をしていたか」とキャシーは続けた。「みんなを見てたの。いつものようにね。でも、おかしいのは飛行機にはどこにも異常がなかったってこと。システムの誤作動で、警報が鳴ったのね。それで、パイロットは慌てて飛行機を急降下させたのね」

これは、極度の緊張状態に置かれた人間が示す反応が、その人間の中で最も支配的な才能を露見させるいい例だろう。個々のこうした反応は、仕事においてそれぞれがどのような能力を持っているかを推し量るのにある程度役立つ。キャシーがマネジャーとして成功している背景に、人の本質を見抜く鋭い観察力があるのはまちがいのないところだ。また、状況を正確に把握したいというエイミーの本能的な欲求が、ソフトウエアの設計ですばらしい才能を発揮する基盤になっているのも。どのような状況下に置かれてもユーモアを忘れないマーティンの才能は、ヨーロッパの顧客たちとネットワークを築くのに大いに役立ったことだろう。ブラッドはブラッドで、強迫観念とも言える責任感の強さがあるから、企業を統率していけるのである。すぐに泣きが入るゲリーの資質もまた足元を確かめ、確実性を求めるときには有効と言えなくもない（ただ、こうした資質はどこでどのように活かされるか判断がむずかしい。真の才能とは言えないかもしれない）。

以上は極端な例だが、これほどではないにしろ、日常生活においても、緊張のために人が無意識のうちに内面をのぞかせる状況はいくらでもある。

知り合いがほとんどいないパーティーに出席してしまったとしよう。そんなパーティーではお開きになるまで、顔見知りの人か、それとも初対面の人か、どちらと一緒に過ごすか。初対面の人、と答えた人は生まれつき外向的な性格で、〈社交性〉という資質に恵まれている。この〈社交性〉については次章で改めて述べるが、簡単に言うと、ほかの人を惹きつけたいという願望が強いことを意味する。逆に、一番親しい人の姿を懸命に探し、その人のそばを離れず、関係のない人が割り込んでくるのを快く思わない人は〈親密性〉に長けている。これは知り合いとの関係をより深めたいと望む資質だ。

もう一つ、部下が子供の病気を理由に欠勤の連絡をしてきたとしよう。そういう連絡を受けて、あなたの頭に最初に浮かぶことはなんだろう？　まず何より部下の子供のことが気にかかり、具合はどうか、だれが看病しているのか、といった質問が口をついて出る人は〈共感性〉という才能を備えている。反対に、真っ先に、欠勤する部下の穴をだれが埋めるかに意識が向けば、その人は、種類の異なる複数の事柄に即座に優先順位をつけて、整理できる〈アレンジ〉という才能に秀でている。

確実な情報がそろっていなくても判断を下さなければならない場合がある。そういう状況下で、その不確実さをむしろ歓迎し、たとえ悪い方向に進んだとしても、そこでまた別な視野が得られるのだからと、とにもかくにも行動が起こせる人は、曖昧な状況でも行動が起こせる〈活発性〉という才能に恵まれている。反対に、確実な道を探ろうと、さらに情報を待つ人は〈分析思考〉に長じており、こうした表面的な反応もその人独自の行動パターンを如実に示していて、才能を知る手がかりとなる。

このように、無意識の反応は才能の源泉を見つける最も有力な手がかりだが、それ以外にもさらに三つの手がかりがあることを知っておいてほしい。その三つとは切望、修得の速さ、満足感だ。

「切望」は特に幼いころに表面に表れやすく、どんな才能を秘めているか明らかにする。互いに幼な友達である俳優のマット・デイモンと同じく俳優のベン・アフレックは、一〇歳のころから、学校のカフェテリアの片隅で二人きりで、自分たちの演劇プロジェクトについて語り合っていた。ピカソは一三歳で美術学校に通い、大人に交じって芸術を学んでいた。建築家のフランク・ゲーリーは、五歳のときに、父親が経営する金物店から持ち帰った木ぎれで、自宅の居間の床に複雑な模型を組み立てた。モーツァルトが初めて交響曲を書いたのは、一二歳の誕生日を迎えるまえのことである。

著名な人たちばかりを例に挙げたが、これはすべての人に言えることだ。おそらく遺伝や幼児体験が影響を与えていると思われるが、子供のころに何かに夢中になり、大人に止められた経験はだれにもあるのではないだろうか。たとえば、裏庭で走りまわっている兄弟や友達から一人離れ、スプリンクラーがどのような仕組みになっているか確かめようと噴出口をいじり、水道管を引っこ抜いてしまうような子供は、物事を分析したいという欲望がすでに現れているのである。

また、七歳の誕生パーティーを家で祝うつもりでいたのに、母親が気を利かせ、マクドナルドに行くことに計画を変更してしまったのを知って、大泣きする子供は幼いころから生活の規則性をとても大切に考える資質を持っていると言える。

こうした幼少期の感情もまた、脳のさまざまなシナプス結合によって引き起こされるわけだが、より弱い結合は些細な刺激に対応し、誕生パーティーの例で言えば、母親がよかれと思ってしたことでも奇妙なものとしてとらえ、大泣きすることになる。反対に、強い結合は抑制が利かず、その結合に引っぱられ、なんであれ、その結合が命じることをしたいと渇望するようになるのである。

もちろん、何かをしたいという強い願望があっても、社会的もしくは経済的制約のために実現できないことはいくらもある。ブッカー賞受賞作家、ペネロープ・フィッツジェラルドもそんな一人だ。彼女は、夫がアルコール依存症だったため、一人で家族を養っていかなければならず、小説を書きたいという切なる願いを五〇代半ばまでかなえることができなかった。が、夫の死によって重荷から解放されると、一〇代のころのようにその衝動は抗しがたいものとなり、それから亡くなるまでの二十数年間に小説を一二作発表し、八〇歳で死ぬまぎわに頂点をきわめ、同業者の一人に「英国で最高の作家」とまで言われるようになったのである。

しかし、類いまれな才能の活路を閉ざされていた期間の長さでは、アンナ・メアリー・ロバートソン・モーゼスの右に出る者はいないだろう。彼女は、ニューヨーク州北部の農場に生まれ、幼いころには、絵を描くのに眼に映る色はすべて混ぜ合わさずにはいられず、そうした色を出すのにイチゴとブドウのジュースを混ぜ合わせたりしていたほどだった。しかし、農場の暮らしは忙しく、絵を描く機会などまったくないまま年月が経ち、六〇年間絵筆を持つことはなかった。ところが、七八歳になってやっと農場の仕事から身を引き、ペネロープ・フィッツジェラルドのように、自らの才能を解き放つ贅沢を自分に許したところ、一気に頂点まで登りつめた。それまで封じていた子供のころの記憶を呼び覚まし、死ぬまでの二三年間に何千点もの風景画を描いた。個展も一五回開き、画家「グランマ・モーゼス」として世界じゅうに親しまれたのである。

グランマ・モーゼスほど切望感の強い人はそう多くはないだろうが、それでも、どんな人にも長いあいだ胸に秘めた願望があるはずだ。切望というのは、脳内回路の中でもとりわけ強力な回路が引き起こす自然現象である。だから、外界からどれほど抑圧されていても、その強力な回路はその人に気づいてもらえるよう常に訴えつづけている。自分の才能を本気で見つけたいなら、耳をすましてその声をとらえてほしい。

カクテル・パーティーやレセプションの魅力に惹かれて広報活動に憧れたり、人を支配したいという野心からマネジャーの地位を望んだりすることも、ときにはあるかもしれない。しかし、そうしたいわば「偽りの切望」に心を奪われてしまうと、真の切望の声が聞こえなくなってしまう（それが「偽りの切望」であることを知るには、現にそういう仕事に就いている人の話を聞くといい。輝きを失ったバラの日常とはどんなものか、それを実際に教えてもらうのが一番だろう）。その手の偽りのシグナルではなく、自分がほんとうに望むことを追いかけるというのは、強みを築くうえで大いに意味のあることだ。

「**修得の速さ**」もまた才能の痕跡を探る一つの目安になる。才能の中には切望というシグナルを送ってこないものもあるからだ。さまざまな理由で、本人が才能の呼びかけに気づかないでいることも少なくない。が、そういった場合でも、比較的年齢を重ねてから、何かのきっかけで才能が突如花開くことがよくある。そんな才能の存在と程度は、新たな技術を修得する速さによって知ることができる。

画家アンリ・マチスは、同時代のピカソのように早い時期から絵画への強い思いがあったわけではなく、初めて絵筆を手にしたのは二一歳のときだった。当時は法律事務所に事務員として勤め、病弱でふさぎ込みがちな青年だったのだが、ある日の午後、インフルエンザで寝込んでいたときのこと、彼を元気づけようと思った母親からひと箱の絵の具（実際にはなんでもよかったのだろうが）をプレゼントされた。それをきっかけに彼の人生は方向もベクトルも突如として変わる。まるで暗い牢獄から解き放たれ、光というものを初めて見た人のように、彼は内から湧き起こる力を感じ、何かに取り憑かれたように独学で画法を学び、来る日も来る日も描きつづけた。そして、四年後、正規の訓練を経ていないにもかかわらず、パリで最も権威のある美術学校に入学を許可され、巨匠ギュスターブ・モローのもとで本格的に絵画の勉強を始めたのである。

造園家フレデリック・ロー・オームステッドも突然才能を開花させた一人だが、マチスとちがうのは、才能の芽が出てから先例のない速さでトップまで登りつめたところだ。三〇歳近くになるまで、彼は移り気で特に取り柄のない男だった。が、一八五〇年、イギリスを訪れたとき、天職に気がつく。彼のことばを借りると、「生け垣、イギリスの生け垣、西洋かんざしの生け垣に花が満ち、潤いのある外気の中、柔らかな陽の光が漂う」光景に痛く心を打たれたのだ。アメリカに戻ると、彼は何年もかけて構想を練り、造園家の大きな大会で優勝し、ニューヨークのセントラルパークを設計するようになる。それが彼の初仕事だった。

新たな職務のためにしろ、新たな目標のためにしろ、新たな職場のためにしろ、動機はなんであれ、新たな技術を学びはじめたとたん、配電盤のスイッチがすべてオンになったかのように、まさに脳の中で光がともったかのような経験をした人は、みなさんの中にもいるはずだ。そうした技術は、新たに開かれた脳内回路を通してあまりにすばやく伝わるので、技術を習得する段階そのものが消えてしまう。初心者特有のぎこちなさはあっというまになくなり、巨匠の優雅ささえすぐに漂うようになる。そして気がつくと、勉強仲間を引き離し、教わらなくとも次にやるべきことをやろうとし、鋭い洞察力で次々に質問を投げかけるものだから、場合によっては、指導者に快く思われなくなってしまうこともあるかもしれない。しかし、あなた自身はそんなことはまったく気にならない。新たな技術のほうからあなたに手を差しのべているのである。それを修得しない手はない。

もちろん、一生の職業の方向性を決定づける突然のひらめきは、すべての人に訪れるわけではない。しかし、その技術が販売であれ、プレゼンテーションであれ、建築設計であれ、従業員に発展性のあるフィードバックを行うことであれ、訴訟事件摘要書や事業計画書の作成であれ、ホテルの客室の清掃であれ、新聞記事の編集であれ、朝のテレビ番組のゲストの手配であれ、どんな分野であれ、必要な技術を修得するのが早ければ、その分野をさらに追求すべきだ。そうすれば、必ず自分の才能（それは一つとはかぎらない）を特定できるようになる。

「満足感」は才能を知る最後の手がかりだ。前章で述べたように、最強のシナプス結合は、利用することでより活発化する。何かをなし遂げたときに気分がよければ、本人は気づかなくても、それはすでに自らの才能を活かした仕事をしていたということだ。

これではまるで「気分がよければ続けなさい」と言うのと同じくらい、単純きわまりないアドバイスに聞こえるかもしれない。しかし、実はそれほど単純なことではない。なぜなら、さまざまな理由から（多くは精神発達史と関係があるのだろう）人間にはだれにも反社会的なことがしたいという欲求が潜んでいるからだ。たとえば、だれかがへまをするのを見て、ひそかにほくそ笑んだ経験はないだろうか。また、だれかを人前でやりこめたいとか、自分の失敗を他人のせいにして、責任逃れをしたいとか、思ったことはないだろうか。それがどれほど見下げ果てた行為であれ、人間というのはそういう行為をしてしまうものだ。他人がいやな思いをしている陰で、自分だけいい思いをしてみたいのである。しかし、これほど非生産的な行為もない。こうした行為は厳に自戒しなければならない。まえに述べたこととも関連するが、他人の失敗を喜ぶことに才能を使いたくなるような人間は、自分自身の値打ちをもう一度最初から見つめ直すべきだ。

精神的な強さと満足感を少しでも得たいと思うなら、自分のアンテナは建設的なことだけに向けていたほうがいい。今回の調査では、優秀な人たちにインタビューして、最も幸せを感じる自らの行動と成果について尋ねたのだが、まず仕事で最も愉しいことは何かという質問には、ほぼ全員から同じ答えが返ってきた。何かを挑まれて、それが解決できたとき、というのがその答えだ。が、さらに踏み込んで尋ねると、「何かを挑まれて」と言っても、人によって意味するところが異なることがわかった。

たいていの人は気づかないような微々たる進歩でも、だれかが進歩するのを見て、満足を得る人がいた。また、混乱状態を収めるのが好きな人もいれば、大きな行事でホストを務めることに大きな喜びを見出す人、部屋に掃除機をかけることに喜びを感じる人もいた。あるいは、構想を練ることが心底好きな人もいれば、それとは逆に、構想というまだ結果のわからないものは信用できず、すでに結果が出ているものを分析して、真実を発見することに興奮を覚える人もいた。さらに、自らの基準を満たしていれば、それでよしとする人がいる一方で、基準に関係なく、同僚よりすぐれた成績を収めなければ意味がないと考える人もいた。学ぶことこそ真に意義深い行為と思う人、人を助けることに意義を見出す人、拒絶されることに多大な喜びを覚える人さえいた。この最後の人は、たぶん自らの説得力を披露する機会が得られたことが喜びにつながるのだろう。

何に喜びを見出すか。以上のような例をすべて挙げたら、それは世界じゅうの人々の名前を読み上げるに等しい作業になるだろう。人間は一人ひとり独自の個性を持っていて、何から満足感を得るかは、たとえそれがどんなにわずかな差であれ、人によって異なるものだ。ただ、ここで念を押して言っておきたいのは、自分はどのような状況で満足を覚えるか、それを仔細に観察してほしいということだ。それがわかれば、才能のありかは必ず突き止められる。

では、どうやって満足の源泉を見つければいいか。それは、そう、確かにきわめて微妙な問題だ。心底愉しんでいるかどうかを知る方法をだれかに教えるというのは、恋をしているかどうか知る方法を恋人たちに教えるのと同じくらい無意味なことだろう。が、とりすまして言えば、「感じているか、感じていないか」ということだろうか。

それでも、あえて危険を冒してヒントを提供するなら、何かをしようとするとき、過去か現在か未来か、どの時制を一番意識しているか考えてみるといい。考えていることがすべて現在に関わることで、「これはいつ終わるのか」と考えているようなら、おそらくそれは才能を活かしていないからだと思う。一方、将来を見据え、「いつまたこれができるか」と考えているようなら、あなたはそれを愉しみ、なんらかの才能を活かしていると考えてほぼまちがいないはずだ。

無意識の反応、切望、修得の速さ、満足感、これらはいずれも才能のありかを突き止めるための手がかりだ。忙しい日々の中、ときには立ち止まり、耳元を吹き抜ける風の音が静まるのを待って、これらの手がかりが語りかける声に耳をすましてほしい。その声がきっとあなたをあなたの才能へと導いてくれるはずである。

ストレングス・ファインダー
――その仕組みと使い方

仕組み

才能を突き止める最善の方法は、先に挙げた四つの手がかりを最大限利用して、自らの行動と感情を長期にわたってとくと見つめることだ。どんなプロファイリングも質問事項も焦点を絞ったこの方法にはかなわない。とはいえ、実際には、そうする時間も客観性もあまり持ち合わせていないというのが、われわれの多くの現状である。われわれはあまりにも忙しすぎ、客観的になるには自分という対象はあまりに自分に近すぎる。

そこで利用していただきたいのが〈ストレングス・ファインダー〉だ。まず二つの選択肢から一つ選ぶと、この〈ストレングス・ファインダー〉は回答を識別し、最も優位を占めるあなたの行動パターンを割り出し、真の強みに育ちうる最も有力な潜在能力を測定する。

日々のあらゆる状況に対する無意識の反応が才能を知る有効な手がかりになるのは、すでに述べたとおりだが、かかる才能を正確に把握できるよう、〈ストレングス・ファインダー〉は被験者の無意識の反応を誘発するようにできている。被験者に刺激を与え、考えられる反応を選択肢として並べ、その反応を測定する。いたって簡単なものだ。

いや、実はそう簡単ではなかった。この〈ストレングス・ファインダー〉がこうしてできあがるまでには、思いのほか複雑な過程を要した。

まず、選択肢が問題となった。五段階で評価できるような選択肢が実生活で用意されているわけがなく、われわれの脳はあらゆる場面で無数の選択肢を即座に選り分け、最も影響力の強い脳内回路に最終的な判断を任せている。しかし、いかなる検査においても選択肢を無制限に提示することはできない。そこで、われわれは逆に選択肢をたった二つに絞ることにしたのだが、そのうちのどちらか一つは被験者の隠れた才能を明らかにする選択肢でなければならない。この難題が解決できたのは、同じような才能の持ち主は同じような回答をするかどうか、二〇〇〇万人近い人たちを対象に行った自由回答式インタビューのおかげである。

一つ例を挙げよう。マネジャー向けのインタビューには「従業員にやる気を起こさせる最善策はなんですか」という質問があった。その質問に対してどんな答えが返ってくるか、われわれは特に予想していたわけではない。が、驚いたことに、開始早々あるパターンが明らかになった。従業員の個性を見抜く才能を備えているマネジャー全員から、なんと同じ答えが戻ってきたのだ。「相手次第である」。これが彼らの答えだった。さらに「どれほど細かい指示を与えますか」という質問にもまたしても全員が同じ答えを口にした。「相手次第である」と。この答えが正しいというわけではもちろんない。が、ここに優秀なマネジャーに共通する考え方が一つあることだけは確かだ。

このような発見に基づいて、「相手次第である」という答えが〈ストレングス・ファインダー〉に加えられたのだが、すべての質問にこの答えを選んだ人はおそらく〈個別化〉の才能に恵まれている人だろう。

二番目の問題は、あまりにあからさまな選択肢を二つ並べるわけにはいかないということだった。一方が正しく、もう一方が誤っているのが一見してわかるような選択肢を並べても才能の有無を正しく測ることはできない。この問題は、正反対の選択肢をできるかぎりつくらないことで解決した。その一方で、すでに数百万人に実施した調査から一つわかっていることがあった。「だれかと話をしているとして、自分がすぐれた聞き手かどうか、それはどうやって判断しますか」という質問に対して、二つの顕著なパターンが現れたのだ。分析思考に長けた人の答えが、「相手の言ったことを理解し、相手の言ったことを反復できるなら、自分はすぐれた聞き手ということになる」というものだったのに対して、共感性の強い人からは「相手が話しつづければ、自分はすぐれた聞き手ということになる」とまったく異なる答えが返ってきたのである。

これはどちらが正しいとも言えず――両方とも賢明な答えに見える――また、両極端な答えというわけでもない。それでも、これらの選択肢を並べた場合、優位を占める才能が共感性なのか分析思考なのか、そのことを知る手がかりになることはこれまでの調査から明らかになっている。と同時に、双方の才能を兼ね備えている人はこの二つの選択肢をまえにすると、答えに窮するということが大いに考えられる。そこでわれわれは、共感性、あるいは分析思考のどちらがより秀でているかという問題については、ほかの質問事項で測れるように工夫した。

最後の問題は、被験者に直感的に答えてもらうにはどうすればいいかだった。実生活ではたいていの場合、瞬時に判断を下さなければならないから、あらゆる選択肢をじっくり検討してから最善の道を選ぶという作業はあまり現実的とは言えない。気楽な雑談でさえそうだ。口調、抑揚、視線、身ぶり、ことばづかい、論理性、これらすべてに対する判断を脳は瞬時に行っている。こうした意思決定に与えられる時間については、実生活に近づけるため回答に時間制限を設けた。画面に二つの選択肢が表示されてから二〇秒。それが制限時間で、その時間以内に答えなければならない設定になっている。これは選択肢を読んで理解だけできて、知性が邪魔をしないぎりぎりの時間は二〇秒程度、と推定した結果である。

ストレングス・ファインダーで何がわかるか

〈ストレングス・ファインダー〉の目的は強みを被験者に植えつけることではない。**強みになりうる最もすぐれた潜在能力の源泉を見つける**ことだ。そのため、われわれは「優秀さとは何か」という問題を長期にわたって調査した結果導き出された、強みになりうる三四の資質をプロファイリングの測定基準にした。

〈ストレングス・ファインダー〉では、最後の質問に答えたらすぐに、優位を占める五つの才能、資質に関する結果がわかるようになっている。それらの才能、資質は、繰り返し現れる思考、感情および行動のパターンを示しているだけで、まだ強みとは言えないが、将来強みになることが大いに考えられる素材だ。次章はそうした才能、資質を知るためのガイドである。資質一つひとつについてくわしく説明し、その資質を持つ人の例を紹介してある。すべての項目を特に読みたいと思わなければ、読む必要はない。また、すべての項目をことさら覚える必要もないが、〈ストレングス・ファインダー〉で判明した自らの資質については眼を通してほしい。

ストレングス・ファインダーの使い方

本書の巻末にある綴じ込みを見ていただきたい。そのなかに英数字が書かれているはずだ。それがあなたのアクセスコードである。番号を確認したら、インターネットに接続し、次のサイトにアクセスしてほしい。http://www.strengthsfinder.com

そのあとは指示に従い、アクセスコードを入力するだけでいい。〈ストレングス・ファインダー〉を実施するには二八・八ｂｐｓ以上のモデムと、インターネット・エクスプローラーかネットスケープかＡＯＬのそれぞれバージョン４・０以上のブラウザが必要である。答え方が容易にわかるように、最初にサンプルを用意した。それを試してから、実際の設問に取りかかることをお勧めする。

実施中は直感的に頭に浮かんだ答えを選択してほしい。自分の答えを自分で分析しようとしないことだ。また、「どちらでもない」が何回か続いたとしても気にすることはない。ファインダーの目的は被験者の才能、資質を浮き彫りにすることだ。二つの選択肢のどちらにもあてはまらない場合や、反対にどちらにもあてはまる場合には「どちらでもない」を選んでほしい。この場合、どちらも最もすぐれた特性ではないと考えられる。

念のために最後にもうひとこと。自分の特性があまり好ましくないものではないかと怖れ、実施するのをためらう人がいる。そのような心配は無用だ。才能や資質にはいいも悪いもないのだから。あくまで繰り返し現れるパターンにすぎない。それを磨けば強みとなり、磨かなければ宝の持ち腐れとなる。実施した直後は、五つの資質を過剰に意識して、反応が大袈裟になるかもしれない。たとえば、資質の一つが〈活発性〉の人は、新たに発見されたその特性を活かして何ができるか、知りたいという気持ちがどうしても強くなるだろう。また、〈分析思考〉にすぐれているとわかれば、どうして自分の回答から〈分析思考〉という資質が導き出されたのか、大いに気になるかもしれない。優位を占める五つの資質は、常に外界からの刺激に対してフィルターの役割を果たしているので、それらが惹き起こすそうした反応は、当然何度も繰り返される。しかし、どんな資質が明らかになったにしろ、これだけは言っておきたい。それは、「たぶんきみはテストに落ちたんだよ」という挑発的で悪意に満ちた囁きに惑わされるな、ということだ。そういうことではまったくないのだから。〈ストレングス・ファインダー〉には失敗も何もないのだから、どんな資質も強みとなる可能性を秘めている。だから、そうした自らの資質がせっかく見つかりながら、それを実現する手助けをしてくれる職務もパートナーも見つけられなかったら、それだけが考えうる唯一の失敗ということだ。

第4章 34の強み

アレンジ　運命思考　回復志向　学習欲　活発性　共感性
競争性　規律性　原点思考　公平性　個別化　コミュニケーション
最上志向　自我　自己確信　社交性　収集心　指令性
慎重さ　信念　親密性　成長促進　責任感　戦略性
達成欲　着想　調和性　適応性　内省　分析思考
包含　ポジティブ　未来志向　目標志向

（資質は五〇音順。また、資質の定義はギャラップ・ジェーマール訳）

アレンジ

Arranger

あなたは指揮者です。たくさんの要素を含む複雑な状況に直面すると、最も生産性の高い組み合わせにそれらをアレンジしたと確信するまで、何度も並び替えを繰り返し、すべての要素を自分で管理することを愉しみます。あなたは、自分の行為を特別ではないと考えています。あなたは、物事を行うのに最良の方法を見つけ出そうとしているにすぎません。

しかし、このような資質を備えていない人はあなたの器用さに感嘆し、「そんなに多くのことを、どうやって一度に考えられるのですか?」ときくでしょう。「どうしたらそんなに柔軟でいられるのですか。たった今思いついたことを新しくアレンジするために、すでに充分練った計画を棚上げすることができるなんて?」

でも、あなたはこれ以外の行動の仕方など想像することができません。旅行の直前に、急にもっと割安な運賃が利用できることになって予定を変更する場合でも、新しいプロジェクトを成功させるために、人材と資源の適切な組み合わせをじっくり考える場合でも、あなたは柔軟性を効果的に発揮するという点ですばらしいお手本です。

単純なことから複雑なことまで、あなたはいつも最善の「構成」を探します。変化の激しい状況でこそ、あなたはベストを発揮できます。予期せぬ事態に直面すると、苦心して立てた計画を変えることはできないと文句を言う人もいれば、現行の規則や手続きを盾にして逃げる人もいます。あなたは、そのどちらでもありません。それどころか、あなたは混乱の中に飛び込み、新しい選択肢を工夫し、抵抗が最も少ない新たな道を探し求め、新しい協調関係を見つけ出します。結局のところ、もっとよい方法があるかもしれないと思うので、そうするのです。

〈アレンジ〉を強みとする人たちの声

セアラ・P（経理部長）「複雑な問題に直面すると、すごくうれしくなります。それもその場で考え、すべてをあるべき場所にぴたりと収める方法を見つけなくてはならないなんていう問題がいいんです。状況を観察して、三〇の選択肢を考え、その中から最適のものを選ぶのに一生懸命になる人もいるでしょう。私の場合、選択肢は三つですね。どうして三つなのか。それはもちろん、そのほうが判断を下して、すべてをあるべき場所に収めるのが簡単だからです」

グラント・D（工程マネジャー）「先日わが社の工場から、ある製品の注文が予想をはるかに上まわったという連絡を受けたんですが、ちょっと考えたら、いいアイデアが浮かびました。月に一度ではなく、週に一度その製品を出荷すればいい。それです。で、『ヨーロッパの支店と連絡を取って注文数を確認したら、こっちの状況を伝えて、週単位の注文数をきくように』と指示しました。これだと、在庫を増やすことなく、注文に応じることができます。当然、輸送費はかさむけど、あるところでは在庫があまり、あるところでは在庫が不足する、なんていうのよりはよほどいいでしょ？」

ジェイン・B（企業家）「時々、たとえば、家族や友達と映画やフットボールの試合を見に行くなんていうとき、〈アレンジ〉の資質がある自分がいやになります。だって、家族も友達もわたしに任せっぱなしなんです。ジェインがチケットを取ってくれるわよ、ジェインが足を確保してくれるわよ、なんて。でも、『どうしていつも私なの？』ってきいたら、きっとみんな言うでしょうね。『あなたはそういうことが得意だから。ほかの人なら三〇分かかるところを、あなたならてきぱきやってくれるじゃない。チケットセンターに電話して、望みどおりのチケットを予約して、あっというまに全部してくれるじゃないの』ってね」

運命思考

Connectedness

偶然に起こることは一つもありません。あなたは絶対にそう思っています。それは、人々が互いに結びついていることを、心の底から確信しているからです。確かに人々は自分の行動を自分で決めることができる、自由な意思を持っている個別の人間です。とはいっても、私たちは何かもっと大きな存在の一部なのです。それをある人は人生の神秘と呼ぶかもしれません。それを精神、あるいは生命力と呼ぶ人もいるでしょう。

　しかし、何と呼ぶかは問題ではありません。私たちは互いから隔絶されているわけではなく、地球や地球上の生命から切り離されてもいないとわかっているからこそ、あなたは安心感を得るのです。

　この運命思考という考え方には一定の責任感が付随しています。もし人々すべてがもっと大きな存在の一部であるなら、人は他人を傷つけてはいけないのです――なぜなら、自らを傷つけることになるからです。人から搾取してはいけません――なぜなら、結局自分自身に返ってくることになるからです。

　このような責任に対する認識が、あなたの価値体系をつくり上げています。あなたは思慮深く、思いやりがあり、受容力があります。人々はみな同じであると確信しているあなたは、異なる文化を持つ人々のあいだで架け橋の役割を果たします。見えない力を敏感に感じ取り、平凡な日常生活の中に意味があるという安心感を他の人に与えることができます。あなたの信念は、あなたの育ちや文化によって決まりますが、それは強固なものです。理屈では説明できないことに直面したとき、それは、あなたやあなたの親しい友人を支えてくれます。

〈運命思考〉を強みとする人たちの声

マンディ・M（主婦）「謙虚さが〈運命思考〉の真髄です。人間には自分がどんな人間で、どんな人間じゃないかを知る必要があります。私にだって知恵はあります。あまりあるほどじゃないけど。でも、私の知恵は本物です。それは大きなものではありません。とてもささやかなものです。人はたいてい自分の才能に自信を持ってるものです。確固たる自信を。でも、どんな答えも知ってるわけじゃない。人との結びつきが感じられるのは、その人が自分にない知恵を持ってることがわかったときです。自分は万能だなんて思ってる人には、人との結びつきを感じることはできないと思います」

ローズ・T（心理学者）「朝、時々、シリアルの入ったボウルを見つめ、そのシリアルが私のところに届くまでに存在した何百人もの人たちのことを思うことがあります。畑で働く農家の人たち、農薬をつくった研究者たち、食品工場の倉庫で働く人たちのことを思い、さらに、横に並べてあった商品じゃなくて、このシリアルを私に買わせるために、あの手この手を考えたマーケティング担当者のことまで考えたりもします。変なことを言ってるのはよくわかっています。でも、その人たちに感謝したいのです。そうすることで、自分は自分の人生に深く関わっている、物事と強く結びついている、自分は一人じゃないんだと感じることができるのです」

チャック・K（教師）「私は物事に白黒をはっきりつけたがる性分ですが、人生の不可思議を理解しようとすると、どういうわけかふだんより鷹揚になります。宗教にもとても興味を持ってましてね。今読んでる本は、ユダヤ教とキリスト教とカナン人の宗教間の対立に関する本です。これらの宗教に加え、仏教とギリシャ神話。すべての宗教がどのように互いに関連しているか、これはとても興味深い問題です」

回復志向

Restorative

あなたは問題を解決することが大好きです。さらなる困難に遭遇するとうろたえる人もいますが、あなたはそれによって力を与えられます。あなたは症状を分析し、何が悪いのかを突き止め、解決策を見出すという挑戦を愉しみます。

あなたは現実的な問題を好むかもしれないし、抽象的な問題、あるいは個人的な問題を好むかもしれません。あなたは、これまでに何度もぶつかって、解決できる自信がある分野の問題を探し求めるかもしれません。あるいは、複雑でなじみのない問題に直面したとき、あなたは最もやり甲斐を感じるかもしれません。

あなたが実際に何を好むかは、あなたのほかの資質や経験によって決まるでしょう。しかし確実に言えることは、あなたは物事に再び生命を与えることを愉しんでいるということです。底に潜む要因を明らかにし、その要因を根絶し、物事を本来あるべき輝かしさへ回復させることをすばらしいと感じるのです。

もしあなたの介入がなかったら、たとえばこの機械は、この技術は、この人物は、この会社は、機能を停止してしまった可能性があると本能的にわかっています。あなたがそれを直したのです。それを蘇生させ、活気を取り戻させたのです。あるいは、あなたらしい表現で言えば、あなたはそれを救ったのです。

〈回復志向〉を強みとする人たちの声

ナイジェル・L（ソフトウエア設計者）「子供のころの思い出と言えば、金槌と釘と木材が載った木工用の作業台です。ものを修理したり、何かを組み立てたり、そんなことをするのが大好きでした。今もコンピューター・プログラムを相手に、同じようなことをしてます。プログラムを作成して、それがうまく作動しなければ、最初に戻ってやり直し、うまくいくまで修正を加えます」

ジャン・K（内科医）「この資質は私の人生のさまざまな場面に顔を出します。たとえば、私が最初に熱中したのが手術でした。外傷の治療が好きで、手術室にいるだけで、縫合しているだけでとても愉しかった。手術室で治療にあたるのが好きなんですよ。その一方、とても大切にしているのは、死が迫っている患者のベッドの脇にすわって、話をする時間です。患者が怒りを克服し、悲しみを受け入れ、家族一人ひとりに別れを告げ、そして毅然と死を迎えるのを見ていると、それまでしてきたことが報いられたような気になります。その一方で自分の子供に対しては、この資質は毎日火を噴きます。三歳になる娘が初めて自分でセーターのボタンをかけたとき、ボタンをかけちがえました。私は飛んでいって、ボタンをかけ直しました。でも、そんなことはすべきじゃないんです。娘も自分でできるようにならなければなりませんから。でも、この資質を抑えるのは容易ではありません」

マリー・T（テレビ・プロデューサー）「朝のテレビ番組の制作というのは、基本的に厄介な仕事です。私も問題を解決するのが好きでなければ、やってられないでしょうね。毎日、何か一つは肝心なことがうまくいかなくなるんで、その原因を突き止め、修復してから、次の段階に移らなければならないのですが、そういう仕事が手際よくこなせれば、元気が出てきます。逆に、家に帰っても未解決の問題が残っていれば、気分は正反対で、ひどく落ち込むことになります」

学習欲

Learner

あなたは学ぶことが大好きです。あなたが最も関心を持つテーマは、あなたのほかの資質や経験によって決まりますが、それがなんであれ、あなたはいつも学ぶ「プロセス」に心を惹かれます。内容や結果よりもプロセスこそが、あなたにとっては刺激的なのです。あなたは何も知らない状態から能力を備えた状態に、着実で計画的なプロセスを経て移行することで活気づけられます。最初にいくつかの事実に接することでぞくぞくし、早い段階で学んだことを復誦し練習する努力をし、スキルを習得するにつれ自信が強まる――これがあなたの心を惹きつける学習プロセスです。

あなたの意欲の高まりは、あなたに社会人学習――外国語、ヨガ、大学院など――への参加を促すようになります。それは、短期プロジェクトへの取り組みを依頼されて、短期間でたくさんの新しいことを学ぶことが求められ、そしてすぐにまた次の新しいプロジェクトに取り組んでいく必要のあるような、活気にあふれた職場環境の中で力を発揮します。
この「学習欲」という資質は、必ずしもあなたがその分野の専門家になろうとしているとか、専門的あるいは学術的な資格に伴う尊敬の念を求めていることを意味するわけではありません。学習の成果は、「学習のプロセス」ほど重要ではないのです。

〈学習欲〉を強みとする人たちの声

アニー・M（編集長）「何かを学んでないと落ち着かないタイプね、私は。たとえば去年、仕事には満足してたけど、なんとなく学び足りない気がしたんで、タップダンスを習いはじめたの。これって変？　どう考えたってすごくうまくはならない。それはわかってる。でも、タップの基本を一生懸命覚え、毎週少しずつうまくなって、初心者クラスから中級クラスに上がれるのが愉しいの。そこがポイントね」

マイルズ・A（事業企画マネジャー）「七歳のとき、学校の先生たちはよく私の両親に言ったものです。『マイルズは学校で一番優秀というわけではありませんが、教えたことはなんでもスポンジのように吸収します。だから、まだまだ伸びるでしょう。これからも新たなことに意欲的に取り組んで、次々と吸収していくことでしょう』って。で、最近は社会人向けのスペイン語会話の講座に通ってます。完壁にマスターして、何不自由なく話せるようになりたいと思うのは高望みでしょうが、スペインに行ったときに、少しはスペイン語がわかる程度にはなっていたいものです」

ティム・S（重役専門コンサルタント）「私のクライアントの中には、探求心が旺盛なあまり、なんでも望みどおりにできないことがあると腹を立てるような人もいますが、私はそういうタイプではありません。あまり幅広く物事を知りたいとも思わない。幅が狭くても、より深く追究したいほうです。結局、一つのことに関する知識が深まれば、仕事に活かすことができますからね。最近、あるクライアントから、仕事の契約を交わすためフランスのニースに行くので、同行してほしいと頼まれました。私は本を買ったり、インターネットを利用したりして、ニースについて調べました。そういうことがなんとも愉しくてね。とにかく何かを学ぶのが好きなんです。でも、仕事のために行くのでなかったら、そういうことは絶対にしなかったでしょう」

活発性
Activator

「いつ始めようか？」。これはあなたの人生で繰り返される質問です。あなたは動きだしたくてうずうずしています。分析が有用であるとか、ディベートや討論が貴重な洞察を生み出す場合があることをあなたは認めるかもしれませんが、心の奥深くでは、行動だけが有意義であると知っています。

行動だけが何かを起こすことができるのです。行動だけが功績につながります。決断が下されると、あなたは行動を起こさずにはいられません。ほかの人は「まだ知らないことがあるのに」と戸惑うかもしれませんが、あなたがペースを遅くすることはなさそうです。

さらに、あなたの考え方では、行動と思考は互いに相容れないものではありません。事実、活発性という資質によって、あなたは、行動は最良の学習手段であると考えています。あなたは決断し、行動し、結果を見て、そして学びます。この学習方法によって、あなたは次の行動、そしてさらに次の行動へと導かれるのです。

もし行動しなかったら、どうやって成長できるでしょう？　あなたは、行動がなければ成長できないと考えています。あなたは、危険を冒してでも行動しつづけなければなりません。次の行動を起こさなければなりません。思考を常に活き活きと豊かにしておく方法が、ほかにあるでしょうか？　発言したことや考えたことによってではなく、実行したことによって判断されるということを、あなたは知っています。これが重要なのです。あなたはこれを恐れることはありません。あなたにとって、これが喜びなのです。

〈活発性〉を強みとする人たちの声

ジェイン・C（修道女、ベネディクト修道会）「一九七〇年代、私が修道院副長を務めていたころ、世の中はエネルギー不足に見舞われ、どんなエネルギーの値段も急騰しました。修道院には一四〇エーカーの土地があったのですが、私は毎日その地所内を歩き、このエネルギー不足を乗り切るにはどうすればいいのか考えました。そして、ある日、突然思いついたのです。これだけの土地があるのだから、ガス井《せい》を掘って、天然ガスを利用すればといいのだと。そして、実際そうしたのです。一〇万ドルもかけて、ガス井を掘ったのです。ガス井など掘ったことがない方はきっとご存知ないと思いますが、私も知りませんでした。つまり、ガスがあるかどうかを調べるだけでも、七万ドルもかかるなんて。それでも、業者に依頼し、振動探知カメラのような装置で地中を調べてもらったところ、ガスは確かにあると言われました。ただ、どれほどの埋蔵量があるのかも、ガスに噴出するだけの圧力があるかどうかもわかりませんでした。『ガス井を広げるには、さらに三万ドルかかります。でも、そこまでやらなくてもいいということなら、ガス井を閉鎖して、七万ドルだけいただいてわれわれは引き上げます』と業者は言いました。私は最後の三万ドルを払いました。幸いなことに、ガスには噴出するだけの圧力がありました。二〇年前のことです。そのガス井からは今もガスが出ています」

ジム・L（企業家）「私がせっかちなのは、落とし穴、あるいは先に待ち受けてるかもしれない障害物のことを考えたくない証拠だと言う人がいます。でも、そういう人にはいつもこう言い返すことにしてます。『壁にぶつかりそうなときには言ってほしい。ぶつかるとどれほど痛いか、それもわかれば教えてほしい。でも、私があえてぶつかるほうを選んだときには、そう、心配はしないでくれ。そのとき教えてくれてれば、きみはきみでちゃんと私が頼んだことはしてくれたわけだし。でも、私は私で実際に痛さを経験する必要があったんだよ』とね」

共感性
Empathy

あなたは周囲の人の感情を察することができます。彼らが感じていることを、まるで自分自身の気持ちであるかのように感じることができます。本能的に彼らの眼で世の中を見ることができ、彼らの見方を理解できるのです。

あなたは必ずしもそれぞれの人のものの見方に賛成するわけではありません。必ずしも一人ひとりの困難な状況を哀れむわけではありません――哀れむのは、共感ではなく同情でしょう。あなたは必ずしも、それぞれの人の選択を受け入れるわけではありませんが、理解します。

そして、この本能的な能力はすばらしい力を持っています。あなたにはことばに表わせない問いかけが感じられます。あなたは人々が必要としていることがわかります。ほかの人がことばを探して苦労しているとき、あなたには適切なことばや適切なことばのトーンが自然に出てくるのです。あなたは、人々が自分の感情をうまく言い表わせるように手助けします。あなたは、彼らが感じていることを表現するのを手助けします。このすばらしい力によって、人はあなたに惹かれるのです。

〈共感性〉を強みとする人たちの声

アリス・J（理事）「最近出席した理事会で、ある人が新しいアイデアを提案しました。それはその人にとっても、グループの活動にとっても非常に有益な提案でしたが、彼女の意見を最後まで聞いていた人は一人もいませんでした。一人もです。彼女はひどくショックを受けました。表情を見ればわかりました。それから一日二日はいつもの彼女ではありませんでした。私は見るに見かねて、その一件について彼女と話をしました。ことばを選び、彼女の気持ちを聞こうとしたのです。『具合が悪そうね』と私が言うと、彼女は口を開いてくれました。さらに『わかってる。今回のことがあなたにとって、どれほど大切なことかわかってる。すっかり元気をなくしてるんだもの』といったようなことを言いました。そこで彼女もやっと心境を語ってくれました。『私の話を聞いてくれたのはあなただけ。そのことで声をかけてくれたのもあなただけ』。そう言ってくれました」

ブライアン・H（理事）「チームで何かを決めなくてはならないとき、私はいつもこう言うことにしています、『わかった。それじゃきくが、この人は今回の件についてなんて言うだろう？』あるいは『あの人はどうだろう？』ってね。要するに、相手の立場になって考えろ、ということです。結局、ほかの人の考え方を踏まえた上で、自分の意見を言うほうがはるかに効果的なんです」

ジャネット・P（教師）「生まれてこのかた、バスケットボールというものをしたことがありません。私が子供のころは、女性がするスポーツではないとされてたんです。でも、試合を見ていると、形勢が悪くなる雰囲気がなんとなくわかるんです。だから、そんなときには、監督のところに行って、『選手に喝を入れなさいよ。監督としての信頼を失うわよ』なんて言いたくなります。〈共感性〉という資質のおかげで、人数の多いグループのこともよくわかります。全体の雰囲気を感じ取ることができるのです」

競争性
Competition

競争性の根源は比較することにあります。世の中を見渡すとき、あなたは直感的にほかの人の成果を気にしています。彼らの成果は究極の評価基準となります。あなたがどれほど頑張っても、あなたの目的がどれほど価値のあるものであろうと、競争相手を超える出来映えで目標に到達していなければ、その成果が無意味に感じられるのです。競争性の資質を持つ人は、だれもが競争相手を必要としています。あなたは比較することを必要としています。比較することで競争ができ、競争すれば勝つことができるからです。そして、勝ったとき、それに勝る喜びはありません。

あなたは測ることを好みます。それは、比較を可能にするからです。あなたは競争相手を好みます。なぜなら、彼らはあなたを奮い立たせるからです。あなたはコンテストが好きです。コンテストには必ず勝者がいるからです。特に、勝つ可能性が高いとわかっているとき、あなたはコンテストを好みます。
　あなたは負けたときに、競争相手には礼儀正しく、感情を外に出しません。あなたは単に愉しむためだけに競争はしません。勝つために競争するのです。長い眼で見ると、勝つ見込みがなさそうな場合は、コンテストを避けるようになるでしょう。

〈競争性〉を強みとする人たちの声

マーク・Ｌ（販売担当重役）「子供のころからずっとスポーツをしています。はっきり言って、愉しむためにやっているのではありません。勝てるスポーツしかやりませんし、負けるとわかっているスポーツには手を出しません。もし負けたりしたら、表面的には平静を保てても、はらわたが煮えくり返るという性質《たち》でしてね」

ハリー・Ｄ（ゼネラル・マネジャー）「私は優秀なクルーとは言えないけれど、アメリカズ・カップは大好きでね。このヨットのレースは双方ともまったく同じ条件下で闘い、どちらにも一流のクルーが乗っている。なのに、必ず勝者と敗者が出る。どちらか一方に勝利をもたらす何か秘密があって、それで黒星より白星のほうが多くなる。私はそれを見たいんだ――その秘密を、ちょっとしたその差を」

サムナー・レッドストーン（バイアコム・コーポレーション会長、ＣＢＳ買収当時）「ナンバーワンになることは常に大きな目標だった。目指していたのはナンバーワンのケーブルネットワーク。ナンバーワンの放送局！　ナンバーワンの広告代理店！　ナンバーワンのテレビ番組！　すべてにわたってナンバーワンが私の目標だった！」

規律性
Discipline

あなたのまわりのことはすべて予期できていなければなりません。何事も秩序正しく計画されていなければなりません。すなわち、あなたは本能的に自分のまわりのことを秩序立てています。毎日の日課を決めます。あなたは物事の進捗状況と締め切りに気持ちを集中します。長期的なプロジェクトは、連続性のある具体的な短期計画に分割し、一つひとつの計画をきちんと実行していきます。

あなたは必ずしも几帳面でもきれい好きでもありませんが、決めたことが完璧に完了されることを求めています。人生には必ず混乱がついてまわりますが、それに直面したとき、あなたはその状況をコントロールしていると感じたいのです。

日課、進捗状況、秩序立て、これらすべてが、この状況をコントロールしているという感覚を生み出しています。この規律性という資質を持っていない人たちは、あなたの秩序立てたいという欲求にいらいらすることがあるかもしれません。しかし、衝突を避けることはできます。あなたは、だれもがあなたのようになんでも予測できることを望んでいるわけではないと理解しなければなりません――彼らは物事を達成する他の方法を持っているからです。

さらにあなたは、あなたが秩序立てを必要としていることを彼らに理解させ、さらにはその価値を認めさせることさえできるのです。予想外の出来事に対する嫌悪感、誤りに対するいらだたしさ、あなたの日課、細かいことを突き詰める傾向、これらはどれも、人の行動を制限しようとする命令的な振る舞いだと誤解されてはなりません。むしろ、これらの行動は毎日の生活で起こる障害に直面したとき、あなたの前進と生産性を維持するための本能的な生き方であると理解されるべきです。

〈規律性〉を強みとする人たちの声

レス・Ｔ（接客業、マネジャー）「数年前、時間管理に関する講座を受けたのをきっかけに、生活形態が変わりました。私はもともと規則正しい人間ですが、その資質が力を発揮しだしたのは、そういう資質を毎日決まったやり方で活かす術がわかったからです。まず、この小さなパームパイロット（米スリーコム社が開発した携帯情報端末）のおかげで、毎週日曜日に母親に電話をかけるのを忘れなくなりました。何カ月も電話をしないことも多かったのに。それに、妻に催促されなくても、週に一度は食事に連れていくようにもなりました。月曜日、眼を通さなくてはならないものがあって、当日になってもそれが手元に届いていなければ、私は部下を呼びつけますが、部下たちもそのことをよく心得ています。このパームパイロットは手放せません。いつもズボンの尻ポケットに入れておけるよう、どのズボンもポケットを大きくしました」

トロイ・T（販売担当重役）「書類を保管する私のやり方は、見た眼はさほど美しくないかもしれないが、効率は非常にいい。すべて手書きだ。顧客の眼に触れるものじゃないんだからね。そもそもどうしてわざわざ時間を使ってまで、見た眼を整えなければならないのか。セールスマンとしての私の暮らしは期限とアフターケアの暮らしと言ってもいい。だから、自分のやり方であらゆるものの動きを追って、それを記録する。自分自身の期限とアフターケアだけでなく、顧客と部下のそれに対しても責任があるからね。部下が約束の時間までに報告をしてこなかったら、その部下は必ず私からのEメールを受け取ることになる。そう言えば、先日だれかがこんなことを言うのを聞いた。『報告するしかないよ。報告をしなけりゃ、今度はボイスメールが来そうだもの』」

ディードル・S（オフィス・マネジャー）「時間の無駄づかいが大嫌いなので、リストをつくります。予定を絶対忘れないようにしようとすると、どうしても長いリストになってしまうけれど。実際、今日の予定リストなんか九〇項目も書かれてますが、そのうちの九五％をこなすつもりです。ほかの人に時間を無駄にされたくないんで、自分で決めたとおり動きます。でも、もちろん乱暴な物言いはしません。相手の気分を害することなく、ユーモアを交えて、あなたとの時間はもう終わったと伝えるんです」

原点思考
Context

あなたは過去を振り返ります。そこに答えがあるから過去を振り返ります。現在を理解するために、過去を振り返ります。あなたの見方からすると、現在は不安定で、わけのわからない喧騒が入り乱れています。現在が安定を取り戻すには、過ぎ去ったとき——すなわち計画が立てられたとき——に心を向けてみる以外方法はありません。

過去は今よりわかりやすく、計画の基礎が築かれたときです。振り返ると、計画の原型が現れるのが見えてきます。そしてあなたは、初めの意図がなんであったのかを知ります。この原型、あるいは意図はあまりにも飾り立てられてしまって、本来の姿がほとんど認識できなくなっていますが、この原点思考という資質によって、これらが再び現れます。このようにして原型や意図を理解することは、あなたに自信を与えます。あなたは元々の考え方を知っているので、もはや方向を見失うことなく、より適切な判断を下すことができます。

仲間や同僚がどのようにして今のようになったかを知っているので、あなたはより一層彼らのよきパートナーとなります。過去に蒔かれた種を理解しているために、あなたは自然に将来をよく見通すことができるようになります。

初対面の人や新しい状況に直面すると、自分をそれに適応させるのにある程度の時間を必要とするでしょうが、その時間を取ることを心掛けなければなりません。あなたは原型が表面に浮かび上がるような質問が必ずできなければなりません。なぜならば状況がどうであれ、過去の原型を見たことがなければ、あなたの決断に自信が持てないことになるからです。

〈原点思考〉を強みとする人たちの声

アダム・Y（ソフトウエア設計者）「部下によく言うんです。『ビュジャデを避けろ』って。すると彼らは『そのことば、まちがってませんか。デジャビュじゃないんですか』ってきいてきます。そこで私は言うんです、『いや、ビュジャデというのはわれわれは常に過去のあやまちを繰り返しているという意味だ。それは避けなければならない。これまでのことを振り返って考え、何が原因でミスが起きたのか見きわめ、その上で同じミスを繰り返さないようにしなければならない』ってね。わかりきったことのよう思われるでしょうが、たいていの人はあまり過去を振り返るということをしません。過去を振り返ることが意味あることとは思ってないんです。で、そういう人たちには、このビュジャデは繰り返し起きるんですよ」

ジェシー・K（メディア・アナリスト）「私には共感性というものがまったくと言っていいほどなくてね。だから、相手がどんな気持ちでいるか踏まえて、その人のことを理解しようなんてあまりしない。そのかわり、その人の過去を通して理解する。実際、その人がどこで育ち、どんな両親に育てられたか、大学で何を専攻したかといったことがわからないと、私には人そのものが理解できないんだ」

グレッグ・Ｈ（経理部長）「最近、部署全体の経理システムを一新しました。それがうまくいったのは、ひとえに部下たちの過去を尊重したからです。経理システムというのは、それを作成した人たちの血と汗と涙の結晶です。システムが彼らそのものなのです。だから、そんなところに割り込んで、システムを変更するぞなんて言うと、それがどれほどおだやかな言い方であっても、おまえの赤ん坊を取り上げるぞと言うに等しいことになってしまいます。私が考慮したのはそういった感情レベルの問題です。さまざまな人間関係、それまでの歴史といったものを私は大いに尊重しました。そうしていなければ、部下たちは私の指示を即座に拒否していたことでしょう」

公平性
Fairness

あなたにとって、バランスはとても大切です。あなたは、地位とは関係なく人々を平等に扱う必要性を強く信じています。ですから、あなたはだれか一人が特別扱いされることを望みません。あなたは、このようなことが利己主義や個人主義につながると考えています。それは、一部の人がコネや出自、わいろによって、不公正な利益を得るような世の中につながります。これはあなたが心から嫌悪していることです。

あなたは自分自身を、そんな状況をつくらないための監視役だと考えています。このような特権がまかり通る世の中とは対照的に、あなたは、規則が明確でだれにでも平等に適用される矛盾のない環境で、人々は最高の働きをすると信じています。
これは、人々が何を期待されているかをわかっている環境です。それは予測が可能で、公正な環境です。これこそ公平さです。このような環境でこそ、人は自分の価値を発揮する公平な機会を持ちます。

〈公平性〉を強みとする人たちの声

サイモン・H（ホテルのゼネラル・マネジャー）「シニア・マネジャーたちに、駐車場の優先権を濫用したり、客が順番を待っているのに立場を利用してゴルフをしたりしてはならないことをよく思い出させています。彼らは当然、あれこれ言われるのをいやがりますが、人がまわりのことを考えずに特権を濫用するのを黙って見ていられない性分なのです。パートタイムで働いている人たちとのつきあいにも、充分時間を割きます。彼らには心から敬意を払っていますから。これはマネジャーたちによく言うことですが、私はトーテムポールの下のほうにいる人ほど大切にします」

ジェイミー・K（雑誌編集長）「私は常に弱者の味方です。本人にはどうすることもできない理由で、チャンスが公平に与えられないなんて、黙って見ていられないんです。だから、そういった状況を少しでも改善するために、母校に奨学金制度を設けようとしているところです。その制度は、ジャーナリズム専攻で経済的に恵まれていない学生が、実社会で研修を受けているあいだは学費を払わなくてもすむようにするためのものです。私は運がよかった。ニューヨークのNBCで研修を受けているあいだは、両親が学費を払ってくれましたからね。でも、私のような学生ばかりとはかぎらない。そういった学生たちにもチャンスは平等に与えられるべきです」

ベン・F（事業企画マネジャー）「評価は常に正当に。これが私のモットーです。たとえば会議でアイデアを議題に乗せる際、それがスタッフのだれかが提案したものであれば、必ずだれのアイデアか出席者に伝えます。理由ですか？　私の上司も同じようにしてくれたからです。そのようなやり方こそ公平で正当なものだと思っています」

個別化
Individualization

あなたは個別化という資質により、一人ひとりが持つユニークな個性に興味を惹かれます。あなたは一人ひとりの何が特別でどこが個性的なのかを覆い隠したくないので、人を一般化したり、あるいは類型化することに我慢できません。むしろ、個人個人のちがいに注目します。

あなたは本能的にそれぞれの人の性格、動機、考え方、関係の築き方を観察しています。

あなたはそれぞれの人生における、その人にしかない物語を理解します。この資質によって、あなたは、あなたの友達にぴったりの誕生日プレゼントを選んだり、ある人は人前で誉められることを好み、別の人はそれを嫌うことがわかったり、一から十まで説明してほしい人と、一を示せば十を知る人とに合わせて教え方を調整できたりするのです。

あなたはほかの人の強みをとても鋭く観察する人なので、一人ひとりの最もよいところを引き出すことができます。この個別化という資質は、あなたが生産性の高いチームをつくることにも役立ちます。完璧なチームをつくるにあたり、チームの「組織構造」や「作業手順」に着目する人もいますが、あなたは優秀なチームづくりの秘訣は、各自が得意なことを充分にできるような、強みに基づく配役である、ということを本能的に知っています。

〈個別化〉を強みとする人たちの声

レス・T（接客業、マネジャー）「カールは最も優秀な部下の一人ですが、それでも私たちは毎週顔を合わせるようにしています。ちょっとした激励のことばをかけて、仕事の様子をきいてやるだけのことなんですが。でも、それだけのことで、彼はまた意欲を燃やすんです。グレッグのほうは、そうしょっちゅう話し合いの場を持つのを好まないタイプなので、わざわざ呼びつけるようなことはしません。顔を合わせるのは、私のほうに用事があるときくらいで、彼から何か言ってくることはまずありません」

マーシャ・D（出版社重役）「登場人物の頭の上に丸で囲って書かれる台詞、漫画の吹き出しってあるでしょ？　自分のオフィスを出て、まわりを見渡すと、職場のみんなの頭の上にそれと同じようなものが見えることがよくあるんです。その人が何を考えてるかわかるんですよ。変に聞こえるのはわかるけど、でも、私にはそういうことがあるんです」

ジャイルズ・G（セールス・マネジャー）「マネジャーとしての経験はまだ浅いんですがね。でも、あの会議のことははっきりと覚えています。ある議題で結論が出ず、議論が堂々めぐりになってしまったんですが、いらいらしながらふと思ったんです。『ここにいる人たちは、私が怒ったところを一度も見たことがない。怒りを爆発させて、みんなの反応を見てやろう』って。そして、実際そのとおりにしたんです。ちょっとした見ものでした。私が怒るのももっともだと納得してくれる人もいれば、それを自分に対する挑戦のように受け取った人もいて、貝のように押し黙ってしまった人もいました。でも、そういう一人ひとりの反応は私に有益な情報を与えてくれてるような気がしました。事を進めるのに有益な情報をね」

アンドリア・H（インテリア・デザイナー）「『あなたの生活様式は？』ときいても相手がうまく説明できないときには、『家の中でお気に入りの場所はどこですか？』ってきくようにしてます。そういうきき方をすると、相手はうれしそうな顔をして、その場所に連れていってくれます。それがわかれば、その人がどういうタイプか、どういった生活様式か見えてくるんです」

コミュニケーション

Communication

あなたは説明すること、描写すること、進行役を務めること、人前で話すこと、書くことが好きです。これにはあなたのコミュニケーションという資質がよく現れています。アイデアはアイデアにすぎません。事実は、その時々に起こったことにすぎません。あなたは、それに命を吹き込み、活力を与え、刺激的で活き活きとしたものにしなければならないと感じます。そこであなたは、「単なる事実」を「物語」に転換させて、それを上手に語ります。単なる「アイデア」を取り上げ、イメージと具体例と比喩を使って活き活きとさせます。

あなたは、たいていの人は集中力が続く時間がとても短いと思っています。彼らは情報の洪水に見舞われていますが、情報はほとんど頭に残っていません。あなたはあなたが伝えたい情報を――それがアイデアであろうと、事実であろうと、製品の特性や特徴、何かの発見、あるいは教訓であろうと――人々の心に残したいと考えます。あなたは彼らの関心を自分に向けさせ、とらえて放さないようにしたいと思っています。あなたが、最適な言い方を探そうとするのはこのためです。あなたが、ドラマチックなことばや力強いことばの組み合わせを使おうとするのは、このためです。人々があなたの話を聞きたがるのはこのためです。

あなたのことばで描かれたイメージは彼らの興味をそそり、彼らの見方を刺激して行動へと啓発するのです。

〈コミュニケーション〉を強みとする人たちの声

シーラ・K（テーマパークのゼネラル・マネジャー）「言いたいことを表すには、『話』が一番です。昨日の役員会議でのことですが、自分たちのテーマパークが来園者に与えるインパクトをみんなに伝えたくて、私はこんな話をしました――復員軍人の日に、従業員の一人が当園で行われる国旗掲揚のセレモニーに自分の父親を連れてきました。その父親は、第二次世界大戦時の負傷がもとで体が不自由になり、さらに珍しい種類の癌を患って何度も手術を受けていました。余命いくばくもない身です。やがてささやかなセレモニーが始まると、ある従業員がみんなに向かって言いました。『この人は第二次世界大戦に行った人だ。この人のために何かしようじゃないか』。人びとの間から拍手が湧き起こり、その元軍人の娘は泣きだしました。父親は帽子を脱ぎました。頭部には戦時中に受けた傷の痕と、癌の手術の痕があるため、人前で帽子を脱ぐことは決してなかったのに。なのに、国歌が流れたとたん、帽子を取っておじぎをしたのです。亡くなるまでの数年間で、その日が彼にとって最良の日だったとあとになって娘さんから聞きました」

トム・P（銀行家）「最近取引をした顧客は、インターネット関連株への資金の流れは、一時的な現象だと考えていました。私としては、その考えはまちがっていると筋道を立てて説明したんですが、その人は納得してくれませんでした。あるいは、納得したくなかったのかもしれません。こちらの説明を受け入れてもらえない顧客に対してよくやるんですが、私はイメージに訴えました。あなたは海に背を向けて浜辺にすわっているようなものだ、と言ってみたんです。インターネットはすばやい上げ潮であり、今どんなに安穏としていても、潮はひと波ごとに満ちてきて、すぐにもあなたは頭から波をかぶり、その波に飲み込まれるだろうとね。そこでようやくその顧客にも私の言いたいことがわかったようです」

マーガレット・D（マーケティング担当重役）「以前、スピーチについて書かれた本を読んで、話をするこつというものを二つ覚えました。一つはほんとうに伝えたいことだけを語ること、もう一つは個人的な話を盛り込むことです。私はすぐにそれを実行に移しました。私には夫、子供、それに孫たちもいるので、話題には事欠きません。自分自身の経験をもとに話をまとめました。家族が登場する話なら、どんな人も自分に関連づけることができるでしょ？」

最上志向

Maximizer

優秀であること、平均ではなく。これがあなたの基準です。平均以下の何かを平均より少し上に引き上げるには大変な努力を要しますが、あなたはそこにまったく意味を見出しません。同様に努力を要しますが、平均以上の何かを最高のものに高めることのほうが、はるかに胸躍ります。自分自身のものか他の人のものかにかかわらず、強みはあなたを魅了します。

真珠を追い求めるダイバーのように、あなたは強みを示す明らかな徴候を探し求めます。生まれついての優秀さ、飲み込みの速さ、一気に上達した技能――これらがわずかでも見えることは、強みがあるかもしれないことを示す手がかりになります。そしていったん強みを発見すると、あなたはそれを伸ばし、磨きをかけ、優秀さへ高めずにはいられません。あなたは真珠を光り輝くまで磨くのです。

このように、この自然に長所を見分ける力は、ほかの人から、人を区別していると見られるかもしれません。あなたはあなたの強みを高く評価してくれる人たちと一緒に過ごすことを選びます。同じように、自分の強みを発見しそれを伸ばしてきたと思われる人たちに惹かれます。あなたは、あなたを型にはめて、弱点を克服させようとする人々を避ける傾向があります。あなたは自分の弱みを嘆きながら人生を送りたくありません。それよりも、持って生まれた天賦の才能を最大限に利用したいと考えます。そのほうが愉しく、実りも多いのです。そして意外なことに、そのほうがもっと大変なのです。

〈最上志向〉を強みとする人たちの声

ギャビン・T（客室乗務員）「以前、一〇年ほどエアロビクスを教えていたことがあって、そのころ生徒に常に言ってたのが、自分の中で気に入ってる部分を大切にするように、ということです。自分の体の中で変えたい部分というのはだれにもあるものです。だれにも理想の体型というものがあるものです。でも、そういったことばかり気にすることには、マイナスの効果しかありません。そして、それは悪循環を起こします。だから、いつも言ってたんです。『いいですか、そんなことを気にする必要はありません。自分で気に入ってる、あなたならではの個性に眼を向けなさい。そうするほうがずっと気持ちよくエネルギーを発散できるんですから』ってね」

エイミー・T（雑誌編集者）「下手な記事の校正ほどいやなものもないわね。ライターにはっきりと趣旨を伝えたのに、完全に的はずれの記事を渡されると、コメントを書く気にもならなくなる。それより記事を突き返して『最初から書き直して』って言いたくなってしまう。反対に、細部にまで神経が行き届いていて、ちょっと手を加えるだけで完成するような記事を見ると、すごくうれしくなる。ここに的確なことばを足して、そこに小さなカットを入れて、あっというまにすばらしい記事のできあがりってわけ」

マーシャル・G（マーケティング担当重役）「全員で前進しながら、部下一人ひとりの目標を定めたり、チームとしての意識を高めたりするのが得意です。その一方で、戦略的にものを考えるというのはあまり得意じゃありません。でも、幸いなことに、一緒に仕事をして何年にもなる上司は、私という人間をよく理解してくれてましてね。戦略構想の得意な人をほかに見つけて、私は部下の目標を定めたり、チームをつくったりする業務にだけ力を注げばいいようにしてくれました。そんなふうに考えてくれる上司を持てて、私はほんとうに幸運だったと思います。私の得意なことと不得手なことを上司はよく知ってる。だから、不得意なことを強要される心配はまったくない。そういうことがわかっているから、安心して、より早くまえに進むことができるんです」

自我
Significance

あなたは、他人の眼にとても重要な人間として映りたいのです。もっとはっきり言えば、あなたは認められたいのです。あなたは聞いてほしいのです。あなたは目立ちたいのです。あなたは知られたいのです。具体的には、あなたの持ち前の強みによって人に知られ、評価されたいのです。

あなたは、信頼でき、プロフェッショナルであり、そして成功している人として、尊敬されたいと感じています。同時に、あなたは信頼でき、プロフェッショナルで、成功している人とだけつきあいたいのです。もしそういう人でないと、あなたは彼らがそうなるまで圧力をかけるでしょう。彼らがそうならないなら、あなたは彼らを置いて先へ進むでしょう。

独立心の強いあなたは、仕事を単なる仕事ではなく、自分の人生そのものにしたいと考えています。そしてその仕事の中で、好きなようにやらせてほしい、または自分のやり方でやるための余地を与えてほしいのです。

あなたのこのことに対する熱い思いは非常に強く、あなたはこれらを実現しようとします。ですからあなたの生活は、強く求める目標、成果、地位であふれています。何に焦点を当てていようとも――人によって異なりますが――あなたの「自我」という資質は、中途半端から優秀な状態へとあなたを向上させつづけます。これが、あなたをより向上させつづけている資質なのです。

〈自我〉を強みとする人たちの声

メアリー・P（厚生関係行政者）「女性は小さなころから、『お高くとまるな。いばるな』などということを言われます。でも、権力を持ってもいいし、自尊心を持ってもいいし、自我を強く持ってもいいことに私は気がつきました。それに、自我をうまくコントロールして、正しい方向に活かすべきだということにも」

キャシー・J（法律事務所共同経営者）「自分は特別だ、自分には責任を持って事にあたることができるという意識をずっと持ちつづけています。六〇年代、今の法律事務所で女性初の共同経営者になったんですが、どこの会議に出ても、女性は私一人だったのを覚えています。今から思えば、変な話ですが。いずれにしろ、紅一点というのは骨の折れることではありました。でも、目立つことから受けるプレッシャーを愉しんでいたところが私にはあったように思います。『女性の』共同経営者であることを愉しんでいたんです。なぜかって？　人は私のことをいつまでも覚えていてくれることがわかったからです。すべての人が私に気づいて、注意を払ってくれることがね」

ジョン・L（医師）「私は舞台の上に立っているとずっと思ってきた。常に観客がいるんだとね。だから、患者と一緒のときには、その人に私のことをそれまでで最高の医師だと思ってもらいたい。医学部で教えるとなれば、出会った中で最高の教育者だという印象を学生たちに与えたい。その年で最もすぐれた教育者に贈られる賞をもらいたい。そんな私にとって、上司こそ一番の観客だ。その上司を失望させることは、私には破滅を意味する。自尊心が少しでも他人に左右されるなんて、考えるだけでもぞっとするけど、でも、そういう自分だから常に緊張感を持っていられるんだよ」

自己確信
Self-assurance

自己確信は自信と共通する点があります。心の奥深くで、あなたは自分の強みを強く確信しています。あなたは自分は絶対できる――リスクを取ることができ、新しい挑戦をすることができ、そして最も重要なこととして成果を出すことができる――ことを確信しています。ただし、自己確信は単なる自信を超えるものです。自己確信という資質に恵まれたことで、あなたは自分の能力だけでなく判断力にも自信を持っています。

自分のまわりを見たとき、あなたは自分の見方が独自かつ独特であると強く思います。そして、あなたとまったく同じ見方をしている人はだれもいないので、あなたに関することについて決定を下せる人はあなたしかいないと絶対に信じています。何を考えるべきかは、だれもあなたに指示できません。彼らはヒントを与えることはできるでしょう。助言することもできるでしょう。しかし、あなただけが、結論を出し、何をするかを決定し、行動する権限を持っています。この権限、さらにはあなたの人生に関する最終的な責任を取ることを、あなたは決して怖がりません。むしろ、あなたにはあたりまえに感じられるのです。状況の如何にかかわらず、あなたは何が正しい決断であるかをいつも知っているようです。

この資質は、あなたに確信に満ちた貫禄を与えます。ほかの人と異なり、いくら説得力があっても、あなたは、ほかの人の主張に安易に左右されることはありません。この自己確信という資質は、あなたのほかの資質の持ち方によって、表面に現れたり現れなかったりしますが、その資質は強くしっかりとあります。船の竜骨のように、それは方々からの攻撃に耐えて、あなたが進路からはずれないようにします。

〈自己確信〉を強みとする人たちの声

パム・D（公益事業責任者）「私が育ったのは、アイダホ州の片田舎にある農場で、地元の小さな学校に通ってたんですが、ある日、学校から帰宅すると、別の学校に行く、と私は母に宣言しました。その日先生から、生徒が増えすぎたので、三人だけよその学校に移らなければならないと聞かされたからです。私はわくわくしました。転校したら新しい友達に会えるからです。だから、自分から転校組に入ろうと思ったんです。三〇分早く起きて、遠くまでバス通学しなければならなくなっても。当時、私は五歳でした」

ジェイムズ・K（販売担当者）「私は過ぎたことをとやかく言うタイプじゃありません。誕生日プレゼントを買うにしても家を買うにしても、いったん決めたら、そうするしかなかったかのように思える。それしか選択肢がなかったから、そうしたんだって。夜もぐっすり眠れます。こうと決めたらそれが最終決定で、少々のことでは私の気持ちは変わりません」

デボラ・C（看護婦、緊急治療室《ER》勤務）「緊急治療室でだれかが亡くなると、その人の家族を相手にする役目を任されます。私はそういうとき堂々と対応できるからだそうです。つい昨日のことです。精神病を患っている若い女性が、自分の中には悪魔がいると叫びつづけるということがあって、ほかの看護婦たちは怖がりましたが、私にはどうすればいいかわかりました。その女性の病室に行って、『ケイト、さあ、横になって。バルクを唱えましょう。ユダヤ教の祈りのことばよ。ほむべきかな、なんじ主よ、我らの神、世界の王よ……だったわよね』と言いました。すると、彼女は『ゆっくり言って。繰り返すから』と言いました。私は繰り返しました。すると、彼女もゆっくりと同じことばを口にしました。彼女はユダヤ教徒ではありませんが、それで気持ちが落ち着いたようです。枕に頭をあずけ、彼女は言いました。『ありがとう。こうしたかったの』って」

〈社交性〉を強みとする人たちの声

社交性

Woo

あなたは知らない人と出会い、彼らにあなたを好きにさせることに挑戦するのが大好きです。あなたは見知らぬ人を怖がることがめったにありません。むしろ、あなたは見知らぬ人に元気づけられます。あなたは彼らに惹かれるのです。あなたは彼らの名前を知り、質問をし、共通に関心のあることを見つけ出し、それによって会話を始め、関係を築きたいのです。

話題が尽きることを心配して、会話を始めることを嫌がる人がいます。でもあなたはちがいます。あなたは何を話せばいいかを常に心得ているだけでなく、知らない人に近づくことをほんとうは楽しんでいます。なぜなら、一歩を踏み出して人との関係をつくることから、あなたは大きな満足を得るからです。

そして一度そのような関係ができあがると、あなたはそこでそれを終わりにして、また次の人へ進みます。これから出会う人は大勢います。新しい関係を築く新たな機会があります。これから交流を持つ新しい人の群れがいます。あなたにとって友達でない人はいません。ただ、まだ会っていないだけなのです。たくさんの友達と。

デボラ・C（出版社重役）「親しい友人の中には、戸口ですれちがったのがきっかけだった人もいる。すごくない？〈社交性〉は私の一部。タクシーに乗ると必ず、運転手からプロポーズされるの」

マリリン・K（大学学長）「自分のほうから友達を求めてるとは思いませんが、人は私をすぐに友達だと思ってくれます。私は人に気楽に声をかけて、『愛してるわ』なんて言える人間ですが、心からそう思うんです。相手のことをすぐ好きになってしまうんです。でも、友達？　それほどたくさんはいません。私は友達を求めてるんじゃないんです。つながりを求めてるんです。でも、人とつきあうのはとても上手なほうだと思います。どうやれば相手と同じ立場に立てるか、それがわかるんです」

アンナ・G（看護婦）「時々、自分は恥ずかしがり屋なんじゃないかと思います。自分のほうから最初の一歩を踏み出すことはないですから。でも、どうしたら人をくつろがせることができるか、それはよくわかるんです。看護婦の仕事にはユーモアが欠かせません。だから、打ち解けてくれない患者さんがいれば、コメディアンにもなります。たとえば、八〇歳の患者さんにはこんなことを言います、『こんにちは、ハンサムさん。体を起こしてくれる？　シャツを脱ぐのは私に任せてね。そうそう。はい、脱げました。わあ、すごい、なんてたくましい胸なの！』なんてね。子供が相手のときには、最初に時間をかけて、『お年はいくつ？』みたいな質問をします。で、『一〇歳』って答えが返ってきたら、『ほんとう？　きみの年のころには私は一一歳だったわ』なんて言うんです。そんな馬鹿げたやりとりからでも人は仲よくなれるものです」

収集心

Input

あなたは知りたがり屋です。あなたはものを収集します。あなたが収集するのは情報——ことば、事実、書籍、引用文——かもしれません。あるいは形のあるもの、たとえば切手、野球カード、ぬいぐるみ、包装紙などかもしれません。集めるものが何であれ、あなたはそれに興味を惹かれるから集めるのです。

そしてあなたのような考え方の人は、いろいろなものに好奇心を覚えるのです。世界はかぎりなく変化に富んでいて複雑なので、とても刺激的です。もしあなたが読書家だとしたら、それは必ずしもあなたの理論に磨きをかけるためではなく、むしろあなたの蓄積された情報を充実させるためです。もし旅行が好きだとしたら、それは初めて訪れる場所それぞれが、独特な文明の産物や事柄を見せてくれるからです。

これらは手に入れた後、保管しておくことができます。なぜそれらは保管する価値があるのでしょうか？

保管する時点では、いつ、またはなぜあなたがそれらを必要とするかを正確に言うのはむずかしい場合が多いでしょう。でも、それがいつか役に立つようになるかどうか、だれが知っているでしょう。あらゆる利用の可能性を考えているあなたは、ものを捨てることに不安を感じます。ですから、あなたはものや情報を手に入れ、集め、整理して保管しつづけます。

それが面白いのです。それがあなたの心を常に活き活きとさせるのです。そしておそらくある日、その中に役に立つものが出てくることでしょう。

〈収集心〉を強みとする人たちの声

エレン・Ｋ（著述業）「子供のころから私は知りたがり屋でした。疑問を覚えることが私にとっては遊びだったんです。『今日の私の疑問は？』って具合に毎日とんでもない疑問を自分からつくり出し、答えが書いてありそうな本を探すんです。むずかしくて理解できない本で、答えのヒントさえ書いていないような本でも夢中になりました。どこかに答えがあるはずだと思って読んだんです。今でもこの疑問癖は、一つの情報からさらに別の情報を引っぱり出すのに欠かせない私の道具です」

ジョン・Ｆ（人事部長）「私はインターネット信奉者の一人です。以前は情報が得られなくていらいらすることが多かったですが、今は、ある特定業種の株価の動きや、あるゲームのルールや、スペインのGNPの額などでも、知りたいと思えば、コンピューターのまえにすわってインターネットで調べさえすれば、答えが得られます」

ケビン・Ｆ（販売担当者）「自分でもびっくりするほどくだらないことを知ってるなと思うときがあります。『ジェパディ』みたいなクイズ番組や、『トリビアル・パースート』みたいな雑学を競うゲームがすごく好きなんです。ものを捨てるのは平気だけど、貯えられた知識が有効に使えなかったり、面白い本が存分に読めなかったりすると、いらいらしますね」

指令性
Command

指令性という資質によって、あなたは主導権を握ります。ほかの人と違い、あなたは自分の考えを他人に押しつけることを苦痛とは感じません。それどころか、ひとたび考えが固まると、あなたは、それをほかの人に伝えずにはいられません。ひとたび目標が定まると、あなたは、ほかの人をそれに同調させるまで安心できません。

あなたは対決におびえることはありません。むしろ、対決は解決策を見つけるための第一歩であることを知っています。ほかの人は不愉快な状況に立ち向かうことを避けようとするかもしれません。ところが、「事実」や「真実」がどれだけ不愉快なことであろうとも、それを示さなければならないと感じます。

あなたは、課題が人々の間で明確に理解されていることを求めます。従って、あなたは人に、偏った考えを持たず正直であることを要求します。あなたは彼らにリスクに挑戦することを迫ります。彼らを怖がらせることすらあるかもしれません。これを嫌ってあなたのことを頑固と呼ぶ人もいるかもしれませんが、一方で、進んであなたに主導権を握らせることもしばしばあります。
人々は、立場をはっきりと示し、まわりの人にもある特定の方向に向けて行動するように求める人に魅力を感じます。だから、人々はあなたに惹きつけられるでしょう。あなたには強い存在感があります。あなたは指令性を備えた人です。

〈指令性〉を強みとする人たちの声

マルコム・M（接客業、マネジャー）「まわりへの影響力が強いのは、私がきわめて率直な人間だからでしょう。実際、最初のうち、私には人を威嚇するところがあるようです。でも、一緒に仕事を始めて一年もすると、時々そのことが話題にのぼるようになります。『なあ、マルコム、ここで働きだしたときはきみのことが死ぬほど怖かった』というわけです。『どうして？』と私はきき返します。すると、だいたいみんなこう答えるんです、『きみほどはっきりとものを言う人間と一緒に仕事をしたことがなかったからだ。なんであれ、きみは言う必要があることは遠慮なく言うからな』とね」

リック・P（小売業重役）「うちの社では、健康推進運動をやっています。一週間にアルコールを口にする回数が四回以下なら二五ドルの手当がつきます。また、煙草を吸わない社員にもひと月に二五ドル支払われるんですが、ある日、店舗マネジャーの一人がまた喫煙を始めたという噂を耳にしました。これはよくありません。しかも、そのマネジャーは店内で煙草を吸って、ほかの従業員に対する悪い見本となった上、二五ドルを要求してきたのです。そういう人間を社内に置いておくわけにはいきません。もちろん私としても愉快なことではなかったけれど、すぐに本人を呼んで、はっきりと言い置きました。『態度を改めろ、さもなければ解雇だ』とね。そのマネジャーも悪い人間ではないのですが、そういった問題を放っておくわけにはいきません」

ダイアン・N（ホスピス勤務）「自分が独断的だとは思いませんが、いつも主導権を握ります。実際、死期の迫った患者さんとそのご家族のいる部屋に入れば、主導権を握らざるをえないんです。主導権を握るよう求められるのです。彼らは動揺しています。恐怖も感じています。現実を受け入れられないでもいます。つまり、どうしていいかわからないのです。そういうときには、これからどういうことになるのか、どのような心の準備が必要なのか言ってくれる人が必要です。愉しいことではありませんが、でも、何が重要かを考えれば、当然すべきことです。同情的な慰めのことばは禁物です。彼らが求めているのは明確さと率直さで、私にはそれに応えることができる。そういうことです」

慎重さ
Deliberative

あなたは用心深く、決して油断しません。あなたは自分のことをあまり話しません。あなたは世の中が予測できない場所であることを知っています。すべてが秩序正しいように見えますが、表面下には数多くの危険が待ちかまえていることを感じ取っています。あなたはこれらの危険を否定するよりは、一つひとつを表面に引き出します。そうして、危険は一つずつ特定され、評価され、最終的に減っていきます。言うなれば、あなたは毎日の生活を注意深く送る、かなりまじめな人です。

たとえば、何かがうまくいかない場合に備えて、あらかじめ計画を立てることを好みます。あなたは友人を慎重に選び、会話が個人的な話題になると、自分のことについては話をせず、自分自身で考えることを好みます。誤解されないように、過度に誉めたり認めたりしないように気をつけます。人になかなか打ち解けないという理由で、あなたを嫌う人がいても気にしません。あなたにとって、人生は人気コンテストではないのです。

人生は地雷原を歩くようなものです。そうすることを望むならば、ほかの人は用心せずにこの地雷原を駆け抜けるかもしれません。しかし、あなたはちがう方法を取ります。あなたは危険を明確にし、その危険が及ぼす影響を推し量り、それから慎重に一歩ずつ踏み出します。あなたは細心の注意を払って進みます。

〈慎重さ〉を強みとする人たちの声

ディック・Ｈ（映画プロデューサー）「私の仕事は不確定要素を減らすことだ。不確定要素が少なければ少ないほどリスクも減る。ディレクターと話し合いをするときには、いつもまず小さな問題をすぐ片づける。それがすむと、ちょっとほっとする。それができると、あとは重要なことに集中でき、話し合いの主導権を握ることができるからだ」

デビー・M（プロジェクト・マネジャー）「私は実務派ね。だから、同僚が次々とすばらしいアイデアを提案するのを聞いても、いつも尋ねたくなる、『どうやったら、そのアイデアを実行に移せる？』とか『どうやって、このグループやあのグループの人に納得してもらう？』って。だからって非現実的すぎるから反対だって言ってるわけじゃないのよ。ただ、内容を慎重に判断して、リスクを見きわめたいだけ。でも、私がそういう質問をすることで、よりよい選択ができていると思う」

ジェイミー・B（サービス業、従業員）「私はなんでもそつなくこなせる人間ではありませんが、再確認だけは怠りません。といって、とりたてて責任感が強いというわけでもありません。再確認することで、自分が安心できるんですよ。人間関係や仕事関係などどんなことでも、孤立無援の状態になっても、自分が乗ってる枝だけは折れないという確信が私には必要なんですね」

ブライアン・B（学校理事）「学校の安全対策を立ててるところなので、いくつもの会議に出席しています。現在は八つですか。全地区調査委員会もできましたが、基本モデルにまだ満足できない状態なので、上司に『いつになったら対策計画が見られるのか』ときかれても、『まだです。まだ満足のいくものができていません』と答えています。すると、上司はにっこりと笑って言います、『ねえ、ブライアン、私は完璧なものを求めてるわけでじゃないの。ただ、計画を見せてくれって言ってるのよ』とね。

そうは言っても、やりたいようにやらせてくれます。私の心配性が結果的にはいい結果を生むことが、彼女にもわかってるからです。計画の段階で手を抜かないでいれば、最終的なものができあがったときに、あとから修正を加える必要がありません。計画にほころびが生じたりはしないということです」

信念
Belief

強い信念という資質を持っているとすれば、あなたは普遍的な価値を持っています。これらの価値は人によって異なりますが、一般的にこの信念という資質が、あなたを家族中心主義に、他人に献身的に、さらに崇高さを持つようにさえします。さらに自分自身についても他人についても、責任感と倫理感が強いことを評価します。この普遍的価値は多くの面であなたの行動に影響を与えます。あなたの人生に意義と満足感をもたらします。

あなたの見方では、成功は金銭や地位に優るものです。この普遍的価値はあなたに方向性を与え、誘惑や心を乱すものがある中で、一貫した優先順位を保ちながら進んでいけるように、あなたを導きます。この一貫性があなたのあらゆる人間関係の基盤です。

あなたの友人はあなたを頼れる人間だと言います。彼らは「きみのスタンスはわかっている」と言います。あなたの信念という資質は、あなたを信頼しやすい人間にします。そしてそれは、あなたが自分の価値と完全に一致する仕事を見つけることも要求します。

あなたの仕事は意義があり、あなたにとって重要なものでなければなりません。そしてその仕事は、あなたの価値を実現するチャンスを与えることができる場合のみ意味を持つのです。

〈信念〉を強みとする人たちの声

マイケル・K（販売担当者）「仕事以外の時間はほとんど、家族と一緒に過ごしたり、地域の活動に参加したりしています。全米ボーイスカウト連盟の役員を務めたこともあります。私自身ボーイスカウトに入っていたときには、グループのリーダーでした。エキスプローラー・プログラム（ボーイスカウト活動の一つ）に参加していたときには、ジュニア・アシスタント・リーダーをしていました。子供と一緒にいるのが好きなんです。そこには未来がある。そう思うんです。自分の時間を未来に投資するんじゃなくて、もっとつまらないことに費やしてしまうことって、けっこうあるんじゃないでしょうか」

ララ・M（大学学長）「私にとって大切なのは、毎日一生懸命仕事に取り組むことです。仕事には何時間も何時間も注ぎ込みます。収入にはあまり興味がありません。最近になって、州内で私が一番収入の低い学長だということを知ったんですが、そんなことは少しも気になりません。お金のために今の仕事をしているわけではないのですから」

トレイシー・D（航空会社重役）「重要なことをしてない人には、きっと悩みもないことでしょう。毎朝起きて、空の安全を確保する仕事に従事することそのものが、私にとっては重要で意義深いことなんです。仕事に意義を見出せなければ、仕事に伴うさまざまな困難もストレスも克服できないでしょう。きっとやる気をなくすでしょうね」

親密性
Relator

親密性という資質は、あなたの人間関係に対する姿勢を説明します。簡単に言えば、親密性という資質によって、あなたはすでに知っている人々とより深い関係を結ぶ方向に引き寄せられます。

あなたは必ずしも未知の人たちと出会うことを避けているわけではありません――事実、知らない人と友人になるスリルを愉しむようなほかの資質を、あなたは持っているかもしれないのです――しかし、あなたは親しい友人のそばにいてこそ大きな喜びと力を得るのです。

あなたは親密であることに心地よさを感じます。いったん最初の関係ができあがると、あなたは積極的にその関係をさらに深めようとします。あなたは彼らの感情、目標、不安、夢を深く理解したいと思っています。そして、彼らにもあなたを深く理解してもらいたいと願っています。あなたは、このような親密さがある程度の危険性を含んでいることを知っています――あなたは利用されるかもしれないのです――しかし、あなたはその危険性をわかったうえで受け入れます。
あなたにとって人間関係は、それが本物であるときのみ価値を持ちます。そして、それが本物であるかどうかを知る唯一の方法は、相手に身を委ねることです。互いの気持ちを共有すればするほど、お互いの危険性も大きくなります。お互いの危険性が大きくなればなるほど、自分たちの意思が本物であることを、よりはっきりと証明できるのです。これらが真の友情を築き上げるための一つひとつのステップであり、あなたはそのステップを喜んで進んでいきます。

〈親密性〉を強みとする人たちの声

トニー・D（パイロット）「私は、以前は海兵隊の飛行士だったんだけれど、海兵隊員の口から出る『仲間』ということばは信頼していいと思う。人を信頼するというのはだれにとっても気持ちのいいものだけど、私自身、自分の命を何度ほかの人の手に委ねたことか。仲間の飛行機からすごく離れてしまったことがあってね。あのとき、その仲間が無事連れ戻してくれなかったら、私は今頃この世にはいなかっただろうね」

ジェイミー・T（企業家）「私はつきあう相手を厳選します。最初は、人と会ってもその人のためにあまり時間を割こうとは思いません。こっちが相手のことを知らなければ相手も私のことを知らないわけだから、にこやかに話をする。それだけです。でも、互いにもっとよく知り合う機会が増えてくると、心の扉が開かれ、もっと時間をかけてつきあいたくなります。自分の話もするし、自分を犠牲にしたり、互いにより親密になれるよう働きかけたり、相手のことを気にかけてることを示したりもします。これ以上友達を増やしたいと思ってるわけでもないのに、変な話ですよね。友達は大勢います。でも、だれかと知り合って、心の扉が開かれると、もっともっとその人に近づかなくては、という気になるんです。現在、私のもとには一〇人の従業員がいますが、全員私のよき友です」

ギャビン・T（客室乗務員）「すばらしい知り合いはたくさんいるけど、大切にしている真の友人ということになると、あまり多くはないですね。でも、それでまったくかまいません。だれより親密にしている人たちと過ごす時間が一番愉しいですから。自分の家族とか。うちは結束の固いアイルランド系カソリックの家庭で、機会あるごとに集まっています。大家族で、兄弟姉妹が五人、姪と甥が一〇人。月に一度は集まっておしゃべりをするんです。私はその触媒みたいな存在で、シカゴに帰ると、だれかの誕生日や記念日やそんなものがなくても、ただ私が戻ってるということで、みんなが集まるんです。そして、三日か四日のんびり過ごす。とにかく、みんなで顔を合わせること自体が愉しいんです」

成長促進

Developer

あなたは、ほかの人たちが持つ潜在的な可能性を見抜きます。実際のところ、潜在的な可能性があなたの見ているすべてであることも多いのです。あなたの考えでは、完全にできあがった人間は存在しません。だれもが進歩の途上にあり、可能性にあふれています。だからこそあなたは人々に惹きつけられるのです。

あなたが、ほかの人と互いに関わりを持つとき、目標としているのは彼らに成功を経験させることです。あなたは彼らを挑発する方法を探します。彼らの能力を伸ばして成長させるような興味深い経験を計画します。そしてその間ずっと、あなたは成長の明らかな徴候――学習して身につけたか改められた新しい行動、技能のちょっとした向上、卓越性の芽生え、以前なら一つひとつ意識しながらやっていたことが自然によどみなくできるようになる――が現れるのを待ちかまえています。あなたにとって、これらの小さな進歩――その進歩に気づかない人がいるほどの――が、発揮されつつある潜在能力の明確な兆候なのです。ほかの人に現れるこれらの成長の兆候は、あなたの原動力であり、あなたに強さと満足を与えます。

多くの人が、あなたの援助は誠実であり、あなたがそれによって満足を得ていると心の中でわかったときに、あなたに援助と激励を求めるようになるでしょう。

〈成長促進〉を強みとする人たちの声

マリリン・K（大学学長）「卒業式を迎える学生の中には、すでに子供のいる人もいます。だいたいは三五歳前後の女子学生です。その学生が壇上に上がり、卒業証書を受け取ると、一八列ばかりうしろの席にすわっている小さな子供が椅子の上に立って、まわりの人と一緒に叫びます。『やったね、ママ！』って。わたしはその瞬間が大好きです。何度経験しても涙が出ます」

ジョン・M（広告代理店重役）「私は弁護士でも、医者でも、燭台職人でもない。私が持ってる技術はタイプがちがう。人や、人を行動に駆り立てる動機を理解するのに役立つ技術だ。そんな私が喜びを感じるのは、人が本人も意外に感じるやり方で自己を発見するのを見たり、私にはない才能を発揮する人を発見したりしたときだ」

アンナ・G（看護婦）「担当している患者さんの中に、まだ若いのに肺の損傷がひどく、死ぬまで酸素吸入器が必要な人がいます。その患者さんにはもう普通の生活をする気力も体力も残っていません。私が病室に入っていくと、いつも絶望的な表情をします。心配のあまり息切れするのか、息切れするから心配になるのか、それは本人にもよくわかっていませんが、よく死にたいと言います。彼女には働くこともできなければ、夫の世話もできないからです。でも、私はあるとき彼女に、できないことではなくて、どんなことができるか尋ねてみました。それでわかったのですが、彼女は独創性にすぐれ、絵や手芸が得意なんです。私は言いました、『ほら、できることがあるじゃない。愉しんでやれるなら、やってみたら？　愉しいことから始めればいい』って。すると彼女は泣きながら、『私にはお皿一枚洗うだけのエネルギーしか残ってない』って言いました。私は言いました、『それは今日の話でしょ。明日はそれが二つになるわ』って。そのときからクリスマスを迎えるまで、彼女はいろいろなものをこしらえて、それを売ったりもしました」

責任感
Responsibility

あなたは責任感という資質により、自分がやると言ったことに対してはなんでもやり遂げようという強い気持ちを持ちます。それが大きかろうと小さかろうと、あなたは完了するまでそれをやり遂げることに心理的に拘束されます。

あなたのよい評判はそこから来ています。もし何かの理由であなたが約束を果たせないとき、あなたは相手に対してそれをなんらかの形で埋め合わせる方法を無意識に探しはじめます。謝罪では充分でありません。言い訳や正当化は問題外です。あなたは埋め合わせが終わるまで、生きた心地がしません。このような良心、物事を正しく行うことに対する強迫観念に近い考え、非の打ちどころがない倫理観、これらがすべて相俟って「絶対的に信頼できる」という高い評判を生み出すのです。

人が新しい責任をだれかに任せるとき、まずあなたに眼を向けるでしょう。あなたがその責任を必ず果たすことを知っているからです。人々があなたに助けを求めてくるとき――すぐにそうなるでしょうが――あなたは選ぶ眼を持たなければなりません。進んで事にあたろうとするあまり、できる範囲以上に仕事を引き受けてしまう場合もあるからです。

〈責任感〉を強みとする人たちの声

ハリー・B（再就職コンサルタント）「まだ若かったころ、ある銀行の支店でマネジャーを務めていたときのことです。頭取が抵当物件を流れ処分にする決定を下しました。私は『それはかまいませんが、もとの所有者に相応の見返りを支払う責任があります』と頭取に進言しました。頭取のほうはそういうことを考えていませんでした。借りがある自分の友人にその物件を譲ろうという気持ちがあったからです。で、彼は、『きみの欠点は自分の職業倫理と個人レベルの倫理観を切り離して考えられないことだ』と言いました。私はそのとおりだと答えました。実際、私にはそういう器用な真似はできません。ダブル・スタンダードを持つなんて、自分にできるとは思えなかったからです。それは今も変わりません。私はその銀行を辞め、時給五ドルの仕事に戻りました。森林管理サービス会社でのごみ拾い。それがそのときの私の仕事です。子供も二人いて、共働きでどうにか暮らしていたんで、決心するまで大いに悩みました。でも、振り返ってみると、ある意味では悩む必要などまったくなかったことがよくわかります。そんな倫理がまかり通るような組織では、私は絶対にやっていけなかったでしょうから」

ケリー・G（オペレーション・マネジャー）「一二月、スウェーデンの全支社を統括しているマネジャーから電話があって、『ケリー、注文した製品は一月一日付で出荷してもらえないか』と言われ、私は『わかった。いい考えだと思う』と答えました。そして、部下にその旨を伝え、準備はできたと思いました。ところが、一二月三一日になって（そのとき私はスキー場にいたのですが）送られてきた連絡事項に眼を通して、すべて予定どおりに進んでいるかどうか確認したところ、スウェーデンからの注文品がすでに出荷され、送り状まで発送されていることがわかりました。私はすぐにスウェーデンに電話をかけ、マネジャーに事情を話しました。そのマネジャーは紳士で、卑語を吐いたりはしませんでしたが、とても腹を立てていて、同時に失望もしていました。どう対処すればいいのか。謝ってすむことではありません。何か手を打たなければなりませんでした。ロッジから経理部長に電話をして相談し、その日の午後、出荷した分の金額をこちらの帳簿に戻し、向こうの負担にならないようにする手立てをしました。その週末はほとんどその対応に追われましたが、でも、それはしかたのないことです」

ナイジェル・T（販売担当重役）「自分の手の中には金属の破片があり、天井には磁石があると思っていたことがあります。何にでも率先して手を挙げてたんですよ。で、その癖はなんとかならないものかと思ってました。すべきことが多すぎて、そのうち手にあまるのがわかっていただけでなく、すべてを自分の責任のように思うようになるに決まってたからです。でも、今はよくわかります。世の中のすべてに責任を持つなんてできるわけがない。それは神の仕事です」

戦略性
Strategic

戦略性という資質によって、あなたはいろいろなものが乱雑にある中から、最終目的に合った最善の道筋を発見することができます。これは学習できるスキルではありません。これは特異な考え方であり、物事に対する特殊な見方です。

ほかの人には単に複雑さとしか見えないときでも、あなたにはこの資質によってパターンが見えます。これらを意識して、あなたはあらゆる選択肢のシナリオの最後まで想像し、常に「こうなったらどうなる？　では、こうなったらどうなる？」と自問します。このような繰り返しによって、先を読むことができるのです。

そして、あなたは起こる可能性のある障害の危険性を正確に予測することができます。それぞれの道筋の先にある状況がわかることで、あなたは道筋を選びはじめます。行き止まりの道をあなたは切り捨てます。まともに抵抗を受ける道を排除します。混乱に巻き込まれる道を捨て去ります。そして、選ばれた道――すなわちあなたの戦略――にたどり着くまで、あなたは選択と切り捨てを繰り返します。そしてこの戦略を武器として先へ進みます。

これが、あなたの戦略性という資質の役割です。問いかけ、選抜し、行動するのです。

〈戦略性〉を強みとする人たちの声

リーアム・C（製造工場マネジャー）「ほかのだれより早く、私には結果が見えるようだ。だから従業員には『上を見て、遠くの道を見下ろせ。来年はどこまで行くかを話し合おう。来年の今頃には今抱えてる問題が解消できてるように』とよく言うんだ。私にはわかりきったことでも、その月の営業成績ばかりが気になってしまう従業員もいるからね。だから、そうやって事を進めていくんだよ」

ビビアン・T（テレビ・プロデューサー）「子供のころ、論理的な問題が大好きでした。『AがBを含み、BがCと等しければ、AはCとイコールの関係にあるか』みたいな問題です。今でも何がどのように影響して、どこに行き着くかということをよく考えています。それはインタビューの仕事にはとても役に立つことです。何一つ偶然ということはありえない。私はそう思っています。あらゆる身ぶり、あらゆることば、あらゆる声音、すべてに意味がある。だから、手がかりを求め、得た手がかりを頭の中でたどって、どこに行き着くか考える。そして、頭の中に見えたものを利用して、検討事項を用意する。そういうことです」

サイモン・T（再就職コンサルタント）「以前、労働組合と交渉しなければならないことがあったんですが、私にはその絶好の機会と、絶好の交渉材料がわかっていました。組合がそのまま進むと、あらゆる種類のトラブルを抱え込むことが確実で、見ていると、実際、彼らはそのまま突き進んでいったのです。でも、彼らがたどり着いたところには私がいました。準備万端整えて、待ってたんです。ほかの人が何をするか、私には難なく予測がつくんです。そして、相手がどんな反応を見せようと、私はその反応に即座に応じられます。先まわりをして、『彼らがこうしたら、われわれはこうしよう。こうしたらこうだ』と言えるんですよ。ヨットをジグザグに走らせるようなもんです。ある方向に進んでいるかと思えば、急に方向転換をする、そして、また別の方向に。つまり計画しては状況に応じて方向を変える。計画と反応。その繰り返しです」

達成欲
Achiever

「達成欲」という資質は、あなたの原動力を説明する助けになります。達成欲は、何かをなし遂げたいという恒常的な欲求を示しています。

あなたには、毎日がゼロからのスタートのように感じられます。あなたは自分自身に満足するために、一日が終わるまでに何か具体的なことをなし遂げなければなりません。そしてあなたにとって「毎日」とは、平日も週末も休日もすべてを含めた一日一日を意味します。休みを取ったとしても、何も達成することなくその休んだ日が過ぎてしまうと、あなたは不満に感じるでしょう。あなたの中にある炎が、次から次へとあなたを行動に駆り立てます。一つ何かをなし遂げるとその炎は一瞬しずまりますが、またすぐに燃えだし、次の目標へまた次の目標へと、強制的にあなたを前進させつづけます。

達成に対するあなたの執拗な欲求は、必ずしも論理にかなっていないかもしれません。方向すら定まっていないかもしれません。しかし、飽くことを知らず常にあなたについてまわります。達成欲の旺盛なあなたは、このわずかに満たされない気持ちとうまくつきあっていけるようにしなければなりません。

何しろ、この気持ちにはそれなりの利点があるのです。長い時間燃え尽きることなく働くために必要なエネルギーを、あなたに与えてくれます。新しい仕事やむずかしい仕事に取りかかるとき、いつでも頼ることができる起爆剤なのです。これがエネルギーの源となって、あなたは職場のチームが働くペースを設定し、生産性のレベルを定めることができます。

これが、あなたを動かしつづける資質なのです。

〈達成欲〉を強みとする人たちの声

メラニー・K（看護婦、緊急治療室《ER》勤務）「毎日点数を稼がないと、何かをやり遂げた気がしないんです。今日はまだここに三〇分しかいないけど、もう三〇点は稼いだんじゃないかしら。ＥＲ向けの機材の注文をして、機材の修理をして、主任看護婦とも話し合って、コンピューター化された業務日誌の改善策についての妙案を事務長に吹き込みました。それで、今日の予定リストの項目九〇のうち三〇ができたことになるんです。だから、今はとてもいい気持ち」

テッド・S（販売担当者）「去年、私は九〇人いる私の会社の販売担当者の中から、『その年最高の販売担当者』に選ばれました。選ばれたその日はもちろん気分がよかったけれど、その週の後半にはもう、そんなこともあったたんだっけって感じになりました。そのときにはもうゼロに戻ってたんですよ。だから、時々思いますね、こんな性格じゃなければいいのにって。だって、こういう性格だとバランスの取れた暮らしなんかとてもできなくて、仕事だけの人間みたいになりそうで。昔は自分を変えることもできるんじゃないかって思ってたけれど、今ではよくわかります、自分はそういう人間なんだってね。この資質はまさに両刃の剣です。確かに、目標を達成する役には立ってくれてると思うけど、こういう性格にはスイッチがついていて、つけたり消したりできたらなあって思います。もちろん、そんなことはできない。でも、この性格は仕事だけじゃなくてほかのすべてのことにもうまく使っていきたいですね。それはできないことじゃないと思います」

セアラ・L（著述業）「これって奇妙な資質よ。最初はいいの、ずっと何か追いかけていけるってことだから。でも、その次に来るのは、絶対にゴールには行き着けないって感覚ね。この資質は生涯を通して時速七〇マイルで私たちを丘に駆け上がらせるのよ。私たちは絶対に休めない。常に次にしなきゃならないことがあるから。でも、よくよく考えてみれば、こういう資質でもないよりはあったほうがよかったって思う。私はこの自分の資質を『天から授かった落ち着きのなさ』って呼んでる。今、自分にあるものはすべてこの神のプレゼントのおかげなんだとしたら、それはそれで全然かまわない。私としては別に文句はないわ」

着想

Ideation

あなたは着想に魅力を感じます。では、着想とは何でしょうか？　着想とは、ほとんどの出来事を最もうまく説明できる考え方です。あなたは複雑に見える表面の下に、なぜ物事はそうなっているかを説明する、的確で簡潔な考え方を発見するとうれしくなります。

着想とは結びつきです。あなたのような考え方を持つ人は、いつも結びつきを探しています。見た眼には共通点のない現象が、なんとなくつながりがありそうだと、あなたは好奇心をかき立てられるのです。着想とは、みながなかなか解決できずにいる日常的な問題に対して、新しい見方をすることです。

あなたはだれでも知っている世の中の事柄を取り上げ、それをひっくり返すことに非常に喜びを感じます。それによって人々は、その事柄を、変わっているけれど意外な角度から眺めることができます。あなたはこのような着想すべてが大好きです。なぜなら、それらは深い意味があるからです。なぜなら、それらは日新しいからです。それらは明瞭であり、逆説的であり、奇抜だからです。これらすべての理由で、あなたは新しい着想が生まれるたびに、エネルギーが電流のように走ります。

ほかの人たちはあなたのことを、創造的とか独創的とか、あるいは概念的とか、知的とさえ名づけるかもしれません。おそらく、どれもあてはまるかもしれません。どれもあてはまらないかもしれません。確実なのは、着想はあなたにとってスリルがあるということです。そしてほとんど毎日そうであれば、あなたは幸せなのです。

〈着想〉を強みとする人たちの声

マーク・B（著述業）「私の心は物事の結びつきを考えることでよく働く。先日、ルーブル美術館に行って、モナ・リザを探したときのことだ。角を曲がると、何人もがカメラで小さな絵を撮っていて、そのフラッシュの光で眼が見えなくなった。そして、なぜかそのイメージが頭にこびりついた。そのときには『フラッシュ厳禁』という表示にも気づいて、それも頭に残った。で、これはおかしいと思った。フラッシュは絵によくないというのを何かで読んだ記憶があったんだ。それから半年ほどして、二〇世紀にモナ・リザは少なくとも二度盗難にあってることを知った。そのとたん、すべてが腑に落ちた。一気に一連の出来事の説明がついた。本物のモナ・リザはルーブル美術館に展示されてないんだよ。本物はもう盗まれてしまってるんじゃないか。でも、美術館側は自分たちの管理のずさんさを認めたくないものだから、偽物のモナ・リザを飾ってるのさ。もちろん、ほんとうのところはわからない。でも、もしそうだったら、すごい話だと思わないか」

アンドリア・H（インテリア・デザイナー）「すべてがぴたりと嚙み合ってないと、私は絶対に落ち着けない人なの。私にとって家具はアイデアそのもので、家具って一つだけでも、ほかと組み合わせても、どちらにしろ、それぞれ別の機能を持ってるものよ。そして、一つひとつが自分のアイデアを強く主張してるから、それには従わないといけない。部屋に椅子が何脚かあったとして、それぞれが自分たちの機能を充分発揮してなければ、それは椅子の選択をまちがってるか、それとも置いてある向きが悪いか、コーヒーテーブルの近くに置きすぎてるのよ。そんな部屋にいたら、体がむずむずして、気が変になっちゃう。そのあとはしばらくその感覚が忘れられなくなる。で、夜中の三時に眼が覚めちゃったりして、心だけその家の中を歩きまわりはじめるの。そして、心の中で家具の配置を直したり、壁の色を塗り替えたりするの。これは子供のころからの癖ね。そう、七歳ぐらいからかな」

調和性
Harmony

あなたは同意点を求めます。あなたは、衝突や摩擦から得るものはないという考えを持っているため、そのような争いを最小限にしようとします。周囲の人々が異なる意見を持っていることがわかると、あなたはその中の共通する部分を見出そうとします。あなたは彼らを対立から遠ざけて調和に向かわせようとします。事実、調和はあなたの行動を左右する価値観の一つです。人々が自分の意見を他人に押しつけるために無駄にしている時間の多さは、あなたには信じがたいほどです。

もし私たちが意見を述べることを控えめにし、かわりに同意や支援を求めるようにすれば、みながもっと生産的になれるのではないでしょうか？　あなたはそうなると信じています。そしてその信念によって生きています。

ほかの人が自分の目標や、主張や、強く抱いている意見を声高に話しているとき、あなたは沈黙を守ります。ほかの人がある方向に動きだすと、あなたは調和という名のもとに（彼らの基本的価値観があなたの価値観と衝突しないかぎり）、喜んで彼らに合わせてあなた自身の目標を修正するでしょう。ほかの人たちが自分たちのお気に入りの理論や考えについて議論を始めると、あなたは論争を避ける方向に持っていき、全員が賛同できる、実用的で地に足の着いた事柄について話すことのほうを取ります。

あなたの見方では、私たちは全員同じ船に乗り合わせていて、この船をこれから行こうとしているところに到着させる必要があるのです。それはしっかりした船です。単に自分が船を揺すれることを示すために、わざわざ船を揺する必要などないのです。

〈調和性〉を強みとする人たちの声

ジェイン・C（修道女、ベネディクト修道会）「人間が好きです。適応性があるので人と接するのが少しも苦になりません。私には、自分をその中に注ぐことができる水差しそのものになることができるのです。ですから、よほどのことがないかぎり腹を立てることはありません」

チャック・M（教師）「授業中に生徒に反発されるのはもちろんいやですが、そうした流れは慌てて止めようとせず、流れるに任せるほうがいいことを経験から学びました。教師になりたてのころには、生徒に反対意見を言われると、『ああ、どうしてこの子はこんなことを言わなければならないんだ』と思って、すぐに反発の芽を摘もうとしたものですが、今は、何も言わず、ほかの生徒に意見を求めるようにしています。そうすることで、一つのことに対するさまざまな見方を知ることができるからです」

トム・P（専門技術者）「今でもはっきりと覚えています。一〇歳か一一歳のころ、学校で生徒同士が言い争うなどというのは日常茶飯事でした。で、そういうことが起こるたびに、どういうわけか、私は中に入り、全員が納得できる雰囲気をつくらなければと思ったものです。そう、私は和平調停人だったんです」

適応性
Adaptability

あなたにとって今この瞬間が最も重要です。あなたは将来をすでに決まっているものとは考えていません。将来というのは、今あなたが行う選択によって変わっていくものだと考えています。つまり、それぞれの時点で進む方向を一つずつ選択することによって、将来を見出すのです。

これは計画がないということではありません。おそらく計画は立てているでしょう。たとえ計画が予定どおりにいかなくなったとしても、適応性という資質によって、あなたはその時々の状況に容易に対応することができるのです。突然の要請や予期せぬまわり道に憤慨する人も中にはいますが、あなたはちがいます。あなたは、それらを期待しているのです。それらは必然のことであり、実のところ、あなたはある程度それを待ち望んでいます。

あなたは生まれつき大変柔軟性のある人です。仕事上の必要から同時にいくつものことに注意を払わなければならない場合でも、常に生産性を保つことができます。

〈適応性〉を強みとする人たちの声

マリー・T（テレビ・プロデューサー）「活気のあるテレビの仕事が大好き。次に何が起きるかわからないから。ティーンエイジャー向けベスト・クリスマス・プレゼントは何か、なんていう番組をつくってたかと思えば、その次には大統領選の候補者を迎える打ち合わせをしているかもしれない。これまでずっとそんなふうにやってきたのよ。私は瞬間瞬間を生きてる人なのね。だから、『明日は何をする予定？』なんてきかれたときの私の答えはいつもこうよ、『さあ、わからない。そのときの気分次第ね』って。私のボーイフレンドなんかしょっちゅう腹を立ててる。たとえば、彼は日曜日の午後に骨董市に行く計画を立ててたとするでしょ？　でも、ぎりぎりになって、私の気が変わって『ねえ、家に帰って、新聞の日曜版でも読まない？』なんて言うもんだから。こういう人間って傍《はた》迷惑？　そうかもしれない。

でも、見方によっては、どんな状況にも合わせられる性格と言えるんじゃないかな」

リンダ・G（プロジェクト・マネジャー）「自分が知るかぎり、職場で一番冷静なのは私です。だれかがやってきて、『この計画ではうまくいかない。明日までに修正が必要だ』なんて言ったとするでしょ？　そんなとき、一気に緊張した空気になっちゃう。みんな凍りついたみたいになっちゃう。でも、私はなぜかそうはならないの。そういうプレッシャーが好きなのね、早急な対応を迫られたときのプレッシャーが。そのほうがやる気が起きるのよ」

ピーター・F（企業研修官）「私は人生をあるがままに受け入れて、愉しむことのできる部類だと思います。先週、車の窓を割られて、カーステレオを盗まれてしまいましてね。もちろん腹は立ちましたよ。でも、それでその日が台なしになるなんてことはなかった。忘れることにして、気持ちを切り替えて、その日にやらなければならない仕事をいつもどおりにやりました」

内省
Intellection

あなたは考えることが好きです。あなたは頭脳活動を好みます。あなたは脳を刺激し、縦横無尽に頭を働かせることが好きです。あなたが頭を働かせている方向は、たとえば問題を解こうとしているのかもしれないし、アイデアを考え出そうとしているのかもしれないし、あるいは、ほかの人の感情を理解しようとしているのかもしれません。何に集中しているかは、あなたのほかの強みによるでしょう。一方では、頭を働かせている方向が一点に定まっていない可能性もあります。

内省という資質は、あなたが何を考えているかというところまで影響するわけではありません。単に、あなたは考えることが好きだということを意味しているだけです。あなたは一人の時間を愉しむ類いの人です。なぜなら、一人でいる時間は、黙想し内省するための時間だからです。

あなたは内省的です。ある意味で、あなたは自分自身の最良の伴侶です。あなたは自分自身にいろいろな質問を投げかけ、自分でそれぞれの回答がどうであるかを検討します。この内省という資質により、あなたは実際に行っていることと頭の中で考えて検討したこととと比べたとき、若干不満を覚えるかもしれません。あるいはこの内省という資質は、その日の出来事や、予定している人との会話などといったような、より現実的な事柄に向かうかもしれません。それがどの方向にあなたを導くにしても、この頭の中でのやりとりはあなたの人生で変わらぬものの一つです。

〈内省〉を強みとする人たちの声

ローレン・H（プロジェクト・マネジャー）「ちょっとしか会ったことのない人はまず、私のことをとても外向的な人間と思ってることでしょうね。実際、私は人が好きです。それは否定しないわ。でも、私には、一人でいる時間がどれくらいあって、人とうまくやっていくにはそういった時間をどれほど必要としているか知ったら、きっとみんな驚くと思う。人づきあいは嫌いじゃないけど、それでも私が孤独を好むのは、ぼやけた焦点を別のことに向けて、『煮立たせる』時間が持てるからです。私の場合、そういうところからすばらしいアイデアが湧いてくるんです。私のアイデアは煮て、沸かす必要があるのね。だから、若いころからよくこんなことを言ってました、『アイデアを放り込む。あとは煮立って沸き上がるのを待つ』なんてね」

マイケル・P（マーケティング担当重役）「変わってるかもしれないけれど、私はまわりが騒がしくないと駄目なタイプでね。集中できないんですよ。頭の一部に騒音がないと。そうでないと、あれこれ考えすぎて、結局、何もできなくなるんです。テレビがついてたり、そばで子供が騒いでたりするほうが集中力が増すんですよ」

ホルヘ・H（工場責任者、元政治犯）「刑務所では、懲罰のために独房に入れられることがあって、ほかの服役者はみんないやがってたけれど、私はちがってた。みんな孤独に耐えられなくなるわけだけど、私にはそんなことは一度もなかったね。自分の人生についてよく考えたものだ。自分がどんな人間かとか、自分にとってほんとうに大切なものは何かとか。家族のことや、自分の存在価値なんかもよく考えた。変わってるかもしれないけど、実際、一人でいると気持ちが落ち着いて、力が湧いてくるんだよ」

分析思考
Analytical

分析思考という資質を持つあなたは、ほかの人に「証明しなさい。あなたの主張がなぜ正しいのか示しなさい」と強く要求します。このような詰問を受けると、自分のすばらしい理論がもろくも崩れ落ちるのを感じる人もいます。これがまさしく、あなたの意図するところです。あなたは必ずしも他人のアイデアを壊したいわけではないのですが、彼らの理論が堅固であることを強く求めます。あなたは自分自身を、客観的で公平であると考えています。

あなたはデータを好みます。データは人々の考えに左右されず、ありのままだからです。あなたはデータを見ると、パターンと関連性を探しだします。一定のパターンが互いにどのように影響するのか、どのように結びつくのか、結果はどのようなものかを理解しようとします。そしてその結果が、提示されている理論や眼のまえの状況にふさわしいかどうかを知ろうとします。これがあなたのやり方です。あなたはこれらの点を一つずつ明らかにして、根本的な理由を探し当てます。

人はあなたのことを論理的で厳格であると見ます。その人たちは、いつかあなたのところにやってきて、だれか他の人の「非現実的な考え」あるいは「整理されていない考え」を話し、あなたの研ぎ澄まされた思考から見た考えをきくでしょう。あなたの分析結果を伝えるとき、できれば決して厳しすぎないようにしましょう。さもないと、その「非現実的な考え」が彼ら自身の考えである場合、その人はあなたをわざと避けるようになります。

〈分析思考〉を強みとする人たちの声

ホセ・G（教育委員）「私には生来、物事が形になるまえのその構造や構成やパターンを見出す才能があるんだと思います。たとえば、職場の人たちが助成金交付の申請書を作成する話をしていたとします。そういう話を聞いてるだけでもう、どういった種類の助成金なら交付されやすいか、会議はどんな形式にすればいいか、どのようなフォーマットで情報を伝えれば、適切で明確で説得力のある申請書になるか、といったことを反射的に考えてるんです」

ジャック・T（人事部長）「私は何かを主張するときには、その主張の正当性を裏づける事実や論理的思考を必ず求める人間ですね。逆に、社員のだれかに『うちの会社の給料は他社と比べて低い』と言われたとします。そんなときには必ずこうきき返します、『どうしてそう言える?』とね。そこで相手が、『新聞の求人広告で見たのだけれど、機械工学専攻の大卒者の場合、初任給がうちより五〇〇〇ドル多い会社があった』とでも答えたとしましょう。私はさらにききます。『では、その大卒者たちはどこで働くことになる？　地理的条件が給料に反映されてるんじゃないのか？　その会社の業種は？　うちと同じ製造業か？　給与の実例はいくつ載ってた？　それが三つだとしたら、そのうちの一つが高額として、それに応じて全員の給料も一律に上がるのかどうか』。このように次々と質問を浴びせます。その主張が正当なもので、誤った情報に基づいたものではないということが確信できないと、どうしても納得できないんです」

レスリー・J（学校長）「同じグループにいる生徒であっても、学年が変わると、成績ががらりと変わってしまうことがたびたびあります。同じグループにいるのに、成績が年々変わるのです。これはどういうことなのか。どの教室で勉強をしていたか。通年のカリキュラムには何人の生徒が登録しているか。どの教師が受け持ち、その教師はどういった教え方をしたか。こんな質問をして、実際に起きていることを把握するのが私は大好きなんです」

包含
Inclusiveness

「もっと輪を広げよう」。これはあなたが人生の基本としている信念です。あなたは人々をグループの中に包含し、その一員であると感じさせたいのです。選ばれた者だけのグループを好む人たちとは正反対です。あなたは、ほかの人を寄せつけないこのようなグループとの関わりを積極的に避けます。あなたはグループの輪を広げ、できるだけ多くの人がグループに支えられることによる恩恵を受けられるようにしたいと考えています。

あなたは、だれかがグループの外側から中をのぞいているような光景を嫌悪します。あなたは彼らが温かさを感じることができるように、彼らを中に引き入れたいと思います。あなたは、本能的に寛容性を持っている人です。人種、性別、国籍、性格や宗教がどうであれ、あなたは人をほとんど批判しません。批判を与えることは、人の感情を傷つけるかもしれません。必要もないのに、なぜそんなことをしなければならないのでしょうか?

あなたの包含という資質は、「人はそれぞれちがっており、そのちがいに敬意を払うべきだ」という信念に必ずしも基づいているわけではありません。むしろ、人は基本的にみな同じであるという確信に基づいています。人は、みな同じように重要なのです。ですから、だれ一人として無視されてはいけないのです。私たち一人ひとりがグループに含まれるべきです。私たちはみな、少なくともそれに値するのです。

〈包含〉を強みとする人たちの声

ハリー・B(再就職コンサルタント)「私は子供のころとても恥ずかしがり屋でした。でも、遊ぶときにはほかの子供を必ず誘いました。学校でチームをつくるときなど、だれかがはみ出したりするのがとてもいやでした。一〇歳か一一歳のころでしたかね。通っている教会がちがう友達がいました。その子はカソリック教徒だったんです。私が家族と教会の夕食会に行ったときのことです。その子が戸口に現れました。その夜は恒例の子供向けの催しがあったからです。私はすぐに席を立って、その子を自分の家族のところまで連れてきて、一緒のテーブルにつかせました」

ジェレミー・B（刑事弁護士）「現在の仕事に就いた当初、顔を合わせた人とはたいていその日のうちに友達になりました。あとになって、その人にはいろいろと問題があることがわかるなどということもありましたけど。でも、それはたいていもうディナーパーティーや懇親会に招いたあとのことなんです。共同経営者のマークなんか、『どうしてこいつを呼んだんだ？』なんてよく言います。その答えは、最初に会ったときに何が決め手で友達になったのかというところにあります。そう、一緒にいて愉しかったからです。いちいち言うまでもないかもしれないけれど、友達をつくるとき、私もマークも重要視しているのがその点です……一度仲間に入れちゃうと、そのあとはもう切ることができない性格なんですよ」

ジャイルズ・D（企業研修官）「講義中、だれかがディスカッションの輪からはみ出しそうになると、すぐにそれを察知する能力が私にはあるようです。だから、そんなときには、すぐその人を輪の中に引き戻してあげます。先週、就業評価についてディスカッションをしていたときのことです。意見をまったく言わない女性がいるのに気づいたので、私は声をかけました、『モニカ、きみもこれまでにこうした評価は受けてきてるだろ？　今日の議題についてどう思う？』とね。いずれにしろ、〈包含〉という資質は教師としての私に大いに役立ってくれています。と言うのも、答えがすぐには出ないような問題にぶつかったとき、私が引き入れた人が答えを出してくれることが実によくあるんですよ」

ポジティブ

Positivity

あなたは人をよく誉め、すぐに微笑みかけ、どんな状況においても常にポジティブな面を探します。あなたのことを陽気と言う人もいます。あなたのように楽天的になりたいと思う人もいます。しかし、いずれにしても、人々はあなたのまわりにいたいと思います。あなたの熱意は人に伝染するので、あなたの近くにいると彼らには世界がよりよいもののように見えてくるのです。

あなたの活力と楽天性がないと、人は、自分の毎日は同じことの繰り返しばかりで単調であるとか、最悪の場合、プレッシャーを重く感じてしまいます。あなたは、彼らの気持ちを明るくする方法を必ず見つけます。あなたはどんなプロジェクトにも情熱を吹き込みます。あなたはどんな進歩も祝福します。あなたはどんなことでも、よりエキサイティングで、より活き活きとしたものにする方法をたくさん考え出します。

一部の懐疑的な人たちは、あなたの活発さを否定するかもしれませんが、あなたはめったにそれに引きずられることはありません。あなたの積極性がそれを許さないのです。あなたは、生きていることはすばらしいという信念、仕事は愉しいものにできるという信念、どのような障害があろうと人は決してユーモアの精神を失ってはならないという信念から、どうしても逃れられないのです。

〈ポジティブ〉を強みとする人たちの声

ゲリー・L（客室乗務員）「私たちは日々何人もの搭乗客に接しているわけですが、フライトのたびに一人か二人の乗客を選び、その人たちに何か特別なことをする、ということをここ何年も続けています。もちろん、常に誠意を持ってすべての乗客に接し、自分が乗客ならプロの乗務員にこんなことをしてほしいと思うことをするよう心掛けてはいますが、それ以外に、だれか一人、あるいは特定の家族や少人数のグループに、特別扱いを受けている気分になってもらえるようにするんです。冗談を言ったり、話をしたり、ちょっとしたゲームをしたりしてね」

アンディ・B（インターネット・マーケティング担当重役）「毒にも薬にもならない四方山《よもやま》話をするのが大好きなんです。雑誌もよく読むわね。で、何か面白い記事を見つけたら（新しい店とか、新発売のリップグロスとかなんでもいいんです）まわりの人に話すの。『ねえ、この店に行くといいわよ。すごくいかしてるから。この写真を見てよ。ほら、いいでしょ』なんて、そうやってあまりに夢中になって言うものだから、みんな私の言うとおりにしてくれる。でも、私は凄腕のセールスウーマンじゃないわね。全然ちがう。実際、私は身近な人に何かを頼むのだって苦手なほうだもの。身近な人を煩わせるなんて言うに及ばず。ただ、一生懸命話をして、『わあ、きっとあなたの言うとおりね』って言ってもらいたいのよ」

サニー・G（コミュニケーション・マネジャー）「世の中は、悲観的な人が多すぎます。もっとプラス志向の人、世の中のいい面に眼を向ける人が必要です。悲観的な人を見てると、気が滅入ります。以前の職場に、毎朝私のオフィスに入ってきては、愚痴を言っていく人がいました。そんなとき、わざとどこかに隠れたものです。その人の姿が見えると、トイレに駆け込んだり、ほかの場所に行ったり。その人と一緒にいると、世の中が救いようのない場所に思えてきてね。そういうのがたまらなくいやだったんです」

未来志向

Futuristic

「もし……だったら、どんなにすばらしいだろうなぁ」と、あなたは水平線の向こうを眼を細めて見つめることを愛するタイプの人です。未来はあなたを魅了します。まるで壁に投影された映像のように、あなたには、未来に待ち受けているかもしれないものがこまかいところまで見えます。

このこまかく描かれた情景は、あなたを明日という未来に引き寄せつづけます。この情景の具体的な内容――より品質の高い製品、よりすぐれたチーム、よりよい生活、あるいはよりよい世界――は、あなたのほかの資質や興味によって決まりますが、それはいつでもあなたを鼓舞するでしょう。あなたは、未来に何ができるかというビジョンが見え、それを心に抱きつづける夢想家です。現在があまりにも失望感をもたらし、周囲の人々があまりにも現実的であることがわかったとき、あなたは未来のビジョンをたちまち眼のまえに呼び起こします。それがあなたにエネルギーを与えてくれます。

それは、ほかの人にもエネルギーを与えます。事実、あなたが未来のビジョンを眼に浮かぶように話すのを、人々はいつでも期待します。彼らは自分たちの視野を広げ、精神を高揚させることができる絵を求めています。あなたは彼らのためにその絵を描くことができます。描いてあげなさい。ことばを慎重に選びなさい。できるかぎりその絵を活き活きと描きなさい。人々はあなたが持ち込んでくる希望につかまりたくなるでしょう。

〈未来志向〉を強みとする人たちの声

ダン・F（学校理事）「どんな状況に置かれても、私はいつもこう言います、『これまでにそのことについて考えたことがある者は……？　われわれにできるかどうか……不可能だとは思っていない。ただ、これまでそれをやったことのある人間がいないだけのことだ。うまくやれる方法を考えてみよう』とね。選択肢や現状を考慮して、苦況に陥らない方法を探るんです。変わらない状態なんて一つとしてないんですから。前進しているか、さもなければ後退しているか。それが現実というものです。少なくとも、私はそう考えています。現在、私の学校の経営状況は確実に下降線をたどっています。州立校は、私立やプロテスタント系の学校や、自宅で受けられるホームスクーリングや、インターネットを利用した学校にサービスの点で負けています。われわれは、従来どおりのやり方にとらわれず、未来を見据えた学校づくりを考える必要があります」

ジャン・K医師（内科医）「メイヨー・クリニックでは、『ザ・ホスピタリスト』という医療チームを発足させる予定です。つまり、入院している患者の担当医が次々と変わるのではなく、固定メンバーで治療にあたる形態を考えているわけです。医師が一五人から二〇人、その中には男性もいれば女性もいて、人種もさまざまです。それから、経験豊富な看護婦を二〇人から二五人。新たな医療サービスも四つか五つは必要になるでしょう。そこでは主に外科医と連携して、入院している高齢者の介護だけでなく、手術が必要な患者のケアにもあたるので、現在、そのケアの見直しを行っています。それは入院中の患者にだけ気をつけるということではありません。たとえば、膝の変形を治すために来院した患者がいれば、ホスピタリスト・チームのメンバーが手術前にその患者に会って、手術当日から退院するまでずっと世話をし、さらに六週間後、術後検査のために来院したときにも会います。一貫した体制で治療にあたれば、担当医が変わって患者のことがよくわからなくなるような事態は避けられます。現在は、チーム発足のための資金を確保するため、細部にわたって構想を練り、担当部署の責任者にその構想を逐次伝えているところですが、この計画はとても現実的なものですからね。予算が下りるのは時間の問題でしょう」

目標志向
Focus

「私はどこに向かっているのか？」とあなたは自問します。毎日、この質問を繰り返します。目標志向という資質のために、あなたは明確な行き先を必要とします。行き先がないと、あなたの生活や仕事は、たちまちいらだたしいものになる可能性があります。ですから毎年、毎月、さらに毎週でさえ、あなたは目標を設定します。この目標はあなたの羅針盤となり、優先順位を決定したり、行き先に向かうコースに戻るために必要な修正をするうえで、あなたを助けてくれます。

あなたの目標志向はすばらしい力を持っています。なぜなら、それは、あなたの行動をふるいにかけるからです。――すなわち、特定の行動が目標へ近づくために役に立つかどうかを本能的に評価し、役に立たない行動を無視します。そして最終的に、あなたの目標志向はあなたを効率的にさせるのです。

当然ながらこの裏返しとして、あなたは遅れや障害や、たとえそれがどんなに興味深く見えようとも本筋からはずれることにいらいらするようになります。このことは、あなたを集団の一員として非常に貴重な存在にしています。ほかの人が脇道にそれはじめると、あなたは彼らを本筋へ連れ戻します。あなたの目標志向は、目標に向かって進むために役に立っていないものは重要ではないということを、あらゆる人に気づかせます。そしてもし重要でないなら、それは時間を割く価値がないということです。あなたは、あらゆる人を進路からはずれさせません。

〈目標志向〉を強みとする人たちの声

ニック・H（コンピューター会社役員）「効率的であること、これは私にとって非常に重要なことです。ゴルフをするときには、一ラウンドを二時間半でまわります。以前、エレクトロニック・データ・システムズに勤務していたころには、質問事項をリストにして、各部署の内務監査を一五分以内に終わらせるようにしました。創設者のロス・ペロー氏は私のことを『歯医者』と呼んでいました。一日の予定をこまかく立て、一五分刻みで仕事をこなしていたからです」

ブラッド・F（販売担当重役）「物事に常に優先順位をつけ、目標達成のために最も効果的な方法を探ります。だから、無駄な時間も無駄な行動もほとんどと言っていいほどないですね。たとえば、顧客サービス担当と連絡を取らなければならないような電話が顧客から何件も入ったとします。そんなとき、私はそのたびに連絡を取るようなことはしません。優先すべきほかの仕事にさしつかえますから。同じような用件はひとまとめにして、その日の終わりに担当部署に一度だけ連絡を入れ、仕事をすませます」

マイク・F（行政職）「全体像をとらえて事を進める私のやり方を知った人は、みんな驚きます。地域の人々が、問題を抱えて行きづまったり、人為的な障害物にぶつかったりしたとき、私は彼らの頭の上を飛び越して、目標を定め直し、前進できるよう調整します」

ドリアン・L（主婦）「私は対象を一つに絞るのが好きなタイプね。世間話でも、仕事でも、それに主人と買い物をしているようなときでさえ。主人はなんでも試してみるのが好きな人なんで、あれやこれや試してうれしそうにしてるけど、私は一つだけ。気に入ったものだけ買うの。それがとんでもない値段でないかぎりは。一点集中型の買い物客ってところかしら」

第Ⅲ部

強みをビジネスに活かす

第5章

疑問を解く

強みを築く道に障害はないのか
なぜ資質に重きを置くべきなのか
資質の順位に重要な意味はあるのか
すべての資質が必ずしも自分にあてはまるわけではない。それはなぜか
同じ資質を持つ者同士でもちがいがあるのはなぜか
優位を占める五つの資質の中に「相反する」ものは存在するのか
自分の資質が気に入らなければ、新たな資質を開発できるのか
自分の資質だけに集中すると、視野が狭くなりすぎないか
弱点にはどうやって対処すればいいか
資質がわかれば、現在の職務が適しているかどうかわかるのか

〈ストレングス・ファインダー〉はもう試していただけただろうか。優位を占めるあなたの五つの資質を知り、それに関する説明と、あなたと同じ資質を持つ人たちの話も読まれただろうか。では、多くの人々同様、あなたの頭の中には今、さまざまな疑問が浮かんでいるのではないだろうか。そうした疑問に答えるため、これまで寄せられた質問の中から、最も多かったものをいくつか選んで本章にまとめた。それらに対する答えがあなたの疑問も解決してくれるはずである。

強みを築く道に障害はないのか

もちろん障害はある。一つは企業の方針（これについては最終章で触れる）だが、それ以外にもう一つある。本人がやる気になれないことだ。

と書くと、奇異に思われるかもしれない。が、実際には、強みを築くのにどうしても積極的になれない人が大勢いる。強みなどという複雑なものに関わるより、弱点を克服することに時間とエネルギーを費やすことを選ぶ人たちだ。このことは、「強みを知ることと弱点を知ること、どちらがあなたを成長させると思いますか」と尋ねた結果からも明らかになっている。

質問の相手がアメリカ人であれ、イギリス人であれ、フランス人、カナダ人、日本人、中国人であれ、どこの国の人であれ、年齢、貧富の差、学歴を問わず、結果は変わらなかった。強みではなく弱点に何よりも眼を向けるべきだと答えた人の比率は一定していた。一方、同じ質問で、「強みを知ること」と答えた人の比率は国によって大いに異なった。なかでも強みに対する注目度が最も高かったのはアメリカで、回答者の四一％が「何より強みを知ることで人は成長する」と答えている。逆に、強みに対する注目度が最も低かったのは、日本と中国だった。「成功への鍵は強みにある」と答えたのは、わずか二四％にすぎなかった。それでも、こうした比率に関係なく、一つ確実に言えることがある。それは、世界の全人口の大多数が「自らの強みを深く理解すれば成長できるとは考えていない」ということだ（ただ、国籍に関係なく、弱点に一番こだわっていないのが五五歳以上の最年長者グループだったのは興味深い。人は年齢を重ね、知恵がつくにつれ、あるがままの自分を受け入れる術を身につけ、なかなか直らない弱点を隠そうとしても、なんの役にも立たないことを悟るようになるのではないだろうか）。

本書を書くために調査を実施する過程で、われわれは実に多くの発見をしたが、もしかしたらこれが最も興味深い発見と言えるかもしれない。では、どうして強みに重きを置こうとしない人がこうも多いのか。どうして人はこれほどまでに弱点に惹きつけられてしまうのか。この疑問と正面から向かい合い、その答えを明らかにしなければ、強みが活力を得るまえに、強みを築こうという意欲がなえてしまうかもしれない。

この二つの疑問に対する答えは人の数だけあるだろう。が、もとをたどれば、どんな答えの根底にも三つの恐怖があると思われる。その三つの恐怖とは、弱点に対する恐怖、失敗に対する恐怖、真の自分に対する恐怖だ。

弱点に対する恐怖

自分の弱点を恐れるあまり、自分の強みに自信が持てなくなる、というのはよくあることだ。たとえばトランプゲームにたとえてみよう。自分の手元には強いカードもあれば弱いカードもある。そんなときに弱いカードで強いカードを負かそうとするようなものだ。

たとえば、販売の腕自体はすぐれているのに、販売戦略がなかなか立てられない人がいたとしよう。そういう人は戦略的思考ができないことが気になってしかたがない。戦略的思考ができなければ、必ずどこかで大失敗をすると思い込んでいるのである。また、顧客との信頼関係は容易に築けるのに、プレゼンテーションをする段になるとどうしても気おくれしてしまう人がいたとしよう。そういう人は、スピーチマナーを身につける講座に勇んで参加する。成功するには演説能力が不可欠と信じているのだ。弱点がなんであれ、強みがなんであれ、強みはただの強みでしかない。一度は賞賛されても、すぐに当然のものと思われるようになる。一方、弱点は「向上する可能性のある分野」というわけだ。

弱点は克服すべきという考え方は、現代の教育やしつけに深く根づいている。以前、われわれは、子を持つ親を対象にこんな調査を行った。親にはまず、国語A、社会A、生物C、代数Fという成績表を子供が持って帰ってきたと仮定して、こう尋ねた。「子供と成績について話し合うとしたら、どの教科に最も時間を割きますか」。実に七七％の親がFを取った代数だと答えた。Aの国語と答えた親はわずか六％。Aの社会に至っては、たったの一％だった。確かに、代数に子供の注意を促す必要はあるだろう。学校でいい成績を収め、確実に大学に進むには一教科でも落とすわけにはいかないからだ。しかし、ここでもう一度質問を思い出してほしい。「子供と成績について話し合うとしたら、どの教科に最も時間を割きますか」。今日の教育システムはさておき、最も時間を割いて話し合うべきことは、ほんとうに子供の弱点なのだろうか。

弱点は、研究者や学者のあいだで昔から頻繁に取り上げられてきたテーマである。アメリカ心理学会の元会長マーティン・セリグマンは、最近の講演で、同じ学者をまえにこんなことを言っている。「鬱病に関する研究論文は四万件以上、眼にした。しかし、喜びや幸せや達成感に関する論文はわずか四〇件である」。先ほどの代数の例と同様、鬱病を研究すべきではないと言うつもりはない。鬱病は気分がふさぎ込む病気であり、鬱病に苦しむ人々は科学が提供できるあらゆる助けを必要としている（事実、科学者たちが腰を据えて精神病に取り組んだ結果、この半世紀のあいだに一四の精神病一つひとつにその治療法が見つかった）。それでも、われわれが言いたいのはバランスが崩れているということだ。弱点や病気に極端に眼を向けるあまり、強みや健康の価値を理解することがおろそかになっている。マーティン・セリグマンは先の講演でこうも語っている。「心理学は生焼けだ。文字どおり生焼けなのだ。精神病の部分は焼いてきた。治療やダメージの部分も大いに焼いてきた。しかし、反対側は焼けていない。強みの側、良好な側……われわれの人生を生きるに足るものとする側はまだ焼けていないのだ」

だれにでも弱点はある。そんなことは言うまでもない。ある人にとっては楽な作業であっても、別の人にとってはどうにもならないほどむずかしい、などということはいくらでもある。確かに、そんな弱点が強みの妨げになるようなら、弱点をうまく避ける戦略を立てる必要がある（その戦略については本章の後半でもう一度取り上げ、さらにくわしく触れる）。しかし、偏った見方を修正するために、まず覚えておいてほしいことがある。それは、弱点に厳しい眼を向け、それを克服しようと努力することもときには必要だが、結局のところ、失敗を回避する助けにしかならず、すぐれた成果を収める助けにはならないということだ。セリグマンも、われわれが話を聞いた優秀な人たちもみな同じことを言っている。強みを把握し、育てて、初めてすぐれた成果を収めることができるのである。

一九三〇年代、著名な思想家および心理学者のカール・ユングもまたこんなことを言っている。批判は「何かを破壊したり、打破したり、屈服させたりするときには有益な力を持つが、何かを築こうとするときには害にしかならない」と。

失敗に対する恐怖

これまた普遍的な感情である。失敗は決して気分のいいものではない。だから、われわれの中には、できるかぎり危険を冒さないほうを選択する人がいる。強固な人生を築こうとすれば、失敗への恐怖はよけいに頭をもたげ、しかも取り除くのがことさら困難なものになる。

失敗はすべて同じように起こるわけではない。そもそも失敗には二種類ある。まず一つ、それはさほど挫折感がなく、立て直しが効く失敗だ。この失敗の場合はたいてい自分の立場が弁明できて、自分の資質に関するイメージ、すなわち自己像がずたずたにされることもない。幼稚園で子供が「だって、できないんだもん！」と言うのと、職場で大人が「私の専門分野ではないので」と言うのとでは、なるほど響きは異なるかもしれないが、どちらも本質的には同じことを言っている。つまり、原因が人間性に関わるものでなければ、人はその失敗を認めることができるのである。

一方、受け入れがたく、乗り越えにくい失敗がある。そういった失敗の中で、いつまでも忘れられず、何よりダメージの大きいのが、得意分野で自ら志願し、全力を上げて取り組んだにもかかわらず、不首尾に終わった失敗だ。この種の失敗から受ける苦痛はきわめて大きい。映画「炎のランナー」をご覧になっただろうか。こんなシーンがある。ランナーのエイブラハムズが、猛練習をして臨んだレースに敗れたあと、茫然として恋人にこう言うシーンだ。「もうあれ以上、速く走れるとは思えない」

エイブラハムズのように実際に力があろうと、自らの力を過信していただけだろうと、自分の強みを活かして頑張りながら、結果的に力不足だったことがわかると、失敗したということ以外何も考えられなくなる。このようなときに、まわりから「もう一度頑張れ」などと言われたら、たとえそれが善意のことばであっても、だれしも自棄《やけ》になり、「自分の才能はちゃんとわかってる。だから、それを強みにし、活用し、磨きもした。なのに失敗したんだ！　いったいこのあと何をめざせと言うんだ！」とでも言いたい気分になるだろう。

こうした得意分野での失敗に対する恐怖には、ほかの恐怖にはない屈折した面がある。というのも、このような失敗には世間の最大級の嘲りが待っているからだ。一九九〇年代の初め、ドナルド・トランプが破産の危機に陥ったときのことを思い出してほしい。あのとき、世間はここぞとばかりトランプを物笑いの種にした。では、リチャード・ブランソンがヴァージン・コーラを売り出そうと苦労していたときはどうだったか。断言してもいい。自信満々の人が失敗するのを見て、少しも喜びを感じないと言いきれる人はまずいまい。人間の性《さが》とでも言おうか、われわれはだれしも多かれ少なかれ他人の不幸を喜ぶ卑しさを持っている。そして、その喜びは失敗した人の自己主張の強さに正比例する。つまり、失敗した人間が自信家であればあるほど、まわりの人の喜びは大きくなるのである。

自暴自棄にも物笑いの種にもなってしまうこと。この二つを恐れるあまり、自らの強みをあえて前面に押し出そうとしない人は多く、そういう人たちはただひたすら弱点を繕う作業に没頭する。そうしていれば、まわりは勤勉で謙虚な人と評価してくれる。しかし、残念ながら、弱点を繕うだけでは、めざましい成果は決して得られない。では、どうすればいいのか。どうすれば、得意分野での失敗に対する恐怖という強敵に打ち勝てるのか。

自らの失敗への恐怖も他人の失敗へのささやかな喜びも、完全になくなることはないだろう。この二つはわれわれの大半に共通する性向で、どうやら人間の本能とも言うべきところに根深くすみついているようだ。それでも、少なくとも強みを築く妨げにならない程度には二つとも取り除けると思う。が、それを可能にするにはまずこの恐怖と喜びをよく知ることだ。

まず自我の問題から始めよう。強みで固められた人生を歩むというのは、自我が強いということだろうか。いや、そうではない。これは、われわれが行った調査の結果からもすでに明らかになっている。強みを土台に人生を築き上げることと自我が強いことは同じではない。自我が強いというのは、自分には能力があると主張するだけで、実際にそれを証明できない状態を言う。外見だけ立派で中身のない人生など、それこそ世間の嘲りの的となるだけだ。

強みを土台にして生活を築くことは、必ずしも自我と関わりがあるわけではない。問題は責任感だ。天賦の才は、性別、人種、髪の色などと同様、そもそも自慢すべきものではない。天賦の才とは神から授かった賜物か、ただの偶然か。どちらだと思うかは信仰の問題で、いずれにしろ、そこには個人の力は及ばない。一方、才能を強みに育てるのは明らかに個人の問題だ。天賦の才を見つけ、それに焦点を合わせ、実践と学習を通して、常に完璧に近い成果を上げるための武器に仕立て上げるのは、ほかでもないあなた自身の仕事だ。

このように考えると、強みに眼を向けず、弱点ばかりに神経を注ぐのは、勤勉なことでも、謙虚なことでもなんでもない。むしろ無責任と言ってもいい行為ではないだろうか。それに対して、才能の中に必ず存在する強みの種を見つけ、それを育て、実現させるというのは、何より責任の重い、何よりやり甲斐のある、さらに自分自身に忠実であるという意味において、最も尊敬に値する行為ではないだろうか。

失敗したら？　もちろん、その可能性はある。強固な人生が築けたかどうか、それは成果によってしか判断できない。公正に言ってさえ、成果というのは情け容赦のない無慈悲なものだ。あなたの強みに対して望ましくない判断が下されることも、まちがいなくあるだろう。

しかし、だからなんなのか。起こりうることで、ほんとうに最悪なのは何か。才能を特定し、強みに育て上げたのに思いどおりの成果が得られなかった。当然、自分に失望するだろう。しかし、失望はしても絶望してはならない。むしろ、失敗もまた学習の機会と思うことだ。そして、失敗から学んだことを次に、さらにその次にも活かせばいい。それでも望みどおりの結果が得られなければ、どうすればいいか。失敗を重ねるたびに落胆は大きくなるだろう。が、それでも学ぶべきことはある。もしかしたら、あなたは強みを誤ったところに求めてはいないだろうか。方向を変えて、さらに生産力のある強みを探すこともときには必要だ。アメリカの喜劇俳優、W・C・フィールズがその昔こんなことを言っている。「一度やって成功しなければ、もう一度やってみるといい。二度失敗したら、すぐにやめろ。何も物笑いの種になることはない」と。

このアドバイスはまさに「言うは易く、行うは難し」だ。強みを築く過程では、めざましい進歩が見られることもあれば、失敗して後退することもあるだろう。しかし、どうかそれにめげないでほしい。強固な人生というのは、そもそも一進一退を繰り返した果てに築かれるものだ。実際、その過程は実行、学習、研鑽の繰り返しで、そのことにもどかしさを感じる人もいるかもしれないが、これはむしろ強固な人生の核をなすものである。また、果敢かつ敏感であることも求められ、さらにまわりからのフィードバックの声にも耳を傾けなければならないが、何より大切なのは、なんらかの影響で強みから引き離されそうになっても、強みを探りつづけるのをやめないことだ。またユングの引用になるが、彼は「自らが自らであるための法則に対する忠誠は……自らの人生に挑むきわめて勇気ある行為である」と言っている。これこそまさにわれわれが取るべき行動だ。

ただ、一つここで忠告しておきたい。それは、あなたを蝕むおそれのある危険には気をつけろ、ということだ。その危険とは「錯覚」である。錯覚は試行錯誤を繰り返す中で、自分の置かれた状況が把握できなくなったときに襲ってくる。たとえば、自分の強みは弁舌だと錯覚していると、聴衆がだれ一人聞いていなくてもそれに気づかない。また、自分は一流の販売員だと思い込んでいると、商品が一つも売れないのに、それを不思議に思わない。自分のことをアメリカン・フットボールの監督、ビンス・ロンバルディ以来の名マネジャーだと錯覚している人は、職場の様子を見ようと廊下を歩くと必ず従業員に避けられてしまうのに、まったくそれに気がつかない。さらに、これが何より危険なのだが、かんばしくない成績が続くある日、ぼんやりと業務日誌を書いていると、その成績は自分のせいではないように思われ、その理由が次から次と数かぎりなく心に浮かんでくる。この最後の例のように、錯覚に拒絶が加わるとまさに致命的である。

こうした状態に陥ってしまうと、本書に書かれていることはなんの役にも立たない。そういう人にわれわれが言えるのは、「あなたが一番傷つけているのは、あなた自身だ」ということだけだ。哲学者バルーク・スピノザはかつて「ほんとうの自分でいる、そして、そうなれる人間になる、それが人生における唯一の目的である」と言った。彼のその説には異論を唱える人もいるかもしれない。が、自らの強みを見つけ、活かすことは、たとえ唯一ではなくても、人生の目的の一つではあるだろう。錯覚と拒絶のために感覚が鈍ると、真の強みを探す気力も失せ、結局のところ、だれかの二番煎じのような人生しか生きられなくなる。世界クラスの人生ではなく、どこにでもある月並みな人生しか送れなくなるのがせいぜいだろう。

真の自分に対する恐怖

みなさんの中には、自分の強みを探る気が起こらない人もいるかもしれない。が、それは、自分の真の姿などなんらとりたてて言うほどのものではない、と思い込んでいるからだ。程度の差こそあれ、劣等感、虚言、自信のなさなど、それはだれにもなじみのあるものだ。目標を達成したにもかかわらず、まわりが思っているほどには自分に才能があるとは思えないのも、成功したのは強みを活かしたからではなく、ただ運や環境に恵まれただけとしか思えないのも、よくあることだ。そんなときには、心配げな小さな声があなたの耳元でこんなことばを囁く。「いつになったら自分の真の姿がみんなにもわかるようになるのだろう?」。そんなのはよけいな心配だと思いながらも、あなたはその声に耳を傾けてしまう。

「あなたの強みとは?」と問われて、「天性の才能」と答える人のめったにいない理由が、これでいくらかはおわかりいただけたのではないだろうか。実際、才能ではなく、資格、学歴、職歴、受賞経験などそのときまでに得たものについて話す人が圧倒的に多い。なぜなら、それはその人が進歩し、人に見せる価値のあるものを取得したことの「証拠」となるからだ。

しかし、われわれは、恐怖というものを一〇〇%、ネガティブなものと考えているわけではない。なぜなら、結局のところ、不安と自己満足とは表裏一体をなすものだからだ。それでも、ここで思い出してほしいのは、自己探求をしたところで、ほとんど何も見つからないに決まっているという恐怖のために自分探しをやめてしまったら、強みの不思議は永久に埋もれたままになるということだ。「思い出してほしい」と言ったのは、多くの人が強みを当然のものと考えているからである。強みは苦労して手に入れたものでもなければ、その人から決して離れるものでもない。だからこそ、当人には価値がわからないのである。ニューヨーク在住の人たちには、もはやパトカーのサイレンも車のクラクションも気にならないように、強みというものはあまりに身近な存在なので、人はことさら注意して見ようとしないのである。

数年前のことだ。ブルース・Bは、教師に与えられるアメリカで最も栄えある賞を受賞した。同僚や生徒や保護者たちによると、彼は生徒一人ひとりに注目しながら、かつ全体に眼の行き届く学習の場をつくる才能にとりわけすぐれているとのことだった。優秀さに関するギャラップの調査で、われわれはブルースにもインタビューし、彼の強みに関するわれわれの判定を伝えた。彼の最もすぐれた才能の一つは〈共感性〉で、その〈共感性〉がいかに有益で、生徒一人ひとりの内面をとらえ、話を聞いてもらっている、わかってもらっていると彼らに思わせる能力をどれほど生み出しているか、ブルースに直接話したのだ。また、問われなくても生徒が抱えている疑問を察知し、学習していくうえで何につまずきそうかを予測し、生徒一人ひとりを成長させるための個別指導法を見つけるためにも、〈共感性〉はどれほど役に立っているか。それも伝えた。さらに、どうすればその才能を磨き、強固な強みに仕上げられるか、その方法もできるかぎりくわしく説明した。

話しおえてブルースを見ると、見るからに不思議そうな顔をしていた。驚いているわけでもなく、感心しているわけでもなく、ことさら喜んでいるようにも見えなかった。ただひたすら戸惑っているという表情だった。

そんな表情のまま、彼はわれわれに逆にきいてきた。「そういうことをしていない人がいるんですか?」

われわれの答えは書くまでもないだろう。「ええ、教師全員がしているわけではありません。でも、あなたはちがう。実際にやっている。それは〈共感性〉にすぐれているからできるのです。すべての教師があなたのように〈共感性〉にすぐれていれば、世の中はすばらしい教師であふれることでしょう。でも、現実はちがうのです」

ブルースも多くの人と同じように落とし穴に陥っていたわけだ。彼には生徒一人ひとりが考えていることを直感的に見抜き、当然のようにそれに対応し、生徒の痛みにしろ、成功したときの喜びにしろ、それをわがことのように感じることができる。が、そうしたことを無意識に行っているので、それがいかに価値のあることか気づいていなかったのだ。彼にとっては、簡単で、平凡で、当然で、わかりきったことだったため、教師ならだれでもやっているものと思っていたのである。だから彼はきいたのだ。「そういうことをしていない人がいるんですか」と。

古いことわざに「額の中にいては絵は見えない」というのがある。日々われわれは強みという額の中で生活している。だから、強みを意識しないあいだは、気がつかなくて当然と言えば当然だ。しかし、優位を占めるあなたの五つの資質が明らかになったということは、取りも直さず、あなたが無意識に繰り返している反応が明らかになったということであり、その反応は平凡なものでも、当然のものでも、わかりきったものでもない。それどころか、無意識下の反応はあなたにしかできないことだ。そして、そこにはほかの人とはちがうあなたがいる。だからこそ、ほかの人より秀でた存在になれるのだ。

なぜ資質に重きを置くべきなのか

〈ストレングス・ファインダー〉の第一の目的は、被験者のおおまかな全体像を測定することでも、その人の性格を隅々まで探ることでもない。常に完璧に近い成果――それ自体めざましく、満足のいく成果を得るための一助にする。それが目的だ。さらに、その目的をかなえるための強みを築くには、焦点を定めるという作業が必要になる。

だれしも成功を収め、達成感を得た瞬間が人生に少なくとも一度はあると思う。強固な人生を築けるかどうかは、そのときの瞬間が再生できるかどうかにかかっている。そして、再生するにはそのときの瞬間をまずよく理解する必要がある。達成感にしろ、満足感にしろ、その両方にしろ、それらを得るにはどのような強みが活躍し、強み同士どのように作用し合ったのか。そのことを知る必要がある。さらには「意識的に有能になる」必要もある。才能のもとになる、すぐれた五つの資質を意識的に活用するのは、とても意義のあることだ。

次に、よく見れば、そこそこの成果を上げる人と、常に完璧に近い成果を上げる人とのあいだには、ほんのわずかな差しかないことがわかるはずだ。常に完璧に近い成果を上げる人は、常に特異なことをしているわけではない。瞬時の判断が求められる問題が次々と襲ってくる日々の中で、その人のほうがほんの数回だけ、より適切な選択をしているのにすぎない。

では、ほんの数回とはどれくらいか。たとえば、野球の試合で一〇〇〇回打席に立ち、二七〇本しかヒットを打てない選手は二流である。これが三二〇本（さらに五〇本）打てると一流選手の仲間入りができる。一シーズンにバッターが打席に立つのは、フル出場して平均五〇〇回。すなわち、野球の世界で一流選手と二流選手とのちがいは一シーズンに約二五回、一流選手のほうがよりよい判断をしただけのちがいである。それはプロゴルフの世界も同じだ。トッププロと並みの選手の差もほんのわずかなものだ。トッププロは一ラウンドを平均二七パットでまわり、並みの選手は平均三二パットでまわる。それだけのちがいだ。

これをビジネスの世界に移すと、成績が振るわない営業担当者と優秀な営業担当者の差は、顧客からの電話の数が一週間に三本、プレゼンテーションの場で出席者が発信するシグナルをとらえ、心のうちを読む回数が二回、会話の最中、的確なタイミングで確実な情報を伝える回数が一回、優秀な担当者のほうが多いといったところなのかもしれない。卓越した上司と標準的な上司の場合は、部下から受ける質問の数が二つか三つ、従業員の話に耳を傾ける回数がほんの数回、前者のほうが多いだけかもしれない。どんな分野であれ、常に完璧に近い成果を収める秘訣は、そうしたほんの少しの改善にある。

しかし、そうした改善の実現には熟練を要する。自らのすぐれた五つの資質のなんたるかを熟知し、それらをどのように組み合わせれば強みを築くことができるか、知る必要がある。強みをそのようなものとして考えると、だれしもすぐに気づくはずだ。平均レベルから卓越したレベルに飛躍したければ、すぐれた五つの資質に置く比重を少しだけ変えて、一つの分野に関する理解をさらに深めさえすればいいことに。

ここに〈収集心〉の資質を持つ人がいたとする。その人はなかなかの多読家なのだが、興味深い記事の内容も事実も頭の中で整理することができない。そういう人には、一週間のスケジュールを少し変え、クリップ・ファイルをつくって記事を整理し、少なくとも週に一度は記事を読み直すことを勧める。そうすることで、最初に読んだときにはわからなかった情報を読み取ることができ、洞察力が一層鋭くなり、以前より人の力になれ、より創造的にもなれるはずだ。

あなたが〈運命思考〉という資質にすぐれていたとしよう。人と人とは互いに結びついていると考えるその資質のおかげで、あなたは快適な私生活を送っている。が、これまでその資質を職場で活かそうと思ったことはなかった。そういう消極的な考えは捨てることだ。同僚たちに、一人ひとりの努力がいかにチーム全体の成果に貢献しているか、熱心に説くといい。特に、互いのこまやかな気配りが仕事をどれほどやりやすくしているか強調し、さらに全員に共通する目標と、相互協力の必要性を唱える。そうすることで、あなたはチームをつくるのに欠かせない人物、という風評が社内に立つはずである。

真の強みを築くには、たった一つの資質を磨くことでさえ、どれほど正確に自己認識しているか、どれほど柔軟性があるか試される。五つの資質すべてを磨くことを生涯のテーマにしてほしい。

資質の順位に重要な意味はあるのか

理屈で言えば、答えはイエスだが、現実に即して言えば、ノーだ。〈ストレングス・ファインダー〉は回答を評価し、優位を占める五つの資質を判断し、それに一から五までの順位をつける。だから理屈で言えば、一とつけられた資質が最も顕著であり、五とつけられた資質は五番目ということになる。しかし、この順位にはあまり重きを置かないでほしい。理由は二つある。一つは実際に一位の資質と五位の資質——二位から四位にしても——のあいだに大きな差はないからだ。数学の世界では差は重要かもしれないが、現実の世の中でこの差に大きな意味はない。

もう一つは、〈ストレングス・ファインダー〉本来の目的がその人の典型的な思考、感情および行動のパターンを発見することだからだ。〈ストレングス・ファインダー〉は、優位を占める五つの資質と、そのほかの受け身の資質を区別するが、優位を占める資質とは何かことにあたる際、個々がまず最初に活用するものである。どのような状況であれ、まずその五つの資質が判断を下し、その人特有の行動をその人に起こさせる。一方、受け身の資質はたまにしか反応しない。それも特別な状況のときだけだ。

たとえば、〈成長促進〉の資質を持つ人は、ほかの人を指導して、さらに成功に導く機会はないかと常に目を光らせている。指導育成する相手の成長が気になってしかたがない。一方、この〈成長促進〉が受け身の資質の場合には、だれかが眼のまえにやってきて、仕事に関するアドバイスを求めたときぐらいにしか反応しない。同様に、〈戦略性〉にすぐれている人は、「もし……なら？」という思いを常に念頭に置いて、あらゆる状況に対応できるよう心掛けている。シャワーを浴びているときにも、ジョギングをしているときにも、深夜なかなか寝つけないときにも、知らず知らずのうちに、不測の事態に備えて数々の対応策を考えている。しかし、〈戦略性〉が受け身の資質なら、せいぜい仕事で五年間の長期計画を立てるときぐらいにしか働かない。

そんな受け身の資質もたまには役立つ。お膳立てをして、登場するきっかけまで教えてやれば、そこそこの成果は出してくれる。一方、優位を占める五つの資質にはなんの助けも要らない。これらはまさしく天賦の才であり、いかなるときもたくましさを失わない。優位を占める五つの資質は順位に関係なく、すべてに自動作動装置を備えている。強みを築くにはなくてはならない存在なのだ。

すべての資質が必ずしも自分にあてはまるわけではない。それはなぜか

ある意味において、三四の資質は実際には存在しない。〈達成欲〉が脳のどこどこにあって、〈信念〉がどこどこにあるというわけではないからだ。繰り返し現れる思考、感情および行動のパターンは脳内回路によってつくられ、そんな回路の中には強靭な回路もあれば、壊れてしまっている回路もある。が、個々の脳内回路は一人ひとり独自のものだ。その理由は、遺伝、教育やしつけ、文化的背景などいくらもある。

強みを知るのに、二〇〇〇万人の優秀な人たちにインタビューを行った際、われわれは一人ひとりの回路の独自性も調べた。しかし、調査結果をまとめ、強みを説明するにはわかりやすい言語をつくり出す必要があり、彼らのそうした独自性は無視せざるをえなかった。そのかわり、最も多くの人に見られた回路を組み合わせ、複数のパターンをつくることにした。それが〈ストレングス・ファインダー〉の三四の資質である。その資質についての説明では、それぞれのパターンや資質の最も普遍的な特徴が挙げられているが、それらはあくまで概要にすぎない。資質の中にはぴたりとくるものもあれば、違和感のあるものもあるかもしれない。

強引なたとえになるが、資質がパターンであるというのは、タータンチェックとペイズリーとヘリ

ンボンが布地の模様《パターン》であるのと同じ意味だ。ヘリンボンの上着は一本一本微妙に異なる糸で織られている。それでも、その模様からだれにもヘリンボンだとわかる。これと同じで、〈競争性〉の資質を持っている人が魅力を感じる競争は一人ひとりちがっても、必勝を期して臨んだ競争で、「負けっぷりのいい人」と言われても満足できないところはみな共通している。

同じ資質を持つ者同士でもちがいがあるのはなぜか

五つとも同じ資質を持つ人はいないに等しい（実際、五つの資質の組み合わせは三三〇〇万通り以上あり、まったく同じ資質を持つ人に出会う可能性はかぎりなくゼロに近い）。それがきわめて重要なところだ。なぜなら、その人が持つ五つの資質は、ほかに比べるものがない、その人独自のものだからだ。また、資質一つひとつがほかの資質と密接にからみ合っているため、その組み合わせで、同じ資質を持っている人同士でもちがいが生じる。資質二つの組み合わせだけを例にとっても、一方が変わることで行動パターン全体が驚くほど変化する。この点を具体的に説明しよう。

〈着想〉の資質を持つ人は発想と関連性を好む。〈原点思考〉の資質を持つ人は、あらゆる物事についてその根底に何があるかということを常に探っている。この二つの資質が結びつくと、現在を説明するための手がかりを求め、時間を惜しまず過去を探る独創的な理論家が生まれる。その端的な例はチャールズ・ダーウィンだ。彼の自然選択説は、ガラパゴス・フィンチのくちばしの形や大きさが変化することを疑問に思ったのがきっかけだった。

では、〈着想〉と〈原点思考〉の一方が変わるとどうなるか。〈着想〉はそのままにして、〈原点思考〉を〈未来志向〉に変えてみよう。〈未来志向〉は将来の可能性を探るのが得意な資質である。だから、〈着想〉と〈未来志向〉が組み合わさると、現在の鍵となる流れを踏まえて一〇年後を予測する夢想家が生まれる。この代表がマイクロソフトの会長ビル・ゲイツだ。彼は一世帯に一台のコンピューターという明確な目標を掲げている。

次に〈着想〉を〈信念〉に変えて、〈未来志向〉と〈信念〉を組み合わせてみよう。〈信念〉という資質が備わった人は、基本的な価値観、多くは利他主義を土台に生活を築こうとし、〈未来志向〉も〈信念〉も構想力のある夢想家をつくり上げる資質である。が、この二つの組み合わせから生まれる夢想家は、先に述べた〈着想〉と〈未来志向〉から生まれる夢想家とはいささか異なる。ビル・ゲイツや彼と同じ資質を持つ人たちは、より快適な生活を営める世界を想像するが、〈未来志向〉と〈信念〉にすぐれた夢想家は、だれもが住みやすい、より平和な世界を思い描いている。そして、自らの理想がいかに独創的かではなく、まわりにどれほど有益な影響を与えるかということを気にかけている。マーティン・ルーサー・キング・ジュニアがこの最たる例だ。彼は人種間の機会均等を人生の理念としていただけでなく、理想的な世界を具体的に思い描いていた。黒人の少女と白人の少年が同じ水飲み場で水を飲み、同じ教室で学び、手を取り合って同じ通りを歩く。これがキングの描いた未来図だった。

最後に、〈信念〉と〈親密性〉の組み合わせを見てみよう。〈親密性〉の資質を持つ人は、相手をよく知り、親密な人間関係を築くことを望んでいる。これに〈信念〉の資質が加わると、夢想的な面は消え、献身的な人物が生まれる。こういう人にとっては突然のひらめきなどあまり意味がない。なぜなら、そんなものは非現実的なはるか彼方のことのように思えるからだ。それより助けを必要としている人と出会い、その人たちの名前を知り、その人たちの境遇を理解したいと思っている。それができて初めて理想が実現できたと確信する。こうした精神の持ち主はキング牧師というよりマザー・テレサに近い。

資質を一つずつ入れ替えただけで、チャールズ・ダーウィンからマザー・テレサまで変化する。これで、一つか二つ、あるいは三つ、いや、たとえ四つも同じ資質を持っていたとしても、その行動にはかなりの差があることがおわかりいただけたと思う。優位を占める五つの資質をどうか一つずつ切り離して考えないでほしい。資質が互いに、どのように影響し合っているか見きわめ、それぞれが組み合わされるとどのような効力を生むか、そのことを知ってほしい。そこにこそ真の自己認識へのカギがあるのである。

優位を占める五つの資質の中に「相反する」ものは存在するのか

この質問の答えはノーだ。性格検査というものは通常、数ある人間の資質は一つひとつが独立したもの、という仮定の上で行われる。例を出そう。内向的、外向的、どちらか一方の資質を持つことはあっても、両方の資質を持つことはありえない。利己主義と利他主義も共存できない。独断的と調和的、未来志向と懐古主義もまたしかり。つまり、たいていの性格検査は、ＡかＢかという前提で行われ、ある資質にプラスがつくと、自動的にその反対の資質にマイナスがつく仕組みになっている。このような検査法は「イプサティブ方式」と呼ばれるが、現実にその両方の資質を持っていた場合、被験者は答えられない。

〈ストレングス・ファインダー〉のやり方はこれとは異なる。理由は簡単だ。ＡかＢかという仮定の検査はいかにも現実的でないからだ。われわれは、これまで実施したインタビューの中で正反対と思える資質を持つ人に、何百回何千回と会ってきた。ハリウッドの映画会社社長ディビッド・Ｇは、優位を占める五つの資質の中に、〈社交性＝積極的に人を味方に引き入れようとする資質〉と〈内省＝一人でじっくり考える時間を必要とする資質〉両方の資質を持っているが、その〈社交性〉の資質を活かし、彼の会社にふさわしい映画の企画を求めて、一日に何百回も電話をかける。が、〈内省〉の資質も持ち合わせているため、常に思慮深い雰囲気を漂わせてもいる。また、読んだ小説の登場人物の内面、あるいは、その作品を書いた作家自身に深く関わってしまう傾向がある。この一見矛盾しているとも思えるこの性格について尋ねると、本人は〈社交性〉と〈内省〉がともに優位を占める資質であるのは自分でも大いに納得できると言った。「パーティーに行きたいとはあまり思わないのに、いったん行ってしまうと、すぐにこの上なく愉しい気分になるんだよ。私はそういうタイプなんだね」

次は投資銀行に勤めるレスリー・T。彼女もまた優位を占める五つの資質の中に、〈調和性＝できるかぎり衝突を避けようとする資質〉と、〈指令性＝衝突も辞さない資質〉という一見相反する資質がある。が、彼女は語る。「私は町内会の会長として、近所の都市計画関係の入札を監督しなければなりませんでした。というか、かなりの大金が動く契約だったので、入札を自分できちんと監督したいと思ったのです。ところが、会議の席で、私の町内会のメンバーが一人立ち上がって、管理は自分に任せろと言いだしました。自分は入札にくわしいし、建設業界に友人もいるし、すべての面で自分が適任だと言うのです。そんな要求など断固として却下してもよかったのですが、その人は頑として譲ろうとしません。で、根負けしてしまい、その人に任せることにしました。ところが、ひと月経って最終契約を見てわかったのですが、その人は入札を開きもしていなかったのです。ただ、期限が来るのを待って、自分の友人の業者と契約を結んだのです。猛烈に腹が立ちました。私は彼のボスでもなんでもないわけで、口を出すと、面倒なことになりかねない状況だということはわかっていました。でも、そのままにしておくなんて絶対にできなかった。私は彼と話し合う場を設けて、どれほど失望させられたか伝えました。あのときはほんとうに大変でした。このことはここだけの話にしておいてください」

右に挙げたのは、何十万もの中のわずか二例にすぎない。ほかには――人を助ける日々を送りながら、無性に勝利を手にしたいという欲求にかられるときがあるという〈信念〉と〈競争性〉の資質を持つ教会区牧師。考えることが好きなら、それと同じくらいデータや証拠書類を見るのも好きという〈着想〉と〈分析思考〉の資質を持つマーケティング担当者。そうそう、過去のことも未来のことも考えだすと夢中になるという作家もいた。言うまでもなく、この人の資質は〈原点思考〉と〈未来志向〉である。こういった資質の組み合わせは、一見矛盾しているように見えるかもしれない。が、ここに紹介した人たちを見れば、人を簡単にタイプ分けすることなどできないということがよくおわかりいただけると思う。われわれはみな一人ひとりがユニークなのである。ときにはすばらしくユニークにもなり、ときにはいらだたしいほどユニークにもなる。いずれにしろ、一つ言えるのは、常にユニークだということだ。〈ストレングス・ファインダー〉はそうしたわれわれ一人ひとりのユニークさを見つけるためのものだ。実際、ある資質を持っているからと言って、そのほかの資質を持っていないことにはならない。そのことはよく覚えておいてほしい。

自分の資質が気に入らなければ、新たな資質を開発できるのか

ひとことで言えば、答えはノーだ。〈ストレングス・ファインダー〉は、何組もの質問事項に対する直感的な回答をもとに、被験者のパターンを割り出し、被験者の最も強力な脳内回路、優位を占める資質を測定するものだが、すでに述べたように、それらの資質は永続的なものだ。どれほど自分を変えようとしても、資質は絶対に変わらない（再テスト法を用いた調査で、われわれは三〇〇人の被験者に〈ストレングス・ファインダー〉を二回試してもらった。結果は、完全な相関を1とすると、その二回の測定の相関は〇・八九だった）。

しかし、優位を占める五つの資質を発展させるまえに、言っておきたいことが二つある。まず一つ、それは、資質は一生を通じてまず変わることはないが、新たな知識や技術を身につけた結果、意欲的に取り組める新たな分野が見つかる可能性は大いにある、ということだ。

われわれがインタビューをした中に、ダニエル・Jという女性がいた。〈共感性〉と〈指令性〉の資質に恵まれ、自らの力で成功したジャーナリストだ。彼女の場合、インタビューの相手をくつろいだ気分にさせるのにはおそらく〈共感性〉がうまく機能し、ひるむことなく厳しい質問を相手にぶつけるのには〈指令性〉がプラスに働いていたのだろう。この二つ以外に、文字情報を深く読み取る洞

察力にもすぐれていたので、すばらしい成果を上げ、彼女は特別記事が書ける地位まで昇進する。ところが、ジャーナリズムの世界に身を置いて一〇年が経ったところで、突然辞表を出して人生の方向を変えた。セラピストになって、ホスピスに自らの新たな職場を求めたのだ。

ダニエルにとって、ジャーナリズムは興味の対象ではあったが、満足を与えてくれるものではなかった。そのため、長い入院生活を送っている母親を見舞い、何度となく病院に足を運ぶうち、自らの人生を見直すようになり、愛する人の死と向かい合わなければならない人たちの役に立つ仕事で、より一層世の中に貢献したいという思いが日増しに強くなったのだった。それで一から勉強をし直し、セラピストの資格を取り、現在は地元のホスピスで働いている。が、興味深いのは、ジャーナリストとセラピストとでは、要求される知識も技術もまったく異なるにもかかわらず、どちらの場合でも〈共感性〉と〈指令性〉が彼女を行動に駆り立て、すぐれた成果を生み出す原動力になったということだ。〈共感性〉のおかげで、彼女には、患者の苦痛が肉体的なものか、精神的なものかを見分けられるだけでなく、患者の家族がうろたえているときに、適切なことばを彼らにかけること、彼女のことばを借りれば、家族の適切な感情の場に「参加する」こともできている。

〈指令性〉もまた大いに役に立った。新たな役まわりで〈指令性〉がいかに発揮されているか、彼女はこう語っている。「患者の死期が近いことを知らされたときに家族が持つ一番大きい感情は、ショックです。信じられないのです。その結果、彼らは怒り、うろたえ、なかには拒絶する人もいます。そういうときに彼らにとって何よりされたくないのは、他人からなれなれしく慰めのことばをかけられることです。それより彼らにはむしろ主導権を握ってくれる人が必要なのです。どういう事態を覚悟すべきか、何を準備すべきか、何をすべきか、そういうことをはっきりとだれかに言ってもらいたいのです。私は、家族が望むやり方でその場をとてもうまく取り仕切る能力が自分にあることに気づきました。自分でも不思議なくらい落ち着いて、手際よく指示を与えることができるのです」

活かされる資質は変わらなくても、ダニエルのように新たな技術と知識を身につけ、人生の方向を変えた人は大勢いる。もしかしたら、あなたもその一人かもしれない。〈自我〉の資質を持つダンサーのブライアン・Mは、ステージをこよなく愛していたが、ダンスシューズを脱ぐと、法律の道を歩き、法廷が彼にとっての新たなステージとなった。もしかしたら、あなたもまたブライアン・Mかもしれない。それとも、あなたはギリアン・Kだろうか。彼女は〈成長促進〉の資質に恵まれ、人が何かを学ぶ手助けをしたいと思って教師になった。が、現在は新たな分野を切り開き、製薬会社の医薬情報担当者として、新薬の効能を医師たちに教える仕事に就いている。

ダニエルやブライアンやギリアンのように、あなたも新たな知識と技術を身につけ、すでに新たな人生を歩んでいるのかもしれない。たとえそうでなくても、資質という武器を手にしたからには、ダニエルたちの生き方からも何かを学んでほしい。脳内回路の配線を替えることはできないが、新たな知識と技術を味方につけ、人生の方向性を変えることは可能だ。言い換えれば、新たな資質を得ることはできないが、備わっている資質を活かして、新たな強みを築くことはできるということだ。

もう一つ、もしかしたらあなたは〈ストレングス・ファインダー〉を再度試したくなるかもしれない。そうした場合、五つの資質が一つか二つ入れ替わるということが起こるかもしれない。それはいったいどういうことか。あなたの何かが変わったのか。新たな資質が突如生まれたのか。いずれも答えはノーだ。何も変わってはいない。あなたの回答の全体的なパターンがわずかに変わっただけのことだ。そのわずかな変化によって、六番目と七番目の資質が最初の五つのうちの二つと入れ替わったのである。しかし、資質の順位が変わったとしてもあなたの本質は変わらない（ただ、次の点には充分気をつけてほしい。続けて三回も実施した場合——どうしてそんなことをするのか、われわれには理解不能だが——その結果を信じてはいけない。三回目をするころには、すでに〈ストレングス・ファインダー〉の何より大切な自動作用に狂いが生じているからだ。そうした状況では正しい測定結果を得ることはできない）。

自分の資質だけに集中すると、視野が狭くなりすぎないか

これはよくある質問で、当然気になるところだと思う。自分の資質だけに気を取られていると、自分のことに夢中になりすぎて、常に変化するまわりの多様な世界に対応できなくなるのではないか。対応する気も起こらなくなるのではないか。視野が狭くなり、自分本位で、ドライなスペシャリストになってしまうのではないか、というわけだ。

しかし、この手の心配はよく考えれば、杞憂であることがわかるはずだ。自分の五つの資質に集中すればするほど、人はよりたくましく、より確固たる自信が持てるようにも、新たな発見に素直に心を開くことができるようにも、そして、ここが大切なところだが、自分にはない資質を持つ人たちをより深く理解できるようにもなれるからだ。

今回の調査では何人もの宗教の指導者たちにもインタビューを行ったが、そのうちの一人、ベネディクト修道会の副修道院長は、自らの人生観について次のように語っている。「私は死んで神様に『汝は私が授けた人生を全うしたか』と問われたとき、心の底から『はい』と答えられる人生を歩みたいと思います」

信仰している宗教がなんであれ、「あなたはあなた自身の人生を生きましたか」というのはなんと

も人を畏怖させる質問である。このような質問をされると、生まれたときから自分には運命づけられた人生があり、それ以外はまちがった偽りの人生であるかのように思えてしまう。われわれの多くは、これでいいのだろうかという疑問を常に胸に抱えながら人生を生きている。だから、この手の質問は考えるだけでも恐ろしく、われわれを萎縮させる。自分がいったい何者なのかはっきりしないと、人はそれまでに得た知識や積み上げた実績から自分自身を規定してしまい、この自己規定が進路を変える意欲も新たな方法で物事に対処する意欲も減退させる。新たな道を歩もうとすれば、蓄積された貴重な専門知識や技術はおろか、実績までもすべて手放すはめになるかもしれないからだ。もっと言えば、自らのアイデンティティーさえ。

さらに、自分が何者なのかはっきりしないと、ほかの人は何者なのかということにも関心がなくなり、学歴や性別や人種など表面的なことだけで人を判断するようになってしまう。一般論という避難所に逃げ込むようになるのである。

新たな経験であれ、新たな人々であれ、自分自身がわからないと、「自分以外のもの」に対する興味が限定される。が、その不安は取り除くことのできる不安だ。自分の五つの資質に心を集中させれば、ほんとうの自分がもっとわかるようになるはずだ。そうすれば、手探りの状態で人生を築いているわけではないことが明らかになってくる。成功も実績も偶然手にしたものではないことが見えてくる。どんな些細な意思決定も自分の資質の影響を受けているということがわかると、成功も実績もその資質が生み出したものなのだと容易に理解できるようになる。あまつさえ、自らのことがわかれば、自信が湧いてくる。どんな仕事に就こうと、どんな道を歩もうと自らの五つのすぐれた資質に磨きをかけ、それを最強の武器として活用していれば、「あなたはあなた自身の人生を生きましたか」という質問を突きつけられても、少しも怖くはないはずだ。あなたは実際あなた自身の人生を生きているのだから。自分にしか築けない人生を歩んでいるのだから。さらに、こうした自己認識はあなたの心を大きくし、未知の世界へ足を踏み入れる勇気を与えてもくれるだろう。

自分のことがわかれば、自信を持って新たな道を切り開くことができる。才能の源泉である資質は、さまざまな環境に対応できる能力を持っている。ダニエルがジャーナリストからホスピスのセラピストへとまったく異なる職業を選び、新たな分野でも成功した理由の一つは、彼女には自分の才能である〈共感性〉と〈指令性〉を新たな職場でも活かせることがわかっていたからだ。ダンサーから弁護士に転身したブライアンにも、教師から医薬情報担当者に転身したギリアンにも同じことが言える。彼らは二人とも、それまでの分野で手にした成功も、築き上げた実績も、すべて手放さなければならなかったわけだが、五つの資質からは決して離れていない。自分の資質に対する認識を深めれば深めただけ、その資質が常に自分とともにあることが確信できるはずだ。そして、その確信があれば、例に出したような劇的な転身にしろ、企業内での転属にしろ、どんな可能性も自由に考えられる。

また、自己認識によって自信が得られれば、「〜しなければならない」という強迫観念を断ち切ることができる。親が期待しているから、弁護士にならなければならない、医者にならなければならない、銀行家にならなければならない。企業や組織全体が望んでいるから、次期管理職への昇進を承諾しなければならない。こういった「〜しなければならない」という強迫観念はさまざまな形で現れる。そして、それがどのような形であれ、人は抗しがたいプレッシャーを感じると、たいていの場合、天賦の才が語りかける声が聞こえなくなってしまう。プレッシャーをはねのけ、方向を変えて正しい道を進むためにも、何よりまず自らの資質をしっかりと見きわめてほしい。確固たる人生を築きたければば、資質や資質が生み出す強みが語りかける声だけに耳を傾けるべきだ。

最後に、自らの資質をはっきりと自覚すれば、他人の資質を認めるゆとりも生まれてくるというのはなぜか。それは自らの資質の組み合わせがよく理解できればできるほど、自らの独自性が確信できるからだ。人種や性別や年齢や職業に関係なく、だれ一人として世の中を同じ見方で見ている者はいないということがわかってくるからだ。自らの独自性が永続的かつ価値あるものなら、ほかの人の独自性もまた永続的で価値のあるものだと素直に思えてくるからである。外見は似ていても、ものの見方はみな少しずつ異なり、その差がどんなにわずかであっても、それが大きな意味を持っている。待ち受ける難関に果敢に挑む人（この人の資質は、達成欲）もいれば、他人のために役に立ちたいと強く願う人（信念）もいる。また、データからパターンを見つけるのが得意な人（分析思考）もいれば、その発見の裏に隠された重要性を見抜く力を持つ人（未来志向）もいる。さらに、何もしなくても友人や知人から好意を持たれ、協力したいとその人たちに思わせる才能のある人（社交性）もいれば、友人や知人とより一層親密な関係を築こうとする人（親密性）もいる。

自らの複雑な資質の仕組みを把握すれば、ほかの人の資質もその価値も認めることができるようになる。これは詭弁ではない。むしろ自らの資質の価値がわからなければ、ほかの人の資質などわかるはずがないということだ。

弱点にはどうやって対処すればいいか

あなたの弱点は何か。すでに述べてきたように、われわれの多くが弱点にこだわっている。どれほど強みに自信があろうと、また、その強みがどれほどの効力を発揮しようと、弱点は竜のように心の奥深くに身をひそめているとわれわれは思いがちだ。が、弱点などさほど恐れなければならないものではないということは、本書をここまで読んで、だいぶおわかりになったはずだ。影響力から言えば、竜というより、おそらくグレムリン程度だろう。それでも、彼らを意のままにさせておくと、混乱を惹き起こす可能性がある。だから、一番の得策は、強みだけに眼を向けて弱点を無視するのではなく、強みに主眼を置いたうえで弱点に対処する方法を見つけることだろう。では、弱点に対処する最も効果的な方法は何か。

それにはまず最初に弱点とは何かを知る必要がある。われわれは、弱点とは「すぐれた成果を得るのに妨げになるもの」と定義づけた。この定義にすんなり納得した人もいるかもしれないが、話を進めるまえに、この定義は世間一般のものではないことをまず心にとどめておいてほしい。たいていの人は、ウェブスターやオックスフォード英語辞典のような定評のある辞書に書いてある「進歩が望めない分野」という定義を支持するはずだ。強みを中心に据えた人生を築きたければ、この辞書の定義はひとまず忘れてほしい。現実に即して考えると、「進歩が望めない分野」はだれにでも数えきれないほどあるだろうが、その大半が気にしなくてもいいものばかりだからだ。そういった弱点はすぐれた成果を収める妨げにはならない。たとえグレムリンのように暴れたとしても、なんら影響を及ぼさない。そもそもそんな弱点にどうして関わり合わなければならないのか。そんなものは放っておけばいい。

質量分析計が扱えなくても、周期表の元素の配列がわからなくても、専門の科学者でないかぎり、それは弱点ではない。そうした分野の知識がないがために悔しい思いをするのは、「トリビアル・パスート」（雑学を競う盤上ゲーム）で点を取れなかったときぐらいのものだろう。

このように専門知識や技術を例にとるとわかりやすいが、才能の資質となるとどうか。〈戦略性〉に欠ける人がいたとする。その場合、それに弱点というレッテルを貼り、どうにかその弱点が克服できるよう、われわれはその人を励ますべきだろうか。われわれの定義から言うと、〈戦略性〉の欠如は弱点でもなんでもない。円周率の平方根を知らないことが弱点でないのと同じだ。「もしこうなったら……？」と常に考えていなくてもいい職務（不測の事態に備えて常に対策を立てていなくてもいい職務）など、この世にごまんとある。戦略的な考え方ができないのは単にその才能がないからだ。ただ、それだけのこと、なんら気にすることはない。

ただ、映画では、水をかけられたり、午前零時以降に餌を与えられたりすると、グレムリンの性質《たち》が突如悪くなってしまったように、無視していい弱点でも、ある特定の条件のもとでは真の弱点に突然変異することがある。才能に恵まれない分野（さらに相応の技術も知識もない分野）に身を置かざるをえなくなった場合がそれだ。たとえば、ボーイング７４７の失速速度を知らなかったとする。たいていの場合、それは弱点とはいわない。しかし、たまたまその飛行機を操縦していたとしたら、あたりまえのことながら、それは破壊的なまでの弱点となる。同様に、〈コミュニケーション〉の才能が欠けていても、法律事務所の調査員をしているかぎり、それは問題にはならないが、法廷弁護士になろうと決めた瞬間から、この才能の欠如は弱点として浮上してきてしまう。

では、自らの足を引っぱる弱点、すなわちすぐれた成果を得るのに障害となる弱点を抱えていることがわかった場合、どのように対処するのが最善策か。まず最初に、その弱点が技術に関する弱点か、知識に関する弱点か、才能に関する弱点かを見きわめる必要がある。たとえば、医療機器の販売が伸びず、悩んでいる営業担当者がいたとする。しかし、その不振の原因は〈指令性〉の欠如ではなく、最近は医療機器を購入する権限は経理主任が持っているのに、医師にばかり売り込もうとして時間を無駄にしていることにあった。もう一人の例――自分の右腕になるような部下がいなくて困っているマネジャーがいた。しかし、それはそのマネジャーに〈成長促進〉の資質が欠けていたからではなく、部下との話し合いの中ではっきりと目標を伝える術を知らないからだった。この二人の場合、問題を解決するのは簡単である。必要な技術と知識を身につければいいだけのことだ。

では、どうすれば自分に欠けているものが才能ではなく、技術や知識だとわかるのか。変化発展する成果というものは科学ではないので確実に知るのはむずかしい。だから、勧めたいのは消去法だ。必要な知識と技術を身につけてもなお、標準以下の成果しか上げられなければ、あとはもう才能の欠如しか考えられない。この場合、その道で成果を上げようとするのは時間の無駄でしかない。早々に見切りをつけ、より創造的な戦略を考えるべきだろう。

その一助となるよう、何人もの卓越した実践者たちにインタビューした結果から、われわれは創造的な戦略の五つのモデルをつくった。才能に関する弱点に対処する必要があるようなら、ぜひ参考にしてほしい。

戦略１　少しでもよくする

最初に紹介するこの戦略はさほど創造的とは言えないが、これしか方法がない場合もある。ほとんどすべての職務について最低限要求される行為というものがある。それは、自分の意見を相手に伝える、相手の話に耳を傾ける、約束をたがえない、自分の行動には責任を持つなどだ。もし優位を占める五つの資質に、〈コミュニケーション〉〈共感性〉〈規律性〉〈責任感〉のどれもなかったら、少しでもよくなるようただひたすら頑張るしかないだろう。前章で述べたとおり、「ただひたすら頑張る」のは愉しいことではないかもしれない。また、ただひたすら頑張ったからといって、それだけでは決して傑出した成果は出せない。それでも、ただひたすら頑張らなければならないときもある。それを怠ると、弱点がほかの分野のあなたの強みを阻害する可能性も出てくる。

しかし、少しでもよくしようとしても、ただ消耗するだけだとわかったら、次の戦略を試してほしい。弱点の悪影響を極力抑える、簡単なサポートシステムをつくるのである。

戦略２　サポートシステムをつくる

ケビン・Ｌは毎朝靴を履くとき、右の靴に「もし」、左の靴に「どうする？」と書くところを心の中で一瞬想像する。彼にとって、この風変わりな習慣が悪質な弱点を克服するサポートシステムなのだ。ソフトウエア会社に勤めるケビンは全国の営業を統括するマネジャーで、当然のことながら、責任業務の一つに全国規模の営業戦略を立てるというのがある。彼のすぐれたところは分析力と創造力と行動力で、それらを職務にうまく活かしている。が、残念なことに、〈戦略性〉には劣っている。つまり、計画を狂わせるおそれのある多くの障害を予測する頭脳の明晰さはあっても、そうした障害に対応した代替案を考え、その案が生み出す結果を細部にわたって思い描くのは苦手というわけだ。それで毎朝、心の中で靴に「もし」「どうする?」と書くというすばらしいサポートシステムを考案したのである。「もし~どうする?」ということを朝一番に想像することで、障害に対する意識を高めているのである。

われわれは今回の調査の中で、こうしたその人独自のサポートシステムに何度もお目にかかった。整理整頓が苦手なあるマネジャーのサポートシステムは、ひと月に一度強制的に机の上から引き出しの奥まで完璧に片づけることだった。また、ある教師は集中力を持続させることができず、生徒全員の答案を一度に採点することができなかった。そこで彼女は、一度に採点する答案は五枚までと決め、五枚終わると机から離れてコーヒーをいれる、次に五枚採点すると今度は猫に餌を与えることにした。これが彼女の場合には有効なサポートシステムになった。

思えば、人はみな才能に関わる弱点に対処する独自のサポートシステムを自然と身につけているのではないだろうか。予定を忘れないようパームパイロットを買って、予定表を作成するといった直接的なものから、講演するまえには気持ちを落ち着かせるため全裸の聴衆を思い浮かべるといった風変わりなものまで。しかし、それがどんな方法であれ、その有用性を見くびってはいけない。自分に投資できる時間はかぎられている。弱点を気にしなくてもいいサポートシステムがあれば、強みを育てることにより長い時間をかけることができる。

そういった有効なサポートシステムを見つけるのに、遠くまで見渡さなくても簡単に見つかることがある。自らのすぐれた資質が提供してくれることもあるからだ。次の戦略がこれにあたる。

戦略３　才能の力で弱点に打ち勝つ

企業コンサルタントのマイク・Ｋの生業《なりわい》はビジネスマンを対象とした講演で、あらゆる点において、彼はすぐれた講演者である。一回の講演で得る収入は何千ドルにもなり、スケジュールは一年先まで埋まっている。そのことからも彼がどれだけすぐれた講演者であるかはよくわかる。

しかし、彼は生まれながらの講演者ではなかった。この人生の一大変化に一番驚いているのは、ほかでもない彼自身かもしれない。毎週、四、五〇〇人をまえに話をしてくれなどと二〇年前に頼んだら、彼は大いに屈辱を覚えたはずだ。四歳のころから、吃音《きつおん》癖ができてしまったのである。緊張したときだけではなく、どんなときにも吃音がでてしまう。子音で始まる単語は最初の音がどうしてもうまく出せなかった。単語を発音しようとすると、話そうとする気持ちが昂ぶってからまわりしてしまい、体がこわばり、不明瞭な音が出るだけだった。

母音で始まる単語はさらにひどかった。弱々しい音ながら、最初の音はどうにか出せてもそのあとが続かないのだ。その結果、最初の母音を何度も何度も繰り返すことになる。車両は置いてきぼりを食らって、蒸気機関車だけが駅を出ていくようなものだ。

マイクがその吃音癖をとても恥ずかしく思っていたことは言うまでもない。彼はイギリスの全寮制の学校に通っていたのだが、学友の中には残酷なまでに心ない者もいた。心配した両親は彼を児童心理学者のもとに連れていきもしたが、治療として指示されたのは兄と張り合うのをやめろといった程度のものだった。学校では、授業中みんなのまえで本を読まされることを何より恐れ、陽気に騒ぐ級友たちを恨めしく思い、プロポーズのことばさえ満足に言えないようなら、結婚もできないのではないか、といかにも思春期らしい悩みも抱えていた。

ところが、ある朝、奇跡が起きた。朝礼の時間に全校生徒のまえで朗読する順番がマイクにまわってきたのが、そのきっかけとなった。もちろん、朗読の予定者リストに自分の名前を見つけたときには、彼は無性に腹が立った。先生たちに悪意があるわけではなく、最上級生は全員一度は朗読をするという慣例に従っているだけだとわかってはいたが、いったいどういうつもりなのか——彼は思った——自分が朗読をすれば見世物になるだけなのに。例外をつくって恥をかかなくてすむようにしてくれてもいいのに。

朗読をやめさせてくれるよう彼は校長に訴えた。しかし、これはイギリスの話である。しかも全寮制の学校。慣例が曲げられるはずもない。

朗読の日の朝、マイクは重い足を引きずり、書見台に向かった。彼の頭には、これから演じてしまうにちがいない大失態のことしかなかった。前夜、校長に指導を受け、練習をしてはいたが、通常なら五分で読みおわる作品に一五分もかかっていた。何が起こるか、それは明らかだった。が、彼にはどうすることもできなかった。すべての悲劇がそうであるよう、彼の悲劇も避けられない。彼は書見台までたどり着くと、台の両端を握りしめ、うすら笑いを浮かべている生徒たちを見まわし、そして、最初のことばを口にした。

　すると突然、ギリシャの神々の飲みもの、ネクターみたいによどみなくことばが流れ出た。まるでことばそのものが意思を持っているかのようにほとばしり出た。障害のない者が読むのと少しも変わらず、とぎれがなかった。そして、通常の速さで前半を読みおえることができ、「皮肉《サーカズム》」という単語（この日の出来事こそ皮肉《アイロニー》以外の何物でもないが）で一瞬つっかえたものの、彼のよどみない口調は後半もまったく変わらなかった。「イネビタブル（必然的な）」や「マルティテュード（多数）」や「マグニフィセント（壮大な）」といった、それまで特に不得手だった単語が頻出することばの地雷原も難なく乗り越え、順調に進み、最後の一語を読みおえることができた。一度も大きくつっかえることなく、読みきったのだ。そして、不可解で、信じがたいことながら、彼は朗読を愉しんでいた。顔を上げると、これまで彼を馬鹿にしていた学友たちはぽかんと口を開け、あっけにとられた表情で彼を見つめ、一〇人ばかりの親しい友は笑みを満面に広げていた。

　朝礼が終わると、その親友たちがマイクのところに駆け寄って言った。「どうしたんだ？」。いい質問だ、とマイクは思った。一〇年も治療を受けながら、まったく効果がなかったのに、人前に出たら突如として治ったのだ。いったい何が起きたのか。

　マイクは書見台のまえに立ったときのことを思い出した。朗読を始めるまえ、先生や生徒たちを見渡し、一人ひとりの顔を見ていると、不思議と体の中から力が湧いてきたのだ。すると、自分は人前で壇上に立つのが好きなのだと思うことができ、その思いはやがて確信に変わった。〈ストレングス・ファインダー〉の用語で言うと、マイクは〈自我〉と〈コミュニケーション〉の資質に恵まれていたのである。何百人もの人のまえに立つプレッシャーを恐れる人もいるが、彼は逆に精神が高揚し、意欲が湧いてくるタイプだったのだ。大勢の人をまえにすると、緊張して体が硬くなるのが普通だが、彼の場合、反対に気持ちが落ち着いたのだ。壇上に立ったとたん、それまでの生活でできなかったことができるようになり、内に秘めた思いを解き放つことができ、自らを表現することに成功したのである。

マイクはそうした自分の才能に気づくと、その才能を日常生活にも活かすことを心掛けた。だれかに話しかけるときにはいつも（校庭でも、家に帰る車の中でも、電話ででも）二〇〇人の人をまえにして話していることを想像し、その状況と眼のまえの人々を思い描くようにしたのだ。そうして入念に考えをまとめると、ことばはよどみなく流れ出た。あの朗読の日以来、大学でも、職場でも、友達や家族のまえでも、彼はもう二度と吃音癖がでることはなかった。

これは才能を活かして弱点を撃退した典型的な例だ。弱点と見なされ、一〇年ものあいだ専門医の治療を受けながら、まったく効果がなかったにもかかわらず、マイクは才能を磨いて武器にすることで、弱点から自らを解放したのである。だから、弱点を克服するにもやはり才能を活かすことを心掛けてほしい。マイクの場合と同じような奇跡があなたにも起こるかもしれないのだから。

戦略4　パートナーを見つける

協力。それは共同社会においてすでに失われてしまった技術の一つである。完璧な職務分析記録は、ともすればまるまる二ページにも及び、要求される能力のリストとなると、それはもう二ページでも足りなくなる。そのためわれわれは、有能な従業員はどんな職務もこなせなければならないと思い込むようになる。そもそもそんなふうに思い込んでいるので、どんな職務もこなせる人間など現実にはいるわけがなく、必要な助けはみんなからもたらされることが多いということを、われわれは忘れがちだ。

一方、われわれがインタビューした卓越した実践者の中には、足りない部分を同僚と補い合って成功を収めている人も何千人といた。彼らは、自らの強みと弱点についてつぶさに説明できるだけでなく、だれなら自分の弱点を補ってくれるかということもちゃんと把握していた。弱点が知識または技術に関するものなら、それを補ってくれる人を見つけるのは少しもむずかしくはない。現に、数字に弱いある事業主は、数字に強い会計士の助けを借りており、遺伝子組み換え技術に没頭する天才は、奇跡の新薬の認可を取りつける方策を考えてくれる法律の専門家の協力を得ていた。しかし、調査の過程で最も印象に残ったのは、知識や技術ではなく、才能を土台に築かれた相互の協力関係だ。

たとえばこんな会社役員がいた。その人は、直属の部下は一人ひとり個性が異なるということは理解していたが、〈個別化〉という資質に欠けていたため、個々の相違点を見きわめるのは苦手だった。が、その弱点をちゃんと自覚しており、その弱点を取り繕おうとはせず、人事のスペシャリストを雇い、そのスペシャリストから部下一人ひとりの個性を知るための助言を得ていた。

こんな法廷弁護士もいた。法廷で有無を言わせぬ弁論をする才能はあっても、図書館で判例法を調べるのは苦手な弁護士だ。〈原点思考〉の資質が欠けていたのである。そこで彼は事務所を開くときに、真っ先に判例の調査を好んでやってくれる人を探し、毎日小さな活字を読んでいられると聞いただけで、眼を輝かせるような人を雇った。法廷をこよなく愛する弁護士と調査をこよなく愛する調査員。このペアの法律事務所は輝かしい成功を収めている。

もう一人、魅力的だが、おとなしい旅客機の客室乗務員を紹介しよう。彼は〈指令性〉に欠け、騒がしい乗客に対応したり、たとえ好ましい乗客が相手でも、その人たちに悪い知らせを伝える場面を考えただけで、心が落ち着かなくなるタイプである。だから、乗務する際にはいつも、乗客が搭乗するまえにひそかにまわりを見まわし、欠航や座席の重複予約など、歓迎できない事態が生じたときでも落ち着いて対応できる乗務員を探すことにしている。いつも最適の協力者が見つかるわけではないが、たいていの場合、安心して頼れる乗務員が見つかり、本人によれば、狼狽して冷静さを失い、機内の混乱を招いた経験が過去には何度もあったそうだが、協力者を見つけることでこの問題は解決できたということだ。

ここに紹介した人たちについて、何より印象深いのは彼らが弱点をくわしく分析したことではない。むしろ、彼らに欠けている資質は容易に知ることのできる弱点だった。そんなことより弱点を潔く認めたこと。それがわれわれには深く心に残った。人に助けを求めるというのは、むしろ強い人にしかできない行為なのではないだろうか。

戦略5　とにかくやめてみる

この戦略は最後の砦だが、なんらかの理由でこの戦略を試さざるをえなくなった人は、その絶大な効果にきっと驚くことだろう。

実際にはする必要のないことをしようとして、時間も信用も尊敬も失うというのはよくあることだ。それはなぜか？　奨励されるからである。熱心すぎる人事部は、どういう仕事をすべきかというより、どのように仕事をすべきかということで、それぞれの職務を規定しようとする。成果を見るのではなくスタイルに規定を設け、従業員にその規定どおり仕事をすることを強いる。その結果、従業員全員が将来の展望を持たなくてはならないと決まれば、〈未来志向〉に欠けている従業員までも将来の展望を克明に描かなければならなくなる。また、「ときにはユーモアを利用しろ」とどこかに書いてあれば、少しでもユーモアのセンスを身につけようと、そうしたセンスのないマネジャーまでが無理をしてでも冗談を言うようになる。

われわれがインタビューした卓抜した実践者はみな、こうした型にはまった順応を拒否した人たちばかりだった。そんな彼らのアドバイスはこうだ。「やめるといい。そして、あなたがやめたことをだれか一人でも気にしているか見てみるといい。実際、やめてみると、驚くことが三つあるはずだ。だれもそんなことなど気にかけていない。まわりからどれほど賞賛の眼で見られるか。どれほど気分がよくなるか。この三つだ」

マネジャーのメアリー・Kはこの戦略を取った。彼女は〈共感性〉に欠けていたため、部下の気持ちをうまくくみとることができなかった。理解しようとはするものの、いつまで経っても不得手なままだった。そこで彼女は自らの考えを明らかにすることにした。自分には〈共感性〉がないことを部下一人ひとりに伝え、こう言ったのだ。「今後、私はあなたのことをわかってるようなふりはしません。もともと、そんな力が私にはないのです。ですから、私にわかってほしいことがあったら、私のところに来て、はっきり言ってください。でも、一年の最初に一度だけ言っておけばいいとは思わないで。あなたが何を考えているか、私にはそんなことはずっと覚えてはいられないからです。ですから、何度も話しに来てください。そうしないと、きっと忘れてしまいます」

彼女の告白は快く受け入れられた。彼女が基本的に善人であることは、彼女の部下にもわかっていたが、だからといって、〈共感性〉に欠けると言われてもだれも驚かなかった。「彼女のことをひとことで言えば？」と彼女の部下に尋ねていたら、「非共感的」ではなく、「よそよそしい」や「他人行儀」といったことばが聞かれただろうが、どういうことばであれ、意味は変わらない。一人の部下はこんなことを言っていた。「メアリーというのは、感情の世界が不得手なあまり、たとえ親しくなれても、そうなれることに気がつかない人なんだよ」

メアリーのしたことは勇気のいることだ。しかし、自分の弱点を打ち明け、自分の手に負えないとはっきり言うことで、彼女はマネジャーとして大きな飛躍を遂げた。部下たちの眼に彼女の姿は以前にも増して信頼できる存在として映っていることだろう。弱点はあっても本人がそれを自覚していればこそ、より一層頼れるマネジャーになったのである。以来、彼女の行動から誠意のこもらない「わかったふり」が消え、彼女ははるかにわかりやすい人になった。不完全でもわかりやすいこと。彼女の部下はそれを歓迎している。

弱点を認め、敗北を宣言することで、だれにでもメアリーと同じような道が開ける可能性がある。厄介な弱点との闘いに敗れたことを白状してしまうのである。それで、逆にまわりからの信頼と尊敬を勝ち得ることもあるということだ。

①少しでもよくする、②サポートシステムをつくる、③才能の力で弱点に打ち勝つ、④パートナーを見つける、⑤とにかくやめてみる。この五つの戦略はすべて、強みを中心に据えた人生を築くのに役立つものだ。ただ、どの戦略を用いようと、あなた自身の視点はどうか失わないでほしい。これらの戦略を用いたからと言って、弱点が強みになるわけではない。これらは、あくまで強みを活かす障

害になりそうな弱点に対処する方法でしかない。ダメージコントロールもときには有効だ。が、これだけで優秀さを手にすることはできない。

弱点の対処法について、最後にもう一つだけ話しておこう。一つの資質だけが効力を持つと、かえってすぐれた成果を収める邪魔になり、結局のところ、それが弱点になってしまうのではないか。みなさんの中にはそんなふうに考える人もいるかもしれない。〈達成欲〉が強すぎる人は将来に焦点を当てることを忘れてしまうのではないか。あるいは、〈指令性〉が強すぎる人は始終まわりを不快にさせているのではないか。われわれはそうは考えない。一つの資質だけが飛び抜けた影響力を持つということはない。ほかの資質がさほど力を持たないだけの話だ。たとえば、不作法な人は〈指令性〉が強すぎるからそうなるのではない。〈共感性〉が弱いからだ。また、短気な人は〈達成欲〉が強すぎるから短気なのではない。〈未来志向〉の才能に欠けるから短気なのだ。

このちがいは難解なちがいでもなんでもない。むしろきわめて実際的なちがいだ。ある人がいい成果を上げられず、苦労していたとしよう。あなたはその人を見て、それはその人がある資質を強く持ちすぎているからだと思い、そういう資質は抑えるように、それまでのやり方はやめるように、ほんとうの自分をそんなに表に出さないように忠告したとする。そういう助言は抑圧的で、あなたに悪気はなくても、効果はまず望めない。これとは反対にその人を見て、資質が弱くて悪戦苦闘しているのだと思ったとする。そのほうがはるかに建設的なアドバイスができる。先に挙げた五つの戦略の中から、その人が置かれている状況に合った、最も効果がありそうなものを一つか二つ選ばせるといい。これらの戦略は実践するとなると、案外容易でないかもしれない。しかし、世のアドバイスの常として、より創造的で、目的がより明確なら、それはより効果的なアドバイスということだ。

資質がわかれば、現在の職務が適しているかどうかわかるのか

考えだすと、夜も眠れなくなる仕事に関する疑問というのは、それこそ無数にあるだろうが、気になる疑問の双璧といえば次の二つではないだろうか。「自分は自分に適した分野を選択したのか（医療、教育、機械工学、コンピューターサイエンス、ファッションなど）」。「現在の職務は自分に適しているのか」。自分は販売員になるべきではないのか？　それとも、マネジャー、著述家、デザイナー、顧問、アナリスト、あるいはこれらを独自に組み合わせた職業？

職務は適していても分野の選択をまちがえると、自分が信用していないサービスを提供しなければならない販売員や、消費者の購買欲をそそらない製品をつくる設計者が生まれてしまうことになる。反対に、分野に不満はなくても職務の選択を誤ると、教壇に立つほうが向いている人が学校運営にたずさわったり、記事を書く才能を持ちながら編集を担当しなければならない人が生まれてしまう。

最初に挙げた二つの疑問を解決するには、〈ストレングス・ファインダー〉の測定結果をどのように活かせばいいか。優位を占める資質がわかったところで、いかなる分野を選べばいいかまでわかるわけではない。職務の選択に関しても、方向性を示してはくれるだろうが、どうかそれを神の声のように思わないでほしい。

今のような物言いをいささか意外に思った人もいるだろう。が、〈ストレングス・ファインダー〉はどこでどのように活用すればいいのか、その方法を正確に知るには、「分野」と「職務」というものに対する理解を深める必要がある。

分野

職業に関する適性試験を受けたことがおありだろうか。一連の質問に答え、最もふさわしい分野を判定してくれる試験。あの手の試験は同じ分野に身を置く人は、みんな性格が似ているにちがいないという前提に基づいてつくられており、受験者の性格を判断し、各分野で働く人たちの性格データと照合する。そして、ある分野の典型的な性格と受験者の性格がよく似ていると、その受験者にはその分野が最適ということになるわけだ。

〈ストレングス・ファインダー〉は、そういった類いの試験ではない。あなたの優位を占める資質を見つけ、仕事の方向性は示してくれるが、だからと言って、あなたを特定の分野に無理に向かわせるようなことはしない。そんな真似は〈ストレングス・ファインダー〉にはできない。どうしてできないのか。答えは簡単だ。資質と分野に直接的な関係などないということが、調査で明らかになっているからだ。よく似た資質を持つ人たちが実にさまざまな分野でよく似た才能を発揮している。それはわれわれにとってもちょっとした驚きだった。

ジーン・Ｊとリンダ・Ｈは、優位を占める五つの資質のうちの三つが、二人とも〈自我＝優秀な人間として認められたい願望を持つ〉〈活発性＝常に行動を求める〉〈指令性＝人の上に立つ存在になりうる〉だった。つまり、この二人はタイプから言えば非常に似ている。積極的で、意志がはっきりしていて、いくぶん威圧的な面があるというタイプだ。実際、社会人になってから歩んできた道も似ていた。二人とも全国を舞台に活躍し、ともに成功を収めている。が、二人の分野はまったく異なっている。

ジーンは大学院を卒業するとすぐに小売りの世界に飛び込み、毎日、その仕事を愉しんでいる。短時間で結果が出て、その結果が眼に見え、人とじかに接することができるというところがとても気に入っている。買いつけから販売および顧客サービスまで。自分がほかの職業に就くなど彼女には想像もできないことだ。

変化の激しい小売業界で、ジーンの才能、〈自我〉〈活発性〉〈指令性〉は遺憾なく発揮された。情報が足りないことも時折あったが、そういうときでさえ、彼女は躊躇せず行動を起こした。同僚と意見が衝突してもひるむことなく、むしろより高い目標に向かうよう同僚を鼓舞した。そして、出世の階段を順調に昇り、ディズニー・ストアでは経営幹部、ビクトリアズ・シークレットでは取締役、さらに、バナナ・リパブリックでは販売部門の責任者として一〇億ドルを超える売り上げを記録し、ここでも役員の椅子を手にした。さらに彼女の活躍はとどまるところを知らず、現在、ウォルマートの電子商取引部門の最高責任者として、インターネット上世界最大級の小売店をさらに躍進させようと采配を振るっている。

一方、リンダのほうは、進むべき分野を早くから決めていたわけではなかったが、ピッツバーグ大学に通っていたときに、法律の勉強に打ち込んでいる同じ大学の一人の学生と出会う。彼は学生が発行している雑誌「ロー・レビュー」の編集者で、法学部の図書館に何時間もこもり、記事の準備をしたり、雑誌のレイアウトを考えたりするのが趣味という男子学生だった。リンダ自身は法律にさほど関心があったわけではないが、何かに打ち込んでいる人間には強く惹かれるタイプだった。それは今も変わらないが、いずれにしろ、すぐに図書館で記事の校正をしたり、判例法を調べたりと、彼の手伝いをするようになり、二人は急速に親しくなった。

もしかしたら、二人の関係はもっと深いものになっていたかもしれない。が、卒業を控えた一週間前に悲劇が起きる。郷里へ車で帰る途中、彼が自動車事故で亡くなってしまうのだ。失意の日々、彼女は何もかもが中断されてしまったという思いにさいなまれ、次第に、どういうことになるにしろ、彼のやり残したことを引き継ごうと思うようになる。「彼に敬意を表すにはそうするしかないと思ったのです」と彼女はそのころを振り返って言う。彼の死後、自分もロースクールに進み、「ロー・レビュー」の編集の手伝いも続け、変わらない情熱を勉学に注ぎ、クラスで二番の成績で卒業するのである。

その後、彼女は常に「女性初」という冠をかぶせられる人生を歩んでいる。まず、テキサス州の控訴裁判所で、同州女性初の裁判官付き事務官になり、ついで大手のダラス法律事務所では女性初の共同経営者になった。また、証券取引委員会では女性初の理事候補になった。彼女には無関係の事情から就任には至らなかったが。しかし、ニューヨーク証券取引所の諮問委員会では、女性初の議長になる。

天性の聡明さが備わっていたからこそ、なし得た偉業であることは言うまでもない。それでも、人生の分岐点で彼女が下した決断をよく見れば、亡くなった友人の思い出を大切にしたいという願い以上に、自分で自分を突き動かしていたことがわかるはずだ。実際、優位を占める彼女の資質があらゆる局面で彼女を導いている。法律事務所でただ一人の女性共同経営者として、彼女は高所に立ち、堂々としていなければならないプレッシャーを愉しんだ（指令性）。むしろもっと大きな舞台を望んだ（自我）。そして、テキサス法曹界のガラスの天井に頭をぶつけることなく、不動産組合セキュリタイゼーションの専門家となり（活発性）、だれに頼らなくてもすむだけの力と信用を自分のものにした。そんな彼女にまず眼をつけたのは、ウォール街の投資銀行だった。それが呼び水となって、顧客に大企業が増え、講演や本の執筆の依頼、客員教授の誘いまで受けるようになったところで、テキサスを飛び出し、全国レベルの舞台に躍り出たのである。

ジーンとリンダの例でよくわかるのは、最も適した分野を見つける方法はいろいろあるということだ。ジーンは直感的に自分の道を決め、一方、リンダは友人に敬意を表したいという願いが彼女の道を築いた（ついでながら、リンダ自身は今日、法曹界で成功を収めながらも、もし最初からやり直せるなら、法曹界ではなく実業家の道を選ぶだろうと言っている）。最も適した分野を見つけたければ、彼女たちを手本にするといい。すなわち、自分の内なる声に耳を傾け、何が自分を駆り立てているか見きわめることだ。まだ何も感じないようなら、学生のうちか社会人一年生のうちにいろいろと試し、向いていないと思う分野を消去していくといい。それで狙いを絞ることができる。

これで、どうして〈ストレングス・ファインダー〉が最も適した分野を教えてくれないのか、おわかりいただけただろうか。たとえジーンとリンダが〈ストレングス・ファインダー〉で自分の資質を知ったとしても、それが分野選びの役に立ったとは思えない。非常によく似た資質を持ちながら、二人が選んだ分野はまったく異なるのだから。これはすべての人にあてはまる。小売業者か、弁護士か、それとも大工か。資質がわかったとしても、〈ストレングス・ファインダー〉は分野の選択には必ずしも役に立たない。しかし、裏を返せば、どんな分野を選ぼうと役に立つということだ。

職務

〈ストレングス・ファインダー〉で得られた結果は分野より職務を選択する際、役に立つ。ある職務で秀でた人たちには共通する資質のあることが、今回の調査で明らかになったからだ。たとえば、ジャーナリストの大半が、優位を占める五つの資質の中に〈適応性〉を持っている。一般に、ジャーナリストというのは次の日にどこに行くのかもわからないような仕事だ。月曜日の夜、雨の中、ニューアーク空港そばのラマダ・インの外で大勢の人にもまれながら、飛行機事故の生存者にインタビューをしようと待機していたかと思えば、火曜日の朝には会社に戻って、金利上昇が市場に与える影響について記事を書き上げているかもしれない。題材や雰囲気や場所が常に変わると、精神的に負担を感じる人もいるが、〈適応性〉にすぐれた人はそういった状況だからこそ、むしろ意欲が湧くのである。予期せぬ出来事が生きる糧になっているのだ。

われわれがインタビューした医師の多くは、専門分野がなんであれ、〈回復志向〉に秀でていた。彼らは毎日、助けを求める患者に接し、一人ひとりの症状に合わせて診察を行わなければならない。しかもどれほど患者の身になって尽くしても、治療が必要な患者は次から次とやってくる。患者の回復はもとより、場合によっては患者が自らの死をおだやかに受け入れられる様を見て、深い満足を得られるような人でなければ、医療という仕事は途方もなくむなしいものになる。

同じような例を挙げると、教師はだいたいにおいて〈成長促進〉と〈共感性〉と〈個別化〉にすぐれていた。これらの資質は生徒一人ひとりが成長する手助けをする際、多大な効力を発揮する。また、販売員には〈指令性〉〈活発性〉〈競争性〉といった三つの資質を持つ人が多く、交渉したり、説得したり、同僚と販売成績を競い合ったりすることを愉しんでいる人が多い。

しかし、資質と職務に関連があると言っても、短絡的に結びつけるのはやめてほしい。資質の組み合わせがまったく異なる人たちが、同じ職務で甲乙つけがたい成果を上げている場合も数多くあるからだ。

スティーブ・Sとビクトリア・Sは、ともに卓越した手腕を持つ企業家だが、スティーブの五つの資質が〈競争性〉〈分析思考〉〈戦略性〉〈着想〉〈未来志向〉であるのに対し、ビクトリアのそれは〈共感性〉〈成長促進〉〈回復志向〉〈原点思考〉〈公平性〉の五つである。まったく異なる資質の組み合わせを持つ二人がどうして同じ職務で秀でた存在になり得たのか。それは職務を資質に合わせたからだ。

スティーブはアイスボックスというインターネット関連会社を経営し、ウェブ上で短いつづき漫画を提供しているのだが、特殊な才能を発揮して、映画監督とベンチャーキャピタリストを説得し、漫画を見てもらい、文字どおりビジョンに投資させた。彼の事業計画は（われわれが本書をこうして書いている今も）未完成で、漫画の内容もまだ監督の頭の中にあるだけだ。さらに、ビデオを流す技術も完成するまであと数年はかかると思われる。しかし、こういった不確実要素をもとに、収益の多い事業であるイメージをつくり上げ、聞いている人の心をとらえることに彼は大きな喜びを覚えるのである。有能な制作者と人事担当のマネジャーを集めてチームを編成し、そして、自分は好きなことをやっている。

ビクトリアのほうは一二年前ロンドンに広報会社を設立し、フォーシーズンズやスイスオテルのようなホテルチェーンを専門にPR活動を請け負っている。彼女自身が言うところによると、企業戦略を考えるのは苦手で、その類いの業務は元銀行マンの共同経営者に任せ、自分は経営業務にたずさわっているとのことだ。新入社員を採用して、適切な部署に配属し、一人ひとりが何を学びたがっているか把握し、彼らが困っているときには相談に乗る。そういった職務だからこそ、自らの五つの資質をすべてではないかもしれないが、最大限に活かすことができるのである。その結果、彼女の事業も四〇人の従業員も確実に成長しつづけている。

もしスティーブがビクトリアの職務を与えられたら、まずまちがいなく失敗し、みじめな思いをすることだろう。逆に、ビクトリアにスティーブと同じ職務はこなせない。それでも、二人とも企業家として大いに成功している。

アメリカン航空のジョン・Fは、ボーイング737のパイロット。もう一人、エールフランスのジル・Rは767のパイロットだ。ジョンは〈公平性〉〈調和性〉〈原点思考〉〈成長促進〉〈親密性〉にすぐれ、一方、ジルは〈公平性〉〈調和性〉〈規律性〉〈責任感〉〈学習欲〉で、二人に共通する資質は〈公平性〉と〈調和性〉だ。旅客機の機長にかかる責任ということを考えると、これはいかにもうなずける結果である。彼らは二人とも〈公平性〉を発揮し、乗客一人ひとりを公平に扱い、安全を守るためには規則は例外なくだれにも守らせる。搭乗慣れした横柄な乗客がいても、公平を期そうとする態度は変わらない。また、〈調和性〉はコックピット内で活かされる。副操縦士との共通基盤を探し、万一意見の食いちがいが生じた場合には、副操縦士と協力し合い、職務をスムーズに遂行できるように即座に調整を図る。

では、異なる三つの資質はどうか。彼らはそれらの資質をどのように活かしているのだろう。ジョンの〈原点思考〉〈成長促進〉〈親密性〉は、パイロットとはまったく異なる職業に活かされていた。以前、彼は教師だったのだ。そして、現在の肩書きは、「キャプテン・チェック・エアマン、インストラクター・タイプ」。ひらたく言えば、これまた教師で、現在は新型のボーイング737－800の操縦を指導する任にあたっている。その職務では、〈親密性〉〈成長促進〉〈原点思考〉を活かし、熱心に研修生を指導している。特に研修生との信頼関係を築く上では、〈親密性〉と〈成長促進〉が何より役に立つ。最も効果的な訓練法はケーススタディーだが、ジョンは次のように話してくれた。

「二週間に一度、一〇〇人のパイロットを指導するんだけれど、基本的に遭遇する可能性のある状況を考え、そのときに機体をどのように扱えばいいか話すんだ。回復がうまくいかなかった例を数多く引き合いに出して、同じ状況に陥ったらどうすればいいかを教えるのさ。パイロットというのは過去のエピソードや歴史が大好きでね。われわれパイロットは昔から学び、そうして前進の仕方を覚えるというわけだ」

ジルのほうは残る三つの資質〈規律性〉〈責任感〉〈学習欲〉を利用して、ジョンとはまた異なる才能の活かし方を見つけた。彼はとにもかくにも飛行機の操縦が好きな――正確に言うと、着陸させるのが大好きなパイロットで、安全な空の旅を保障するのは機長である自分の一番の職務であると自覚し、あらゆる操作、特に着陸時の操作に細心の注意を払っている。だから、車輪が地面に接したのに乗客がほとんど気づかないような完璧な着陸ができたときには、これ以上ない喜びを覚える。その完璧な着陸に感謝のことばが寄せられることはめったにないが、業界用語で言う「機をすべらせて・着陸させた」《グリース・ワン・イン》ことが自分にだけわかっていればそれでいいのである。

ジルの〈責任感〉と〈規律性〉はどのように活かされているか。以上はそのわかりやすい説明になっていると思うが、では〈学習欲〉はどうか。複雑で細かい操縦技術を意欲的に学ぶこと以外、仕事には活かされていない。それより〈学習欲〉の効力はフライトのない日に表れている。彼は大変な読書家で、ピアノの腕もかなりのものなのだ。さらに、ドイツ語とスペイン語も現在学習中だ。そのわけは？　ジル自身はこう答えている。「特に意味はないな。必ずしも自分に利益をもたらすものを学んでるわけでもないんでね。学ぶことが好きだから、学んでるだけだ。私は新たな技術を身につけるのが好きなんだよ」

どの例もわれわれに、職務を問わず、卓抜した域に至る道は何本もあることを教えてくれる。確かに、ある特定の職務に向いている、ある特定の資質というのはどうやらありそうだ。しかし、自分の資質のいくつかがある職務に向いていないように見えるからといって、その職務が自分に適していないと決めつけてはいけない。

人間の強みに関するわれわれの探求は、「望めばどんなことでもできるようになる」などという人を惑わす極端な考えに与《くみ》するものでは断じてない。そうではなくて、それがどんな役割であれ、**自分の主要な資質が常に活かせるような演じ方を考えれば、最高のパフォーマンスを演じることができる**ということだ。すなわち、自らの資質に焦点を当てることで、強みを活かせる職務を開拓することができるということである。

第6章

強みを活用する

「フィデル」、サム・メンデス、フィル・ジャクソン
一人ひとり

「フィデル」、サム・メンデス、フィル・ジャクソン
——彼らの成功の秘訣は何か

失敗を避けるために、マネジャーにできることはいくつもある。明確な目標を掲げる。それぞれの業務の根本的な意義を従業員一人ひとりに意識させる。従業員が誤ったことをしたときには戒める。反対に、正しいことをしたときには誉める。これらのことを機会あるごとに適切な形で行うことができれば、まず失敗することはない。

しかし、失敗しないからといって、それがすなわち成功ということにはならない。卓越したマネジャーになるには——従業員一人ひとりの才能を生産性のある確固たる強みに育てるには、さらにもう一つきわめて重要なことがある。どれほど苦労して目標を掲げようと、どれほど苦労して業務の意義を伝えようと、失敗を正し、功績を誉めようと、これなくしては卓越したマネジャーにはなれない。それは〈個別化〉だ。次に紹介するのは〈個別化〉とは何かということがよくわかる例である。

ラルフ・ゴンザレスは、驚異的な成功を収めた総合家電ディスカウントストア、ベスト・バイの店舗マネジャー。二年前、業績が思わしくないフロリダ州のハイアレア店の立て直しを任された。彼の情熱と独創性は、いささか面食らうほど若き日のフィデル・カストロを思わせる風貌と相まって、ただちに店に新風を吹き込んだ。彼は従業員に自覚を促し、目標を明確に持たせるために、店を

「革命《ザ・レボリューション》」と名づけ、従業員を革命家と呼びさえした（フロリダ南部に根づく反カストロ感情を逆撫でもしたが、この戦略はうまくいった）。

さらに革命宣言を起草し、いくつかのプロジェクトチームをつくり、特定のチームのメンバーには軍隊の野戦服を着させた。そして、あらゆる角度から見た営業成績をグラフにして休憩室に貼り出し、少しでも改善が見られると、大袈裟なまでの祝賀会を開いた。また、だれにもすぐれた点があるという意識を持たせるために、全従業員に笛を持たせ、平社員であれ、主任であれ、マネジャーであれ、だれかが「革命的」なことをしているのを目撃したら、必ず笛を思いきり鳴らすよう指示した。その笛の音は、今では一日じゅう店内の至るところで鳴り響き、スピーカーから流れるボブ・マーリーの曲が聞こえないほどだが、その笛の効果はグラフの数値が如実に物語っている。売り上げの増加、利益の増加、顧客満足度、従業員の定着率、どの点を見ても、ハイアレア店は、ベスト・バイ全店舗の中でこのところ常に上位の成績を収めている。

が、驚いたことに、ラルフにインタビューをすると、彼は自らの成功の要因は、革命的戦略でもなければ、笛の使用でもなく、若き日のカストロに自分が似ていたからでもないと答え、かわりにこんなことを言った。「すべては従業員を知ることから来ています。新しい従業員が入ってきたら、私は必ず最初に『人相手の仕事と商品相手の仕事、きみはどちらが向いてると思う？』ってきくんです。要するに、客と接するほうが仕事を愉しめるか、それとも、一つひとつの商品が客の眼に止まるよう、配置を考え、陳列するのが好きか、ということです。人相手の仕事に向いてるという答えが返ってきたら、その従業員が自然な笑みを浮かべることができるかどうか、一定期間観察します。そして、できると判断できたら、会計カウンターか顧客サービス窓口を任せます。さらにその人が、販売能力にも長けてると思えば、客が一番多い時間帯に、くわしい説明を要する新製品の実演販売をさせることもあります。それからもう一つ、その人がどのように扱ってほしいのかを考えます。たとえば、売り場担当マネジャーは、毅然とした態度を取ることと挑発的な対応をすることを私に望んでます。彼自身そういったタイプで、私にも同じことを期待してるんです。一方、在庫担当マネジャーの場合は、状況はがらりと変わります。彼は何かを始めるにあたって、なぜそれをしなければならないのか、その理由を私の口からはっきりと聞き、話し合いたいと思ってます。こんなふうに、私は従業員を観察し、一人ひとりがどのような人物か見きわめます。まずこれをしなければ、どんなこともうまくいくわけがありません」

ラルフ・ゴンザレスは、フロリダ南部の慣れない土地で、骨身を惜しまず働き、従業員に対しては一人ひとりに適した個別の対応を徹底している。しかし、このやり方は彼特有のものではない。世のすぐれたマネジャーはだれしもラルフと同じ方策を立てている。それは、ギャラップがこれまでに行ったインタビューからも明らかになっている。工場、デパート、病棟、証券取引所などあらゆるところで、われわれは何人ものラルフと同じようなマネジャーに出会った。片田舎の小さな商店から大都会の大企業に至るまで、卓越したマネジャー全員に共通しているのはみな「個性化を重要視している」ということだ。

「アメリカン・ビューティー」でアカデミー賞を受賞した若き監督サム・メンデスは、イギリスの新聞「インディペンデント」紙に成功の秘訣を次のように語っている。「私はマスタークラスの監督じゃない。指導者ではなく、水先案内人のようなものだ。方法論などない。私が意識してるのは、役者は一人ひとりちがうということで、撮影現場では彼らのそばにいて、肩をたたき、『ここで見てるから、きみがどのように演じてるか、それはちゃんとわかってる』と声をかけるようにしてる。ケビン・スペイシーはジョーク好きで……カメラがまわる直前まで、エージェントかだれかと携帯電話で話をしていて、物真似なんかやってる。リラックスすればするほど、陽気になればなるほど、彼は演技を頭で考えなくなる。『アクション！』の声がかかったあとの彼はまさにレーザービームだ。ケビンの場合、リラックスすることが自然な演技につながるんだね。アネット・ベニングのほうは音楽だ。撮影の三〇分前にはヘッドフォンを耳に当てて自分の世界に閉じこもり、集中して、自分の演じる人物が好みそうな音楽を聞いてる。役者に眼を配り、一人ひとりの性格や考えを知ること。私はそれが私の仕事だと思ってる」。そう言って、彼は最後に自分の考えを次のようにまとめている。「でも、個々に向ける私のことばは個々の頭脳に適したことばじゃなきゃいけない」

シカゴ・ブルズを六度NBAチャンピオンに導いた監督フィル・ジャクソンは、ロサンゼルス・レイカーズに移籍したとき、禅の思想、瞑想、トライアングル・オフェンスなど、シカゴ・ブルズで功を奏したやり方すべてを持ち込んだ。また、本の力も借りて、若きスーパースター、コービー・ブライアントにはポール・ビーティーの*The White Boy Shuffle*（ホワイト・ボーイ・シャッフル）を渡した。この本は、白人社会で育った黒人少年の物語で、フィラデルフィア郊外で育ったコービー自身と重なるところがあった。世界で最も評価が高く、最も有名な選手の一人、シャキール・オニールにはフリードリヒ・ニーチェの自伝『この人を見よ』を選んだ。それはもちろん、アイデンティティーと名声と権力を探し求めた人間の話だからだ。俳優志望と言われているリック・フォックスには、有名な映画監督エリア・カザンの自伝を贈った。

どうして選手一人ひとりに異なる本を選んだのか。ジャクソンは次のように語っている。「本は、私が彼らを高く評価し、彼らがどのような人物なのか注目している、という証《あかし》だからさ」

世のマネジャーはみな彼らと同じことができる立場にいる。従業員一人ひとりの人となりに注目し、一人ひとりの行動傾向を知り、サム・メンデスが言っているように、「個々の頭脳に適したことば」を見つける。目標は従業員によって異なるだろう。仕事の与え方、企業理念の伝え方、誤りの正し方、強みの育て方、どれをとっても一律にはいかないだろう。誉め方も、何を誉めるのか、どうして誉めるのか、それもさまざまだろう。しかし、つまるところ、マネジャーたるものはあらゆる状況で従業員一人ひとりに適した対応が取れなければならない、ということだ。

なんとも厄介な仕事のように聞こえるかもしれないが、人の上に立つ者にはこれは避けて通れない。どんな従業員も少しずつ異なる形で組織に組み込まれている。そのことを忘れず、能力のある従業員を組織に置き、より望ましい成果を上げたいと思うなら、一人ひとりの独自性を把握し、その独自性を活かす方法を見つけることだ。

しかしこれには、しばしば二つの大きな障害が伴う。まず一つ、企業の多くが、決まった手順で仕事を進め、能力に対して固定観念を持っており、従業員はみな均質で、枠に収まらない従業員がいたら、ほかと同じになるまで再教育すべきだという認識のもとに動いていることだ。そういった企業でマネジャーが個別化を実践しようとすれば、必ず衝突が起きる。

もう一つは、従業員一人ひとりに個別に対応しようとすれば、当然のことながら、全員を一様に扱うより時間がかかるということ。マネジャーにはほかにもすべきことが山ほどあるので、ラルフにしてもサムにしてもフィルにしても、一人ひとりのパターンを無視して、ただひとこと「いいか、これが私のやり方だ。気に入ればよし。気に入らなければ、黙って従うか、どこかほかに行くかだ」と言ってしまったほうが、はるかに簡単だっただろう。三人ともそうはしなかったが、一人のマネジャーが三〇人から四〇人、場合によっては五〇人もの従業員を管理しなければならないような企業では、たとえマネジャーが楽な道を選んだとしても、それはだれにも責められまい。

まず最初の障害だが、これに関してはわれわれはあまり役に立てない。あなたの企業のリーダーたちに、次の章を読むよう勧めてほしいというぐらいしかできない。同じ業務に就いている従業員全員が、同じやり方を身につけるよう教育しているような企業で、〈個別化〉を実践すれば、反発を買うのはまず免れないだろう。二つ目の障害は、ただ時間不足が理由なわけで、かぎられた時間の中で、一人ひとり異なる従業員の才能をどのように活かせばいいか、その方法を見つけるためにも大いに本書を利用してほしい。

一人ひとり
——個々の従業員の三四の資質をどう活かすか

仕事でだれかとうまくやっていく方法をほんとうに知りたいのなら、その人とゴルフを一ラウンドまわればいいという人がいる。この方法が効を奏することもあるだろうが、とりたてて実用的とは言えない。ゴルフが嫌いな人もいれば、逆にやりたくても一八ホールはまわれない忙しい人もいるからだ。ゴルフより少ない時間で一人ひとりの強みを探る方法がある。

従業員一人ひとりが持つ五つのすぐれた資質がわかれば、このあと紹介する「個々の資質の活かし方」の該当個所を読んでほしい。その選択については従業員本人と適宜話し合うのも悪くない。互いに話し合って活かし方を考えるというのも。一気に従業員全員の才能を伸ばそうとせず、一人ずつ取り組んでいけば、いずれラルフ・ゴンザレスやサム・メンデスやフィル・ジャクソンのように、完璧に近い実践者になるのも夢ではない。

従業員を知るのに何より有効なのは、言うまでもなく当の相手と一対一で過ごすことである。あなたが〈個別化〉の資質に恵まれていればなおさらいい。が、あなたの意図が相手に伝わらなければ、相手に信頼されていなければ、どんな策も徒労に終わる。信頼されてはいるが、時間が足りない。そういう向きには次に挙げる方法が大いに役に立つはずだ（三四の資質は五〇音順に掲載）。

〈アレンジ〉を強みとする人の活かし方

・この人は責任ある仕事で才能を発揮する。知識や技術レベルに応じてできるかぎり責任を持たせるといい。
・要するに、この人は管理職にふさわしい器だということだ。〈アレンジ〉の資質を活かし、一人ひとり異なる強みを持つ従業員たちを同じ目標に向かって一致団結させる術を心得ている。
・プロジェクトを立ち上げるときには、プロジェクトチームのメンバーの選択と配置を任せる。この人はメンバー一人ひとりの強みを最大限に活かし、チームに貢献させる術を知っている。
・また、複雑で多岐にわたる業務を与えられるとがぜん闘志を燃やす。同時に複数の業務をこなさなければならない環境のほうが好きなのだ。
・いざというときに機転が利くので、順調に進んでいない業務があっても安心して任せられる。必ず自ら進んで打開策を見出してくれるはずだ。
・〈アレンジ〉以外の資質にも眼を向け、〈規律性〉にもすぐれているようなら、業務が滞りなく進む手順、システムづくり、組織づくりにも才能を発揮することだろう。

・相互の信頼と協力関係を基準にチームをつくるのがこの人のやり方だ。だから、この人が信頼できないと思う相手、真剣に仕事に取り組まないと思う相手は、この人のチームに入れてはいけない。

〈運命思考〉を強みとする人の活かし方

・この人は頑固なまでにある社会通念を固持していることがある。それはどんな社会通念なのか、真剣に耳を傾け、できるだけ受け入れるようにする。この人の場合、そういうことで強い信頼関係が築けることが多い。

・精神性を重んじる傾向があり、それが強い信念になっている。それはどんな信念なのか知ることだ。その信念があなたの信念と異なっていても、ともかく認めるといい。そうすることで、意思の疎通が一気にスムーズになるだろう。

・企業内のさまざまなグループとの架け橋となるよう促すといい。この人は、人と人との結びつきというものは自然なものと思っているので、人間というものは互いにどれほど依存し合っているかということを人に伝えるのが上手だ。適所に配属すれば、チームのまとめ役にもなれる。

・進んで企業内での自分の使命について考え、その使命を推進しようとする人だ。組織、すなわち「個」より大きな存在の一員であることに満足を覚えるのである。
・あなたにも〈運命思考〉の資質があるようなら、情報を共有し、経験を分かち合うのも悪くない。そうすることで、個々の目標をさらにはっきりと見定めることができるようになるだろう。

〈回復志向〉を強みとする人の活かし方

・企業内の問題を突き止める必要があるときには、この人の観察力は非常に頼りになる。鋭い洞察力を活かし、きっとあなたの要求に応えてくれるだろう。
・最も大切な顧客に関係のある問題を処理する部署に配属する。大いに意欲的に問題の発見と解決に取り組むだろう。
・早急に改善しなければならない事態になったときには、一役買ってくれることをあてにしていい。慌てふためくことなく、問題点を見きわめ、実際的な方法で事態の改善を図ってくれるはずだ。

・この人がなんらかの問題を解決したら、その功績を高く評価することを忘れてはいけない。困難な局面を打開する、その一つひとつがこの人には成功であり、あなたにも同じ見方をしてほしいと思っている。障害を取り除き、前進するこの人の能力は、だれもが頼りにしている。そのことを本人に伝えるのも忘れないように。

・この人でさえ解決に苦労しそうな問題については、援助を申し出る。この人は問題解決能力に自らの存在意義を見出しているので、未解決の状態が続くと、自分一人が敗北したように感じてしまうことがままある。そうなるまえに手を打つべきだ。

・何を改善したいか尋ね、それを自分の半年の目標とするよう指示する。そうした指示はむしろ歓迎されるはずである。

〈学習欲〉を強みとする人の活かし方

・状況が刻々と変化する分野で、その変化に即応しなければならない職務を任せる。そうした変化を自分の能力に対する挑戦と見て、意欲を燃やすタイプだ。

・この人は、そうする義務があろうとなかろうと、新たな事実や技術や知識を貪欲に身につけようとする。だから、学習により適した環境を求めて、あなたの企業を離れていかないように、この人が自由に学習できて、モチベーションを維持できる方法をあれこれ考えるといい。仕事を通して学習できる機会に欠けるようなら、この人の関心が向かいそうな地元の大学や教育機関の講座に通わせるのも一案だ。ただし、この人は必ずしも昇進を望んでいるわけではないということを忘れないように。この人にとっては学習することそれ自体に意義があるのだ。学習の成果ではなく学習のプロセスそのものがこの人を活性化させるのである。

・学習の進捗状況を見守り、そのつど到達したレベルを明確にする。そして、その進歩に対しては賞賛のことばをかける。

・「販売の第一人者」や「部内の専門家」になることを促し、そのための講座を受けられるよう手筈も整える。そして、各段階で目指すレベルに到達すれば、そこまでの過程を認める。証書やメダルを与えるのもこの人にはその後の励みになるだろう。

・同じ分野の第一人者のそばで仕事をさせ、学習欲が刺激される環境に置く。

・企業内の討論会やプレゼンテーションを取り仕切るよう促す。人に教えることほど自らが学習できる機会もないからだ。

・企業外で教育を受けつづけられるよう経済的にも援助する。

〈活発性〉を強みとする人の活かし方

・部署全体の新たな最終目標や改善点を相談する。そして、この人に合う分野を選び、企画の立案および推進を任せる。

・この人には始動能力があること、そのことをあなたが信じていること、ここというときに頼りにしていることを伝えておく。この人にとって期待はエネルギーの源になる。

・停滞し、議論を重ねるばかりで成果を上げられないチームを任せる。そういうチームを前進させる活性剤となるはずだ。

・この人から苦情が出たときには真剣に耳を貸す。その苦情から逆にあなたのほうが学ぶこともあるかもしれない。だから、この人の側に立ち、この人が率先できる新たな計画や明日にでも実践できる改革について話し合う。ただ、この人にはすばやい対応が必要となる。放っておくと、業務の障害となる要因を生み出す可能性もあるからだ。

・〈活発性〉以外にきわだった資質はないか探る。〈指令性〉にも秀でていたら、販売や勧誘に天性の才能を発揮するかもしれない。また、〈親密性〉や〈社交性〉の資質を持っているようなら、人材登用にすぐれた手腕を発揮し、新人の発掘および戦力増強に一役買ってくれるかもしれない。

・障害に頻繁にぶつからないよう、この人には〈戦略性〉または〈分析思考〉にすぐれた人を組ませる。そういった人たちは、〈活発性〉にすぐれた人が岐路に立ったとき、大いに助けとなる。しかし戦略や分析が先走り、〈活発性〉の障害になりそうなときにはあいだに入って調整する。

〈共感性〉を強みとする人の活かし方

・この人には企業の従業員一人ひとりが何を感じているかを知る手助けをしてもらう。他人の感情を敏感に察知するのがこの人の能力だ。

・ある特定の職務を与える場合、承諾を得るまえに、関連する問題についてこの人も含めてほかの人たちがどのように感じているか尋ねる。この人にとって感情とはリアルで、より実質的なものなのだ。だから、どんな決定を下すときにも感情に重きが置かれる。

・この人が涙を流したら、気づかいはしても過剰反応してはいけない。涙はこの人の生活の一部で、他人の喜びや悲しみに当人より心を動かされ、まるでわがことのように喜んだり、悲しんだりするのである。

・〈共感性〉が特別な天賦の才であることを自覚させる。この人にとっては、あまりにも自然のことなので、ほかの人も自分と同じと思っているかもしれず、また、〈共感性〉が強いことを恥ずかしく思っている場合もあるからだ。それが長所であることをわからせ、すべての人のために活かせる方法を示すといい。

・この人は論理的にというより直感的に決定を下すので、ある行為が正しいと思っていても、その理由を明確にことばで説明できないことがあるが、往々にしてこの人の判断は正しい。だからこの人には、「われわれがすべきことについて、あなたは心の奥底ではどのように感じているか」という尋ね方をするといい。

・積極的で楽天的な人と一緒に仕事をさせる。そうすれば、相手の性格に感化され、意欲が湧くはずだ。逆の言い方をすれば、悲観的な冷笑家と一緒に仕事をさせてはいけないということだ。彼らはこの人を意気消沈させることしかしないだろう。

・ある行為に対して、その必要性が従業員や顧客に理解できないときがある。そういうときこそこの人の出番である。理解できない人たちには何が見えていないか、的確に指摘してくれることだろう。

〈競争性〉を強みとする人の活かし方

・この人と話をするときには、競争心をかきたてることばを多く用いるといい。特に勝負の世界に関する話は効果的だ。この人に言わせれば、目標の達成とは勝ちであり、達成できなければ負けなのだ。プランニングや問題解決の業務を任せるときは、「相手を出し抜け」といったようなことばがこの人にはプラスに働く。

・ほかの人と比較した結果をもとに、評価を下す。同じタイプ、つまり競争心の資質を持つ人との比較が特に有効だ。ときには全従業員の業務成績を公表せざるをえないようなこともあるかもしれないが、そうした公での比較を愉しめるのは、〈競争性〉にすぐれた人だけだということを忘れないように。〈競争性〉のない人たちはむしろ憤りや屈辱を覚えることだろう。

・競い合う場を設ける。あなたの組織には適当なライバルが見つからず、ほかの部署から相手を連れてこなければならないような場合にも、とにかく他者と競い合わせることだ。この人は技術レベルにほとんど差のない人との競争を好む。自分よりレベルの低い人との競争には、あまり心が向かわない。

・一方で、この人が勝てる場をちゃんと確保しておくことも重要だ。負けがあまりに長く続くと、この人はやる気をなくしかねない。この人が重要視するコンテストに参加するのは、競うことを愉しむためではない。勝つために競っているのだ。

・この人を活かす最良の方法の一つは、より卓越した成果が得られる人（その人もまた〈競争性〉にすぐれた人でなければならないが）をまた別に雇うことだ。

・才能全般について話し合う。〈競争性〉の資質を持つ人はだれもみな、勝利者になるには才能が欠かせないということを知っている。この人の才能を把握し、勝つにはすべての才能をあますところなく活用する必要があることを伝える。ただし、勝利が昇進につながると思わせてはいけない。ピーターの法則（階層社会の構成員は各自の能力を超えたレベルまで昇進するというもの）を体験させてはいけない。真の才能が活かされる分野で勝利を手にすることに集中させることだ。

・負けたときには、この人にも気持ちを整理する時間が必要だろう。そんなときにはそっとしておく。しかし、それを長引かせない。できるだけ早くまた勝負のできる機会を与える。

〈規律性〉を強みとする人の活かし方

・でたらめで無秩序な状況を体系づける機会を与える。規則性のない混乱した状況では、この人はまったく落ち着くことができないので（そんなことをこの人に期待するほうがまちがっている）、秩序が回復し、展望が見える状態になるまでは休もうとさえしないだろう。

・しかし、この人にとって混乱は不快の種だから、物理的に混乱した状況に長く置いて忍耐を強いてはいけない。混乱を収拾させる任にあたらせるか、異なる環境に配置換えをするかのどちらかだ。

・仕事の最終期限を必ずまえもって伝える。この人は常にその期限より早く仕事を終える必要性を感じているので、スケジュールを伝えておかなければ、余裕を持って仕事を終えることはできない。

・計画や優先事項を変更するときも同様だ。突然の通達は苦痛以外の何物でもないので、そういうことがあると、とたんに仕事が手につかなくなる。

・決められた一定の期間に複数の仕事をしなければならないとき、仕事の優先順位をつけることがこの人にはきわめて重要である。だから、時間を取ってでも一緒に優先順位を考える。優先順位が決まったら、むやみにそれを変更しない。

・必要なら、あなたが計画を立てたり、あなた自身の仕事を系統立てたりする手伝いを頼むといい。あなたの業務上の時間配分の見直しにしろ、部門全体の業務手順のいくつかを改善する計画の再検討にしろ。それがこの人の強みであることをほかの従業員にも伝え、同じような状況が生じ、助けが必要になったら、この人のところに行くよう勧める。

・仕事を効率よくこなしていく上で、〈規律性〉は心強い味方となる。柔軟性や臨機応変な対応が求められる環境で仕事をしなければならないときには、起こりうるさまざまな状況への対処法を自分なりに決めておくよう助言する。たとえ突発的なことが起きてもまえもって対処法を決めておけば、この人もむやみに動揺しなくてすむ。

〈原点思考〉を強みとする人の活かし方

・この人に何か用件を頼むときには、その経緯を丁寧に説明する。この人は物事の原点や背景が理解できないと、イエスとは言わない。

・この人を新たな同僚に紹介するときには、この人が実際の業務に就くまえに、同僚たちに経歴を含めた自己紹介をさせる。

・会議のときには、どういうことが話されたのか、何が明らかになったのかということに関するこの人の論評を聞くことを心掛ける。なんらかの決定がなされる際、みんながその内容をきちんと理解していることを強く望むタイプだ。

・この人は過去の事例と照らし合わせて物事を考える。たとえば、「似たような状況に出くわしたのはいつか」「何をしたか」「何が起きたのか」「何を学んだのか」といったことを常に考えている。その才能を活かし、ほかの人たちが何かを習得する手助けをさせる。特に、ケーススタディーが必要になったときには欠かせない存在となる。問題がなんであれ、その問題に関連する秘話や逸話を集めて、個々の話から学ぶべき点を選ぶよう指示する。ケーススタディーに関する学習会を開くよう勧めてもいい。

・この人は社風に逆らわない形で行動する。だから、社風の礎石となるような行動を実際に取っている人たちの逸話を集めるよう指示するといい。ニューズレターや研修講座やウェブサイトやビデオなどいろいろな形で、その逸話を広める機会を与えるのも一つの手だ。そうすることで社風の強化が図れるだろう。

〈公平性〉を強みとする人の活かし方

・プロジェクトが終了し、あとからチームを評価するときには、この人にメンバーの貢献度を採点してもらうといい。一人ひとりの働きについて的確な判断を下してくれるだろう。

・新たな業務を日常的に行う必要が生じた際には、この人の助けを得てその履行形式を決めるといい。

・環境が大きく変化するときには、どこかでこの人の支えとなることを心掛けることだ。この人は未来が予測でき、うまくいくと確信できないと、安心できないタイプである。

・分析が必要な仕事では個人の分析ではなく、集団の分析を任せる。この人は個人の特性より集団全体の特徴をつかむことに力量を見せる。

・マネジャーとして、絶対的な規定を一律に適用することを強いられ、従業員一人ひとりの力量に応じた対応ができないときには、この人にも参加してもらい、対処してもらうといい。当然のようにすべてを公平な眼で判断し、さらにそれぞれの判断について、納得のいく説明もしてくれるだろう。

・性格も能力も異なる多くの従業員を公平に扱わなければならない状況で、その規定を説明する役割に最適な人だ。

・実利的なので、ブレーンストーミングや長期計画のような観念的な仕事より、結果が明確にわかる仕事や何かを決定する仕事のほうが向いている。

〈個別化〉を強みとする人の活かし方

・数多くのポジションにそれぞれだれを据えるか決定する人事会議には、この人が欠かせない。候補者一人ひとりの強みと弱点が冷静に判断できるからだ。

・企業の生産性向上のための手助けもこの人から借りるといい。だれに対しても強みと弱点を基準に適材適所を考えてくれるはずだ。

・自らの強みを活かしている従業員に相応の給与を支払うための能力給システムづくりにも参加してもらう。

・何を考えているのか把握しづらい従業員がいるときには、この人の洞察力に頼るのも悪くない。従業員の眼から見た世界を提供してくれるだろう。

・ある従業員の仕事ぶりに問題を感じたら、どのような手が打てるか、意見を求める。その従業員に対する適切な対処法を考え出してくれるはずだ。

・必要に応じて、社内の研修を担当させたり、少人数の新入社員の教育係を任せる。この人は一人ひとりに適した指導法を見きわめる能力に長けている。

・さらに〈個別化〉以外にもきわだった資質はないか探る。〈成長促進〉や〈アレンジ〉にもすぐれているようなら、管理職に適した能力も備えているはずだ。また、〈指令性〉と〈社交性〉にもすぐれているようなら、見込みのある客を常連客にするといったことにおいても才能を発揮してくれるはずである。

〈コミュニケーション〉を強みとする人の活かし方

・企業に対してより大きな貢献ができるよう、この人の〈コミュニケーション〉の才能をさらにどのように発展させればいいか、その方法を探る。

・この人は他人と接することを苦痛と思わない。だから、得意先や潜在的な顧客をもてなすための親睦会や会食を催すときには、できるかぎり出席させるといい。

・この人には、企業内の伝説や面白い逸話をできるだけ多く仕入れるように言い、それを同僚に話す機会を多く与える。社風を浸透させ、また、徹底させる役割を果たしてくれるだろう。

・この人の人生や経験に関する話にはしっかり耳を傾ける。そもそもそういう話をするのが好きなのだ。また、あなたのほうも愉しんで聞けるはずだ。そういうことがお互いの信頼関係をより強固なものにしてくれる。

・親睦を図るための行事について話し合う。目的にかなった愉しい行事を考え出してくれるはずだ。

・企業内のスペシャリストたちが、求心力のあるプレゼンテーションを行えるよう、補佐役を務めさせる。ときには、スペシャリストにかわってプレゼンテーションを行わせてもいい。

・スピーチを学ばせたければ、一流の指導者が担当する少数精鋭のクラスに送り込むことだ。矯正目的の初心者クラスでは、まずまちがいなく不満をつのらせるだろう。

〈最上志向〉を強みとする人の活かし方

・この人は仕事で最高の成果を収めることと、そのための手段を考えることに何より興味を持っている。反対に、失敗に終わったことをもう一度立て直すことには、あまり意欲を示さない。

・だから、問題処理に終始する役割に就かせるのは考えものだ。

・この人があなたに求めているのは、強みを認め、その強みを高く評価してもらうことだ。弱点を指摘し、矯正するよう指導してばかりいると、不満をつのらせるだけだろう。

・この人の強みについてはことこまかに、その強みを企業の利益につなげるにはどの部署で、どういった業務にあたればいいか、本人とよく話し合うことだ。この人はそうした話し合いを好み、自らの強みを最大限に活かそうと、実用的な提案を次々と出してくるだろう。

・できるかぎりキャリアパスを用意し、それぞれの段階に応じた報酬が得られるよう気を配る。そうすれば、この人は成長しつづけ、与えられた職務ですぐれた成果を収めるだろう。この人は自らの強みが活かされる道を無条件に選ぶ。収入は増えても強みが活かされない道を選ぶことはまずない。

・企業内における最もすぐれた業績を調査するときには、プロジェクトチームの中心に据えるといい。生まれながらに優秀さに対する探求心を持っているからだ。

・従業員一人ひとりの業績を評価し、それぞれに応じた賞与を与えるための査定プログラムが必要になったら、この人に任せるといい。各職務において優秀さとはどのように見えるものか、進んで考えてくれるだろう。

〈自我〉を強みとする人の活かし方

・この人は独立心がすこぶる強い。だから、干渉しすぎは禁物である。

・この人にとっては自分の業績や貢献を認めてもらうことが何より重要である。だから、できるかぎり裁量の余地を与えるといい。そして、その経過を黙って見守り、あらゆる段階で賞賛のことばを惜しまないようにするといい。

・この人は、目立つこと、認められることが大好きな人だ。注目の的になり、プレッシャーをかけられるのが愉しいのである。だから、だれもが納得する形で、注目される立場に据えるといい。そうすることで、この人が自分からそういう立場に立とうとして、まわりと不協和音を奏でることが防げる。

・この人には、信頼でき、生産力があり、専門職に就いている人たちと関わる仕事が向いている。最も優秀な人たちとともに働ける環境。それがこの人の望みだ。

・グループ内でだれかほかの人が見事な業績を上げたときには、その功績を積極的に賞賛するよう促すといい。この人はほかの人をいい気分にさせることを愉しむ気質も備えている。

・達成欲に燃えているときには（この人が燃えないはずがない）目標達成のために発展させなければならない強みは何か、明確に伝えるといい。その際、目標を下げるようには絶対に言わないこと。強みを発展させる段階に準じる、なんらかの基準を持たせるようにするといい。

・この人には人から認められることが何にも勝るほうびとなる。だから、相応に認められないと、自尊心がひどく傷つけられたと思う。そんなときには、改めて意識を自らの強みに向けさせ、その強みを活かせる新たな目標を定めるよう助言する。目標のあることそれ自体がエネルギーの源泉となるのである。

〈自己確信〉を強みとする人の活かし方

・重要な決定を下す権限のある職務に就かせる。この人は他人からの指示を望んでもいなければ、必要ともしていない。

・この人にとって、成功への鍵は不屈の精神である。自らが決めた道に確信を持っているため、方向を変えるよう圧力がかかったとしても、決して意志を曲げない。だから、この資質が活かせる役割を与えなければならない。

・終始一貫した態度がこの人の強みだ。重大な局面で、内面からにじみ出る威厳は、同僚や顧客に安心感を与えるだろう。
・自分は行動派というこの人の自己像を支持し、「きみに任せる。うまくやってくれ」にしろ、「直感でどう思うか言ってくれ。私はきみの直感を信じている」にしろ、そういったことばをかけて励ます。
・この人の決定や行動が生産力の向上に直接つながっていたら、そのことをちゃんと本人に伝える。特にすぐれた成果を収めた業務を取り上げ、話をするといい。成果や結果に多大な影響を与えていることが確信できると、さらに実力を発揮する。
・この人には真の強みが活かせないおそれのある分野でも、何かできると思い込んでいる節がある。分野に関係なく、〈自己確信〉がいい結果をもたらすこともないわけではないが、自己主張が過ぎたり、判断を大きく誤ったときには、即座に指摘するといい。この人は根本的な修正を行おうとする人で、的確なフィードバックを望んでいる。
・〈自己確信〉以外のきわだった資質にも眼を向けること。〈未来志向〉〈目標志向〉〈自我〉〈アレンジ〉。このうちいずれかの資質も兼ね備えているようなら、いずれ指導的立場に立つ潜在能力を秘めていると判断していい。

〈社交性〉を強みとする人の活かし方

・この人は、毎日、新しい人と出会う機会のある職務に向いている。人との出会いがこの人のエネルギーの源だからだ。

・だから、外部の人が初めて企業と接触する窓口に据えるといい。相手の緊張をほぐし、企業に対する好印象を与えること請け合いである。

・出会った人の名前を覚えやすい方法を考えさせ、必要に応じて助言し、できるかぎり多くの人の名前と、その人たちの個人情報を覚えるという目標を与える。あなたの企業と市場とのつながりの発展に大きな役割を果たすだろう。

・〈共感性〉と〈親密性〉の資質を備えていないかぎり、顧客との密接な関係を築く職務まで負わせてはいけない。新しい人と出会い、対応し、そして企業に顧客を惹きつける。そこまでがこの人の役割だ。

・この人の〈社交性〉はあなたを惹きつけ、あなたはこの人に少なからず好意を持つかもしれない。が、この人に新たな役割を与えたり、新たな責任を担わせたりするときには、感情に左右されてはいけない。この人の真の強みを冷静な眼で見きわめる必要がある。

・可能なら、あなたの企業が地域と親睦を図る際、その手助けを頼むのも悪くない。企業の顔として地域のクラブや会合に参加させるのも一案だ。

〈収集心〉を強みとする人の活かし方

・天性の〈収集心〉を活かし、企業にとって重要な問題を調査させる。この人は調査を通じて知識が増えることに喜びを覚えるタイプだ。

・大規模な調査を行う部署に配属する。

・〈収集心〉以外のきわだった資質にも眼を向ける。〈成長促進〉にもすぐれているようなら、指導者や教育係としても手腕を発揮し、実話や寓話を織り交ぜた求心力のある指導をしてくれること請け合いである。

・常に企業内のニュースを伝える。内情に通じている自分に満足を覚えるタイプだからだ。だから、きっと読みたがるだろうと思われる本や記事や書類は、できるだけこの人の手に渡るよう心掛ける。

・インターネットを積極的に利用させる。必要と思われる情報はすべて集めてくれるだろう。集めた情報はすべてが即座に役に立つとはかぎらないが、情報収集はこの人の自尊心を高めるのに必要な作業なのである。

・集めた情報を蓄積するシステムづくりを促す。システムが完備していれば、ときに応じて必要な情報を確実に得ることができる。

・会議に出る際には必ずこの人に情報を求める。そして、折りを見て「きみにはわれわれが必要とする情報が初めからわかってるみたいだね。正直なところ、驚いている」といったような賞賛のことばをかける。

〈指令性〉を強みとする人の活かし方

・プロジェクトを見直し、軌道修正する必要があるときや、説得しなければならない人がチーム内にいるときには、この人に任せる。

・企業内で起きていることに対する意見を常に求める。だれよりも率直な答えが返ってくるはずだ。同時に、あなたとは異なる発想が得られることも期待できる。この人は無条件に他人の意見に与したりは絶対にしない。

・決定を下す権限をできるかぎり与える。この人は細かい指図を何より嫌う。

・この人が支配権を拡大したり、同僚を混乱させたり、進むべき方向からそれたり、責任を怠ったりしはじめたら、即座に正面きって戒める。具体的な例を挙げて、真っ向から向かい合い、断固とした態度を取り、必要なら、即刻改善するよう求める。そして、できるかぎり早くこの人の生産性が回復するよう手筈を整える。そうすれば、この人は自らの非を必ず認めるだろう。もちろん、あなたに非がある場合は率直に認めること。

・この人の非を追及するのは、最後まで主張を貫く覚悟があなたにできたときだけにかぎるといいだろう。

・あからさまな独断的態度で、まわりの人たちを威圧することがこの人にはあるかもしれない。そのような際には、この人の機動力が企業に与える貢献度が、そうした不都合を補ってあまりあるものかどうか、慎重に判断する。他人の気持ちをくんだり、丁重な応対をしたりするようこの人を指導するより、むしろ独断性がこの人の推進力の源泉であることを同僚に理解させるほうが、場合によっては効果的だ。ただし、その独断性がより攻撃的で、険悪な空気を生むようなものなら、適切な処置を取る。

〈慎重さ〉を強みとする人の活かし方

・即断が要求されるポジションにこの人を就かせてはならない。自分だけの裁量で決定を下すことを好まないからだ。

・だから、じっくり検討するより先に行動を起こしがちなチームやグループに加える。必ずいい影響を及ぼして、そのチームやグループに欠けていた慎重さや、先を見越す能力が現れるようになるだろう。

・物事を考える際、この人は細部に至るまで熟考する。だから、決定を下さなければならないときには、この人に頼み、計画を頓挫させる可能性のある要因を指摘してもらうといい。

・注意が必要な状況、たとえば法的に微妙な問題や安全性を問われる問題、正確を期する問題が持ち上がったときには、この人に主導権を与える。潜んでいるかもしれない危険を直感的に察知し、防御の仕方を教えてくれるはずだ。

・この人は契約の交渉の場で才能を発揮する。特に第一線には立たず、後方から援助する立場に置かれると、並はずれた手腕を見せる。職域を脱しない範囲で頼むといい。

・この人のプライバシーには敬意を払い、この人のほうから近づいてこないかぎり、むやみに親しくなろうとしてはいけない。同様に、たとえ相手が距離を置いていたとしても、それにはあなた個人に対する感情的な含みはない。

・この人には、接客や企業外部の実力者などとのパイプ役、企業に有益な人脈づくりといった仕事は向かない。その種の職務では、感情を表に出す必要があるため、対応しきれないのだ。

・「人を見る眼」は非常にすぐれており、人間関係を築く上でその才能を発揮する。だから、所属を次々と変えるのはあまり望ましくない。仕事をともにする同僚が有能で信頼に値する人物かどうか、この人は何よりまずそのことを確認しようとする。そうした作業にはどうしても時間がかかる。

・この人はマネジャーになっても部下を必要以上に誉めることはない。だから、もしこの人が賞賛のことばを口にしたら、額面どおりに受け取ってまずまちがいはない。

〈信念〉を強みとする人の活かし方

・この人は物事に熱中しやすいので、この人が熱中できるものを見つけ、それと関連のある業務を与えるといいだろう。

・この人の価値観はゆるぎなく、変わることがない。だから、その価値観と企業の価値観が一致する方法を考えるといい。たとえば、どうすれば自社の製品やサービスで消費者の暮らしをよりよいものにできるか、どうやって企業が誠実さや信頼性を示していけばいいか、などについて話し合うといいだろう。また、同僚に協力したり、顧客にただ対応したりといった程度ではなく、もっと責任あるポジションを与えるといい。この人は、日々の自然な言動から、あなたの企業の社風の価値を外部の眼にも見えやすくすることができる人だ。

・この人の家族構成や生活環境をよく知るように心掛ける。理解されればされるほど、この人は企業に忠誠を尽くそうとする。その忠誠を認め、高く評価し、尊重することであなたはこの人から敬意を得ることができるだろう。

・この人はより多い収入を得る機会より、より質の高いサービスを提供する機会のほうに重きを置いている。だから、サービスを重要視するのは当然というこの人の意識をさらに鼓舞する方法を見つけることだ。そういう意識が高まれば高まるほど、よりすぐれた能力を発揮する。

・同調する必要はないが、この人の信念を理解し、尊重し、活用する。あなたが定めた目標、企業の目標のどちらにもこの人の価値観が活かされないようなら、担当業務を変えたほうがいい。

さもないと、最後には大きな衝突がまちがいなく起きる。

〈親密性〉を強みとする人の活かし方

・この人に好感を抱いているようなら、はっきりとことばにして伝えるといい。この人の場合、それは不適切な行為にはならない。むしろ、喜んでくれるはずだ。この人は職場でもプライベートでも親密な人間関係を好む。自分はまわりからどう思われているかということが人より気になるタイプなのだ。

・この人は積極的にまわりの人たちと強い絆を結ぼうとする。しかし、そういった人間関係を築くには時間がかかる。だから、同僚や顧客が頻繁に変わる部署に配属するのは考えものだ。

・同僚一人ひとりの目標をこの人に伝えておく。そうすれば、この人はさらに強い絆を同僚たちと結ぶことができるようになるだろう。

・この人に極秘の情報を教えてもほかにもれる心配はない。生来忠実な人で、信頼というものをとても大切に思っている。あなたの信頼を裏切ることはまずない。

・あなたが維持したいと思っている人物とも偽りのない信頼関係を築くよう促すといい。あなたにとって大切な人と企業を結ぶ絆になってくれるだろう。

・〈親密性〉以外のきわだった資質にも眼を向ける。〈目標志向〉〈アレンジ〉〈自己確信〉。これらのうちの一つにでもすぐれているようなら、マネジャーの資質を生まれつき備えていると言える。この人は従業員たちを見守り、一人ひとりの成功を願っているという思いを従業員にうまく伝えることができる人だ。マネジャーがこういうタイプであれば、従業員は通常より一層意欲的に仕事に取り組むようになる。苦もなくそうした関係を従業員と築くことができるのである。

・この人が持つ包容力も一つの武器だ。その包容力をよく見て、それがどれほど同僚たちに影響を与え、強い絆の一因となっているか、本人にもよく伝える。あなたのそうした眼配りは大いに歓迎され、そのことがお互いの信頼関係をさらに強める一因となることだろう。

〈成長促進〉を強みとする人の活かし方

・部下の中でだれがよく成長しているか、この人にきくといい。ほかの人の眼には映らないわずかな成長も見抜く眼をこの人は持っている。

・だから、従業員の成長に貢献できるポジションを与えるといい。この人に一人か二人選ばせ、その教育係を任せてもいい。あるいは、企業が取り組むべき問題、安全性や利益や顧客サービスなどに関する研修講座を持ってもらうのも悪くない。

・授業料を払ってでも社外の研修に通わせるといい。

・同僚に対して評価する権限を与える。どういった業績が賞賛に値するか判断することを愉しみ、高い評価を受けた同僚は同僚で、その評価が純粋なものであることを素直に理解するはずである。

・この人は管理職やチームリーダーやマネジャーの候補生となる可能性が高い。

・この人がすでに管理職に就いているようなら、将来責任あるポストに就く可能性のある従業員をこの人の組織に送り込む。この人はその新たな部下を正しく指導して、強力な戦力に育て上げてくれるはずだ。

・ほかの人の能力を伸ばし、卓越した力を発揮させる指導者になれる器であることを自覚させる。たとえば、「彼らには自力で記録を破る力はなかった。きみの励ましと信念が彼らに欠けていた活気を与えた」などと直接伝えるのも効果的だ。

・この人は、成果が上がらず、悪戦苦闘している従業員を異動、あるいは解雇すべきときに見かぎらず、長期にわたって擁護するかもしれない。しかし、この人自身が〈成長促進〉の才能をまだ磨いている段階にあるようなら、その才能は、苦難を抱えている人を擁護するためにではなく、可能性のある人を成功に導くために使うべきだとわからせる必要がある。苦難を抱えている人に対する最も発展的な対処法は、その人が真の才能を発揮できる分野を見つけてあげることだとよく理解させる。

〈責任感〉を強みとする人の活かし方

・この人には、自分は決して約束を破らないという強い自負があり、義務を果たさない人が近くにいると、強いいらだちを覚える。だから、チームで仕事をする際、責任感に欠ける人がチーム内にいるようなら、その人とはできるかぎり接する必要のない配置をしたほうがいいだろう。

・この人は自らの仕事の質に自信を持っている。だから、質が損なわれるのを恐れ、大量の仕事を短時間で片づけるような指示には従わない場合も出てくる。スピードのために質を犠牲にするということができない人なのだ。

・だから、仕事について話し合うときにはまず質の話から始めるといい。

・自主性に富んでいるので、逐一指図をしなくても確実に仕事をやり遂げる能力がある。

・完璧なまでの道徳感覚が要求される業務に最適の人物であり、あなたを失望させることはないだろう。

・新たな業務を任せる必要が生じたときには、どのような責任が問われる業務を望んでいるか、しばらく定期的に尋ねるといい。そして、自主性を尊重し、選択の機会を与える。それでがぜんやる気を起こすこと請け合いである。

・一度に大量の責務を負わせてはならない。この人が〈規律性〉の資質に欠けているようなら、特に注意が必要だ。場合によっては、一つ仕事を増やすだけで、大失敗を演じる可能性もある。失敗はこの人が何より忌み嫌うことだ。

・この人はいったん引き受けた仕事は、よほどのことがないかぎりやり遂げる。その能力に惹かれ、あなたはこの人を管理職に昇進させようと思うかもしれない。しかし、それは慎重を期したほうがいい。この人は一人で仕事をするのが好きなのであって、ほかの人の仕事に対して責任を持つのはあまり好まないかもしれないからだ。そうした場合、管理職に据えると、逆にやる気を失うおそれがある。だから、そこのところをよく見きわめ、場合によっては、昇進とはまた別に成長できる道を見つけてあげるのも一つの手だ。

〈戦略性〉を強みとする人の活かし方

・チームの最先端。それがこの人に最も適した場所だ。問題を予測し、解決するこの人の才能はきわめて貴重である。たとえば、あらゆる可能性を探るよう指示するといい。最良の対策を見つけてくれるだろう。最高の戦略を得るのに欠かせない人材である。

・企業全体の戦略についても任せられる器だ。「こういったことが起きたときのために、どういう備えをすればいいか」にしろ、「ああいったことが起きたら、どう対処すればいいか」にしろ、尋ねたら必ず期待に応えてくれる。

・この人に意見を求めるときには、状況を考える時間を充分に与えることだ。自分の中で予測されるシナリオを描いてからでないと、この人は意見を口にしない。

・この人の強みが〈戦略性〉であるとわかれば、戦略を練る力、あるいは未来を読む力を養う講座に参加させる。さらにすぐれた考えを生み出すようになるだろう。

・この人は考えをことばで表現する才能も備えている。この人の思考力をさらに研ぎ澄まさせるには、同僚のまえで話をさせたり、社内報に記事を書かせたりする方法も有効だろう。

・あなたたちと同じ分野で、功を奏した戦略を聞いたり、それに関する記事を読んだら、できるだけ伝えるようにする。この人には大いに刺激になるはずだ。

〈達成欲〉を強みとする人の活かし方

・臨時の仕事が発生したとき、この人に任せるといい。「仕事を終わらせたいなら、忙しい人に頼むといい」などとよく言うが、たいていの場合、そのとおりである。

・この人は忙しくしているのが好きだ。会議の席にすわっているだけでは、退屈するタイプなのだ。だから、自らの仕事に集中させるといい。会議に出席させるのは、この人をほんとうに必要とし、中心的役割が与えられるときだけにかぎる。

・自分の業績は自分で評価できるよう、その手助けをする。この人は就労時間については自ら進んで記録をつけているかもしれないが、それより重要なのが蓄積される成果の自己評価だ。対応した顧客数、名前を知っている顧客数、吟味したファイルの数、顧客になりそうな人に接触した回数、受動者数など、わかりやすい基準を設けるといい。

・この人との信頼関係は仕事をする中で築く。一つの仕事にともに取り組むことで、確固たる信頼関係を築くことができる。仕事のできない人と組ませてはいけない。「さぼり屋」はこの人の天敵だ。

・一つ仕事を終えたからと言って、休息や単純作業を与えることは、この人にとってねぎらいにはならない。そのようなものを望んではいないからだ。むしろ成果が認められ、新たな目標が示されると、さらに意欲を燃やすタイプだ。

・この人は睡眠不足を苦にせず、だれよりも早く一日をスタートさせることをいとわない。早朝出勤や残業が必要な場合には、声をかけるといい。そして、「この仕事を終えるのにどれくらい残業したか」または「今朝は何時に出勤したか」と尋ねる。この人はそういうことに注目されることを喜ぶ。

・自発的に仕事ができるからといって、型どおりに昇進させてはいけない。最も得意とする分野から遠ざける結果になるかもしれないからだ。それより〈達成欲〉以外の資質や強みを正確に見抜き、得意分野でより多くのことが達成できる機会を与えるべきだ。

〈着想〉を強みとする人の活かし方

・この人は独創的な発想を持っている。だから、そうした発想が評価される部署に配属すべきであることは言うまでもない。

・特に企画の面で秀でた才能を発揮する。販売戦略、市場キャンペーン、顧客サービスに関する問題処理、新製品の企画など、どんな分野であっても、企画立案の段階でこの人の才能を最大限に活用することだ。

・企画を立てること自体がこの人の成長の糧となる。企業が予定している企画のアイデアを提示しておくだけで、意欲的にその仕事に取り組み、さらに自らのアイデアを見直し、発展もさせていくことだろう。

・最も大切な顧客たちと共有できるような有益なアイデア、見識を思いつくよう促す。企業のほうからなんらかの考えを提供すると、顧客ロイヤルティーのレベルも向上するということが、ギャラップの調査によっても明らかになっている。

・この人はことばが持つ力を愉しんでいる。だから、何かのコンセプトにしろアイデアにしろパターンにしろ、それらを的確にとらえたことばを思いついたときには、伝えるといい。着想の刺激になるはずだ。

・この人は物事に一貫性がないと納得できない。だから、決定を下すときには時間を割いてでも、一つひとつの決定が共通の理論や概念から生まれていることを説明したほうがいい。

・個々の決定がそれらを超える概念にそぐわないとき、これは例外であるとか、一つの実験であるとか、必ず説明をしておくといい。説明がないと、企業が支離滅裂状態に陥っているのではないかと心配しはじめるのがこの人の性格だ。

〈調和性〉を強みとする人の活かし方

・この人はできるかぎり争いごとから遠ざけたほうがいい。ほぼ確実に衝突が起きると予測される会議には初めから出席させないことだ。出席者同士が対立している状態では、この人は才能を活かすことができない。

・お互い合意の上で仕事手順を決め、その合意について定期的に話し合う場を持つ。この人と同じように〈調和性〉にすぐれた人たちとともに仕事をさせるとよい。まわりから支持されているとわかると、より集中し、より生産的で、より創造的な力を発揮する。

・意見が割れる事柄についてこの人と話し合うのは時間の無駄だ。この人は相手の意見を変えるための議論を好まない。話し合うなら、はっきりとした対策が可能なことに的を絞るといい。

・たとえあなたがまちがっていたとしても、この人は異論を唱えるようなことはしない。〈調和性〉が第一だと考えているので、あなたの考えに非があっても同意を示すことがある。だから、あなたが自分の考えを明確にしておきたいときには、躊躇なく意見を口にできる人を探すべきで、この人はあまり役に立たない。

・一方、意見が対立し、歩み寄りが見られない場にこの人の存在は欠かせない。意見の対立を解消する手立てを必ずしも見つけてくれるわけではないが、同調できる点を見つける手助けにはなる。それで得られた同意点は、そこからまた新たに始める生産的な仕事の共通基盤になるだろう。

・この人は常に自分が何をしているのかしっかりと把握しておきたいと思っている。だから、当人の行動を裏づけるもの（専門家の意見は効果的だ）をできるだけ提供してあげるといい。

〈適応性〉を強みとする人の活かし方

・日々状況に応じて進むべき方向を決めるタイプだ。だから、この人が仕事で成功するかどうかは、不測の事態に柔軟に対応できる能力が活かされるかどうかにかかっている。この人の配属はそのことを念頭に置いて決めるといい。

・進行中の計画があれば、この人には早めに伝える。ただ、この人に〈目標志向〉の資質がないかぎり、計画立案の助けを期待してはいけない。この人にとって計画立案はただひたすら退屈な仕事なのだ。

・天性の柔軟性を持つこの人は、ほぼどんなチームにとっても貴重な存在となる。状況が悪化したら悪化したで、そのときどき適応ができ、新たな一歩が踏み出せるからだ。手をこまねいてすねているなどということは絶対にない。

・即時行動が求められる短期決戦に強い。短期間で結果が出る勝負を数多くこなすことを好み、長期にわたる勝負は苦手である。

・〈適応性〉以外にもきわだった資質はないか探る。〈共感性〉にもすぐれているようなら、顧客のさまざまなニーズをすばやく察知して対応しなければならない業務に就かせるといい。また、〈成長促進〉の資質がある場合には教育係が向いている。「状況に身を任せる」ことができ、学習、経験のための最適の環境を提供してくれることだろう。

・目標設定や人事など、将来のことについて話し合う会議に出席させる必要はない。この人にとって大切なのは「今」であり、そのような会議にはあまり意味を見出さないタイプだ。

〈内省〉を強みとする人の活かし方

・この人にとっては考えることこそエネルギーの源なので、その点を大いに活用するといい。たとえば、急に何かをしなければならなくなって、その理由を従業員に説明する必要が生じたときには、この人の助けを借りるといい。その事柄に関するすべての点を考慮して、だれもが納得する説明を考えてくれるはずだ。

・ためらわずこの人の思考力の真価を問うこと。過小評価されたと思っても、この人はまったく意に介さない。それどころか、注目されている証《あかし》であると考え、さらにやる気を起こす。

・まとまった時間をつくり、考えることにだけ集中するよう勧める。ただ考えているだけでは何も生み出せない人もいるが、この人はちがう。思考力がより鋭くなり、本人の自信も増すようになる。

・書籍や記事や企画案などに評価を与えなければならないときには、この人にも読んでもらい、感想を尋ねる。この人はまずまちがいなく活字の虫である。

・この人の強みについては細かい点まで話し合い、客観的な眼を持たせるようにする。内省や自己発見に愉しみを覚える人なのだ。

・考えていることを同じ部内の人たちに伝える機会を与える。そうすることで、この人の思考はより緻密に、より明確なものになる。

・〈活発性〉にすぐれた人と組ませると、その人がこの人の考えやアイデアを行動に移すあと押しをしてくれるだろう。

〈分析思考〉を強みとする人の活かし方

・この人は重要な決定を下す際、たっぷり時間をかけて関連事項を検討する。決断に関わるすべての要素を把握しなければ気がすまないからだ。

・すでに下された決定を伝えるときには、矛盾点がいっさいないよう筋道を立てて説明する。いささかくどいと思われるほど説明するほうがいい。どんな決定であれ、隅々まで理解できないと、この人は従えないのだ。

・機会あるごとに、この人の論理性を認め、賞賛のことばをかける。首尾一貫した思考には本人も自信を持っているはずである。

・この人のまえで決定や方針を擁護するときには、それを支持している人の数を伝える。この人には具体的な数値が含まれている情報に重きを置く傾向がある。
・この人を説得するための数値は裏づけのある正確なものでなくてはならない。いい加減なデータでこの人を信用させることはできない。
・この人にとっては、データを分析し、パターンを見つけることが人生最大の関心事だ。だから、この人がパターンを発見したときには、それを詳細に説明する機会を与える。それがこの人には仕事に対する動機づけとなる。また、それであなたとの信頼関係も強固になるはずだ。
・たとえ同意できなくても、この人の意見には真剣に耳を傾ける。この人独自の観点で考え抜いた結果だからだ。
・この人は仕事の精確さを何より重要視する。この人にとっては、精確に仕事をやり遂げることのほうが、締め切りを守ることより大切なのだ。だから、締め切りが近づくと、仕事を精確に終わらせるのに必要な時間はちゃんと確保できているかどうか、そのつどチェックするといい。

〈包含〉を強みとする人の活かし方

・この人はすべての人に同じチームの一員であると感じさせることに満足を覚える。だから、新入社員のオリエンテーション・プログラムづくりを任せるといい。自ら愉しんで新人を歓迎する方法を考えてくれるだろう。

・マイノリティーの人たちの雇用を考える特別委員会の委員長に最適の人物だ。差別を受けていたり、受けた経験がある人たちを思いやる感覚にすぐれている。

・グループ単位の業務が発生したときには、すべての人が参加できるように、〈包含〉にすぐれた人にまとめさせる。だれ一人、また、どのグループも輪の中からはずれることがないよう、労をいとわず、企業の輪づくりに貢献してくれるだろう。

・同様に、顧客の対応にもこの人の〈包含〉にすぐれた資質を活用すべきだ。適切な役割を与えられれば、並はずれた才能を発揮し、企業と顧客のあいだをへだてる壁を取り払ってくれる。

・この人は、一部のかぎられた顧客向けの最高級商品や特別待遇に価値があるとは思っていない。だから、想定しうるかぎり幅広い市場向けに企画された製品やサービスを扱う部署に配属すると、喜んで市場を開拓する手段を考えることだろう。

- 場合によっては、企業と地域のさまざまな機関との橋渡し役を任せてもいい。

〈ポジティブ〉を強みとする人の活かし方

- この人は職場にドラマとエネルギーをもたらす。だから、顧客の対応を任せるか、できるかぎりそれに近いポジションに据えるといい。あなたの企業が有望で推進力があるという好印象を顧客に与えるはずだ。
- 得意先を招待しての新製品の発表会や、ユーザーが一堂に会するイベントには大いに頼りになる存在である。
- 〈ポジティブ〉の資質があるからといって、いつも明るくて機嫌がいいというわけではない。この人に接すると、同僚たちまで自然と仕事に対する意欲が湧いてくる。このような影響を他人に与える気質や態度こそ〈ポジティブ〉の資質なのだ。事あるごとに、この強みを本人に自覚させ、それを活かすよう指導すべきだ。
- この人は懐疑的な人といるとたちまち気力がなえてしまう。また、消極的な人を元気づける役まわりも好まない。この人の積極性が活かされるのは、本質的に前向きの姿勢を持つ人が相手のときにかぎる。そういった人たちが、元気をなくし、活力を求めているときがこの人の出番だ。

・この人の情熱にはまわりを巻き込む力がある。この人をプロジェクトチームの一員にするときには、そのことを忘れないように。

・この人は人を誉めるのが好きで、その意思をうまく伝える方法も心得ている。目標を達成した従業員の功績を認め、賞賛したいときにはどうすればいいか、この人に尋ねてみるといい。だれも考えつかないような妙案を提供してくれることだろう。

・〈ポジティブ〉以外のきわだった資質にも眼を向ける。〈成長促進〉にもすぐれているようなら、教育係を任せる。手腕を振るい、クラス全体に活力を与えるだろう。もし〈指令性〉も兼ね備えているようなら、販売にすぐれた能力を発揮するはずだ。強引さとエネルギーが相俟って、それは強力な武器となる。

〈未来志向〉を強みとする人の活かし方

・この人が出席する査定会議や業務会議では、この人には将来を前提に物事を考える傾向のあることを忘れてはいけない。むしろ、この人の考える将来の展望すなわち、あなたの企業や市場や分野全般に関する考えを聞き出すようにするといい。

・将来、必要になると思われる製品やサービスについて考え、書き出し、計画を立てる時間を与える。そして、社内報や会議や他企業との代表者会議でその見解を述べる機会もつくるようにする。

・この人が興味を持ちそうなデータや記事を探し、それらを見せる。製粉所が穀物を必要とするように、この人に必要なのは未来展望のもとになる原料だ。

・企業内の企画会議に参加させ、三年後、企業がどのようになっているか、データをもとにした見解を発表させる。こういった発表の場は半年ごとくらいに設けるといい。そういう機会が与えられることで、この人自身、天性の洞察力と新しいデータで自らの見解をさらに発展させることができる。

・この人の才能を活性化させるには、将来の可能性について話し合う機会を頻繁に持つことが一番だが、その際には、この人が思い描いている将来の展望ができるかぎり鮮明なものになるよう、多くの質問を投げかける。

・従業員に軌道修正を受け入れさせる必要があるときには、この人の手を借り、だれもが納得できる形で、軌道修正と企業の将来性との関連を明確にしてもらい、プレゼンテーションを行ってもらうか、社内報に書いてもらうかするといい。ほかの人たちが現在の不確実性に対して抱いている不安を克服するのに大いに役立ち、将来の可能性に関しては多くの人がこの人とほぼ同じ希望を持つようになるはずだ。

〈目標志向〉を強みとする人の活かし方

・日程と目標だけ設定し、その実践法は本人に考えさせる。この人は自分で仕事をコントロールできる環境で力を発揮する。

・この人のほうから言ってくれれば、そのたびに直接話し合う。定期的に話し合うことでこの人はさらに成長する。目標および進捗状況を人に話すのが好きなのだ。どの程度の頻度で話し合うかも決めさせるといい。

・他人の気持ちをよく考えた行動はあまり期待しないほうがいい。この人には感情より目的達成のほうが重要なのだ。〈目標志向〉に加えて〈共感性〉も持っているようなら、その傾向は弱まるが。目標に向かって邁進しているときには、この人には他人の気持ちを踏みにじる可能性がある。このことは心にとどめておいたほうがいいだろう。

・この人は頻繁に軌道修正を強いられるような状況では意欲が湧かない。だから、修正が避けられない場合には、この人の〈目標志向〉を刺激することばで説明するのが有効だ。「新たな目標」や「成功への新たな戦略」といったことばを用いると、軌道修正や目標変更もさほど抵抗なく受け入れてくれるはずだ。

・期限が厳密に定められている企画を推進するときには、この人をチームに加える。期限厳守を当然のことと考えているので、期限が限定されている企画を一任されると、脇目もふらず全精力を傾けて最後までやり遂げる。

・時間管理に関するセミナーに参加させるといい。時間管理能力に長けていなくても、〈目標志向〉に突き動かされてできるだけ早く目標を達成しようとするタイプなので、時間管理ができればさらに効率的に仕事がはかどることをよく理解するだろう。

・この人には議事進行が明確になっていない会議が苦痛だ。だから、この人が会議に出席するときには、まえもって予定表を作成し、それに従って会議を進めることを心掛けるといい。

第7章

強みを土台にした企業を築く

総論
——だれが職場で「強み革命」を起こすのか

本書の「はじめに」で触れたとおり、「最も得意な仕事をする機会に毎日恵まれているか」という質問に対して、「恵まれている」と答えた従業員はわずか二〇%だったという結果を見て、われわれは「強み革命」を起こそうと思い立ったわけだが、ここで一つ断っておきたいことがある。この二〇%という数字は正確ではあるが、完全なものではない。全容を知ってもらうために、われわれのデータベースについてもう少しくわしく話しておきたい。

すでに数社が「強み革命」を開始しているが、その中でわれわれのデータベースで七五パーセンタイル（百分位数。計測値を小さい方から並べて、それ以下の値が全体の何%を占めるかで示した数字）にいる企業では三三%、つまり、全従業員の三分の一が「最も得意な仕事をする機会に毎日恵まれている」と思っている。これが九〇パーセンタイルにいる企業では、この数字がなんと四五%に跳ね上がる。さらにデータベースをよく吟味すると、強みに基づく企業にはもっと驚くような発見がある。たとえば、前章で紹介したベスト・バイの店舗マネジャー、ラルフ・ゴンザレスは、一〇〇人いる従業員の五〇%に、「最も得意な仕事をする機会に毎日恵まれている」と思わせる職場環境づくりに成功している。フロリダ州ボカ・ラトンのベスト・バイの店舗マネジャー、メアリー・ギャリーがつくった環境では、実に七〇%の従業員が自分に最適の職務を与えられていると感じている。接客から荷物の積みおろし、在庫管理まで、メアリーのもとで働く一〇〇人の従業員のなんと七〇人以上が、「最も得意な仕事をする機会に毎日恵まれている」と思っているわけだ。

メアリーもラルフもずば抜けた存在ではある。しかし、この二人のような傑出した人物は、われわれが「最も得意な仕事をする機会に毎日恵まれているか」という質問をぶつけた企業すべてに、実は少なくとも一人はいたのである。それでいながら（企業の規模や業種や所在地に関係なく、上位五％に入る企業のマネジャーにも、下位五％に甘んじている企業のマネジャーにも、そうした傑出した人物がいながら）実際にはこの質問に対する答えにこれほどの開きがあったこと、それこそ今回の調査で得た一番大きな発見かもしれない。この格差は、たとえすべての従業員が同じ職務に就いていたとしても現れたことだろう。

ラルフやメアリーのようなマネジャーが現に存在することから自ずと生じる疑問がある。本章ではそうした疑問に答えたいと思う。すなわち「どうすればこの格差を縮めることができるのか」「どうすれば有能なマネジャー同様、従業員一人ひとりの強みを活かせる企業を築くことができるのか」「数字を挙げれば、どうすれば従業員の少なくとも四五％（九〇パーセンタイルにある企業）に、毎日自らの強みを活かしていると実感させることができるのか」

「最も得意な仕事をする機会に毎日恵まれているか」という問いかけは、考えれば考えるほど込み入ってくる。「恵まれていない」と答えた人は、さまざまな分野でさまざまな理由からそう答えたはずだ。その中には、仕事をこなすだけの才能が自分にはないと心底思っている人もいるだろう。あるいは、才能はありながら、企業が業務にさまざまな規定を設けすぎているために、才能を活かせないでいる人もいるかもしれない。また、才能も、それを活かす機会もあるのに、技術や知識が足りないからと思い込んでいる人もいるかもしれない。さらには、客観的に見れば、最適の業務に就いているのに、ただ本人だけが自分にはもっと異なる業務が向いていると思っている人もいるだろう。さらに、本人の判断が正しい場合もあるだろうが、もしかしたら、自らの強みをちゃんと把握していない人もいるだろう。従業員の功績に報いるには昇進しかないと初めから決めつけている企業で才能を発揮して昇進してしまったために、結果的に、自分に適さない業務を与えられてしまっている人も。また、そもそも企業側がその人の業務をまるで雑務処理のように見なしているため、その業務に満足していることを口にできない自尊心の強い従業員もいるかもしれない。

こうした従業員心理の複雑さは文字どおり横溢的なほどだ。あらゆるケースを考え、その上で従業員に「恵まれている」と答えさせるには、一人ひとりの環境をあらゆる角度から注意深く観察しなければならない。たとえば、自らの才能に不安を抱く従業員が現れないようにするには、採用の段階で慎重に人を選ばなければならない。現在その業務に就いている最高の従業員と同等の才能を持っている人を採用しなければならない。業務に規定を設けすぎており、それが障害になっているなら、指示を与えるのをやめ、従業員に責任を持たせ、本人の思いどおりのやり方で仕事にあたらせなければならない。また、技術や知識が足りないと思っている従業員の不安を取り除くには、研修の場を設け、その人の才能が真の強みになるようあと押ししなければならない。自らの才能について誤った判断をしている従業員がいれば、すべてのマネジャーに協力を求め、その人が自らの才能を把握し、自信を持てるよう指導していかなければならない。さらに、昇進による弊害を取り除くには、型にはまった出世の階段を用意するのではなく、金銭的な報酬で報いるか、業務の維持を図った上で肩書きを変えるか、といったことも検討しなければならない。最後に、現在従事している業務を雑務処理だと考えている従業員には、そもそも雑務処理などという業務は企業内に存在しないこと、どんな業務であれ、だれかが傑出した成果を上げたなら、その人には無条件で敬意が払われることを理解させなければならない。

このように次々と書き立てると、従業員一人ひとりの強みを土台にした企業を築くのは、ほとんど不可能に見えるかもしれない。「これをちょっと試して、あれをちょっとやって」など、現実にはとてもできるものではないと思われるかもしれない。しかし、よくよく考えてみると、これら難題を解く鍵は従業員に関する二つの前提に収斂されることがわかるはずだ。すなわち――

1　人の才能は一人ひとり独自のものであり、永続的なものである。
2　成長の可能性を最も多く秘めているのは、一人ひとりが一番の強みとして持っている分野である。

この二つだ。もうおわかりと思うが、すべてはこの二つに尽きるのではないだろうか。「はじめに」で触れたように、この二つはすぐれたマネジャーが共通して持っている認識である。だから、この二つの認識に基づいて事にあたれば、少なくとも「最も得意な仕事をする機会に毎日恵まれているか」という質問に含まれる難題は解決できるはずだ。それが引いては、従業員一人ひとりの強みを土台にした企業を築くことに結びつくのだ。それはどうしてか。この認識がわれわれをどこに導いてくれるか見てみよう。

1 人の才能は一人ひとり独自のものである。これは**個々の従業員を型にはめ込むのではなく、あくまで最終的な結果に重きを置くべきだ**ということだ。方針、手順、能力ではなく、あくまで成果を注意深く正確に評価すべきだということだ。これで、「今の職務では私の能力を活かすことはできません」という問題は容易に解決できる。

2 人の才能は永続的なものである。ということは、**適切な人材を確保するには、かなりの時間と資金を費やしてでも最初の採用の段階で厳選しなければならない**ということだ。これだけで、「私にはその仕事をこなすだけの才能がありません」という問題は一気に解決に近づく。

3 成長の可能性を最も多く秘めているのは、一人ひとりが一番の強みとして持っている分野である。だとすれば、**研修にかける時間と資金は、従業員の弱点を矯正してスキル・ギャップを埋めるのではなく、一人ひとりの強みを発掘し、それを伸ばすために費やすべきだ**というのは自明の理だ。このように焦点を変えることで、のちのち大きな利益がもたらされるはずである。また、強みを土台にした企業を築く上での三つの落とし穴、「充分な技術も知識もありません」「自分が最も得意なことがわかりません」「私の才能を上司がわかってくれません」もよけて通ることができる。

4 最後に、成長の可能性を最も多く秘めているのは、一人ひとりが一番の強みとして持っている分野であるということは、**強みを活かせない業務を与える可能性のある従来どおりの出世の階段にこだわることなく、従業員のキャリアパスを用意しなければならない**ということでもある。だから、強みを土台にした企業における「昇進」とは、高い評価や尊敬の念や金銭的報酬を意味し、その人の肩書きがヒエラルキーのどこに位置しようと、卓抜した成果を収めた従業員に必ず与えられることになる。それで、残る二つの障害、すなわち「今の職務が自分に適していないとしても、昇進するためにはしかたがない」「自分はだれも敬意を払わない雑務処理的な業務に就いている」という問題も解決できる。

これら四つのステップは、人的資源に秘められた価値を最大限に活かす組織的なプロセスを示したものだが、次の項ではさらに具体的に説明していきたい。先ほどの二つの基本的な認識に基づき、採用と評価と育成の基準を変えるためにはどうすればいいか。従業員のキャリアの方向性を決めるにはどうすればいいか。そのためのいわば実践ガイドだ。部下一人ひとりが自らの才能を真の強みに発展させる場面で、直属の上司は常に重要な役割を果たさなければならない。責任を持って一人ひとりの才能を発掘し、目標を明確に定め、個々の強みに焦点を合わせ、持てる能力を伸ばさなければならない。これは、『まず、ルールを破れ』で以前取り上げたテーマをさらに一歩進めたものだが、もっと幅広く、多くの企業が従業員一人ひとりの強みを活かそうとして直面する難題を解決するための実践ガイドにもなっているはずである。

実践ガイド
──強みを土台にした企業を築くにはどうすればいいのか

・強みに基づく採用システム
・強みに基づくパフォーマンス管理システム
・強みに基づくキャリア開発システム

強みに基づく採用システム

完璧な採用システムとは、採用、面接、評価、教育、配属など大企業で日々行われているにちがいない、数かぎりない業務の総体である。しかし便宜上、この複雑なシステムを五つの手順に分けることにする。採用システムをゼロから考えているならこの手順に沿ってほしい。

第一のステップは、**才能を評価するための方法を中心に据えて採用システムをつくる**ことだ。才能評価の方法などそれこそ無数にあるだろう。が、どんな方法を選択するにしろ、それは次の二つの厳格な基準に合致していなければならない。まず一つ、心理測定学的に信頼できるものでなければならない。つまり、測定しようとするものが測定されていなければならないということだ。もう一つ、評価は客観的なものでなくてはならない。これはつまり、二人、三人あるいは一〇〇人が、ある被験者の回答を分析しても、全員の分析結果が常に同じでなくてはならないということだ。しかし、どうか誤解のないように。これは何も、ある特定の被験者に最適の業務は何か、またその人の才能を活かす最も有効な方法は何か、といったことに関し、すべての分析者が同じ結論を出すという意味ではない。一人ひとりが個々の結論を導き出すのに、完璧に同じデータを用いて分析すべきだということだ。

もとになる客観的な才能評価の方法をまだ持っていない企業は、おそらく教育担当マネジャーにすぐれた面接官になってもらおうと考えていたり、適性試験を専門に行っている機関が下す評価をあてにしたり、または評価する者が異なれば評価の結果も異なってくるような、信頼度に問題のある方法に頼っていたりする。しかし、こうした企業の採用システムにはすでに最初の段階から欠陥がある。一〇〇％信頼できる資料がなければ、被験者の才能をどれほどくわしく測定しようと、その被験者が将来どのような成果を上げるかまでは予測できない（評価者の信頼度に問題のあるシステムから導き出されたデータなど、なんの役にも立たない。詳細は省くが、これは数学的にも立証できる）。例を挙げれば、どんな才能が顧客満足度に貢献するのか、記録の安全保持に役立つのか、従業員の定着率の高さを導くのか、病院の入院患者の快復の速さを保証するのかなど、絶対に予測できないということだ。また、どんな分析を試みようと、才能を生み出す要因が発見できなければ、従業員一人ひとりの才能が企業の利益にどんな影響を及ぼしているのかもわからない。直観的に、従業員の才能がなんらかの形で業績に関係していることはわかる。しかし、それがどこでどれくらい関係しているのかまではわからない。

だからといって、マネジャーを教育してより有能な面接官に育ててはいけない、などと言っているのではもちろんない。適性検査の専門機関に頼るのは時間と資金の無駄づかいでしかない、と言っているのでもない。ただ、そういった方法は完璧な採用システムの土台にするにはふさわしくない、と言っているのだ。使い古されたたとえになるが、マネジャーによる面接や専門機関による評価はいわばアナログ技術である。精確さにも一貫性にも欠け、比較データに乏しく、どの点から考えても非効率的だ。それに対し、才能を客観的に測定する方法はいわばデジタル技術だ。適切に用いれば、安定した基本ソフトとして役に立ち、それによって、業績の分析や新人採用戦略や人材の活用などの「ソフトウエア」もうまく作動するようになる。

第二のステップは、**要《かなめ》となるいくつかの業務から最も優秀な人材を選んで観察し、才能評価の方法を調整する**ことだ。まずフォーカス・グループをつくって、それぞれの業務に従事する人たちが持っている雰囲気をつかむために、イエスまたはノーでは答えられない自由回答式の質問を行う。ここで重要なのは、このあと併存的妥当性の高い完璧な調査を行わなければならないことだ。威圧的に聞こえるかもしれないが、この併存的妥当性の高い調査というのはさほどむずかしいことではない。問題となる業務に従事している従業員全員の才能を、前述の才能評価の方法を用いて測定し、得られた数値を集計して最も優秀な従業員を最低一五人選び出し一つのグループをつくる。それと同時に、最も成績のよくない従業員を同数選んで、もう一つグループをつくる。客観的な数値が得られない企業では、「だれかを雇うとすれば、だれと同じような人がいいか」といった従業員同士の評価を基準にすればいい。二つのグループができたら、両方のグループに共通する才能と、一方のグループにしかない才能を調べ、その結果をもとに才能評価の方法を調整する。この最後の段階では統計学の専門家の手を借りる必要があるが、これで最終的に、募集の対象となった業務で優秀な成果を収めるにはどのような才能が必要かがわかる。

第三のステップは、**才能を表現することばを企業内で周知徹底する**ことだ。このことが重要な理由はいくらもあるが、なかでも一つ大きな理由は、仮採用のあと、雇用するか否かの最終的決断がマネジャーに任される場合、彼ら自身、才能を表現することばを熟知していたほうがよりよい判断が下せるからだ。実際、多くの企業が採用活動を最重要視している。当然のことだ。人間というものは腹立たしいほど複雑な生きものだ。だから、多くの企業が人事部やそれに相当する部署をつくり、この人間の複雑さに精通する専門家を育てようとするのは、いたって自然なことだ。その結果、ＩＴ部門がハイテク資源の効率を左右するように、人的資源の効率は人事部に左右されている、とだれもが思う。しかし、この比較は必ずしも適切ではない。なぜなら、従業員はコンピューターではないからだ。人間にはユーザーマニュアルも電源スイッチもついていない。そんな彼らに自らの才能をあますところなく発揮させるには、彼らが信頼を寄せ、彼らに最高のものを望み、時間をかけても彼らの人となりを知ろうとするマネジャーが不可欠である。簡単に言ってしまえば、従業員とマネジャーのあいだには「関係」がなければならないということだ。が、その関係は雇用された時点から始まりもすれば、そこで終わりもする。

だからこそ、マネジャーは才能を表現することばを知らなければならないのである。調整された才能評価法によって適任と判断された従業員を、それぞれのマネジャーたちのもとに送り込む。そして、採用候補者の才能をマネジャーに伝え、その才能を活用するよう促し、できるかぎりの情報を与え、雇用するか否かの最終的判断を任せる。もちろん、彼らもときには判断を誤ることがあるだろう。しかし、より大きな視野に立てば、その誤りは致命的な問題ではない。強みを土台にした企業を築くには、マネジャーも個人的に部下の成功が享受できなければならない。上層部から機械的に押しつけられた従業員に対して、マネジャーがそんな気持ちになれるわけがない。

才能を表現することばを企業内に周知徹底することのもう一つの理由は、採用活動の時点からそのことばを使うことができるからだ。新聞の大方の求人欄に眼を通してまずだれもが気づくのは、記載されている採用条件の陳腐さだろう。必要な技術や知識や経験に関する条件ははっきりと記載されているのに、才能について触れているものは皆無だ。技術や知識を身につけさせるのも、経験を積ませるのも、採用後にできることなのに、決して変えられない才能を問題にしないというのは、なんとも不思議なことだ。

こんな誤りを犯していては、強みを土台にした企業は築けない。募集対象となる業務に必要な才能を示して、その才能を武器に名乗りを上げる人が出てくるような求人広告をつくるべきだ。たとえば、併存的妥当性の高い調査を自社で実施した結果、コンピューター・プログラマーに必要な才能は、順序づけられた数字を扱うのが得意な〈分析思考〉、秩序を求める〈規律性〉、変化の多い環境に対応できる〈アレンジ〉、能力をつける過程そのものを愉しめる〈学習欲〉、これら四つとわかったら、この職務を募集する広告には、次のような条件を中心に据えてもいいはずである。

・あなたは問題を解決するのに論理的かつ体系的なアプローチをしますか？〈分析思考〉
・あなたは企画を立てたら、予定どおりに終わらせなければ気がすまない完全主義者ですか？〈規律性〉
・緊急の用件が複数生じた際、それに優先順位をつけることができますか？　さらに、責任を持って期限内にその用件を終わらせようとしますか？〈アレンジ〉
・あなたはＳＱＬやＪａｖａやパールの使い方を学び、世界クラスのデータベースを備えたウェブサイトの構築に取り組みたいと思いますか？〈学習欲〉

以上の質問にイエスと答えた方はぜひお電話を……

これでもまだ、一定レベルの技術や経験を応募条件にしたいと思う人はいるかもしれない。が、以上四つの条件をメインに据えた、従来とは異なる広告を出せば、必ず人の眼を惹き、才能ある人たちは少なからず刺激されるはずだ。当然、これらの才能条件に満たない人も応募してくるだろうが、その数はさほど多くはないだろう。最終的には、よりすぐれた才能を持つ少数に絞り込まれ、広告の絶大なる効果が必ず現れるはずだ。

第四のステップは、**全従業員の〈資質プロフィール〉をリストにする**ことだ。これには二つのきわだった利点がある。まず一つは、それが社風のスナップショットになるということだ。これをつくることで、わかってよかったと思うことが必ずあるはずである。たとえば、あなたの企業は実はサービス精神に欠け、競争志向の強い（〈競争心〉に秀でて〈信念〉に弱い）体質だった場合、こうしたスナップショットを見れば、それが浮き彫りにされるだろう。逆にサービスには前向きでも、事を起こすにあたり、新たな手段がなかなか取り入れられない（〈信念〉に秀でて〈着想〉や〈戦略性〉に弱い）体質だったら、そのことが明らかになる。

さらに、社風のスナップショットすべてを見ることで、実用面での価値が明確になり、人的資源と事業計画を関連づけて考えられるようになり、相乗効果を生む戦略を立てられるようにもなる。たとえば、ある銀行でクロスセリング、すなわち抱き合わせの売り込み作戦を計画したとしよう。当然のことながら、各支店の窓口係にはそれ相応の営業努力が強いられる。しかし、その銀行では、彼らに営業精神を持たせようとしたことが過去にもあったのだが、結果は惨憺たるものだった。窓口係の多くは顧客の要望に応える能力に誇りを持っていて、商品の販売を悪魔の所業と考えていたと仮定してみよう。

こんな場合、〈資質プロフィール〉があれば、もっと効率のいい対策が取れる。窓口係一人ひとりを観察し、営業向きの資質である〈活発性〉〈指令性〉〈社交性〉にすぐれた窓口係を何人か選び出し、本腰を入れて教育し、クロスセリングに必要な技術と知識を身につけさせる。そして、彼らには率先して販売にあたらせ、ほかの窓口係については各自が最も得意とする仕事、すなわち顧客の要望に応える仕事に専念できるよう、配置換えを行う。

この銀行の例は、持てる戦力だけで闘うことを想定したものだ。実際、そうしなければならないこともあるだろう。が、全従業員の〈資質プロフィール〉を利用して、味方陣営を強化するための人員を採用する余裕はたいていの企業にあるはずだ。たとえば、〈資質プロフィール〉から、あなたの企業の最前線に立っているマネジャーは、〈達成欲〉〈公平性〉〈目標志向〉にすぐれた人だとわかったとする（ついでながら、この取り合わせは実際によくある。この三つの才能に恵まれている人は、自主性と明確な目標を持ち、それでいてまわりの人間を踏みつけにしたりすることがない。まさに昇進してマネジャーとなるにふさわしい人材なのである）。その一方で、〈個別化〉〈最上志向〉〈親密性〉に劣っていたとしよう。才能というのは永続的なものである。とすれば、どれほど再教育を受けようと、この人たちには従業員との関係を築くことも、彼らの強みを把握することも、彼らを成功に導くこともむずかしい。こうした幹部がいすわっているような企業では、才能ある従業員の定着率を上げることも、彼らを成長させることもまず望めない。

だからと言って、どうか悲観的にはならないでほしい。こうした事実がわかれば、マネジャーの器でない人たちの再教育に何百万ドルも無駄な投資をしなくてすむうえ、その経費をマネジャーに適した才能を持つ人を選ぶのにまわせばいいのだから。と言って、現在の陣営をそっくり据え替えることを奨励しているわけではもちろんない。そんなことはまず不可能だし、望ましいことでもない。ここで言いたいのは、新たな人材をマネジャーに迎えるときには、候補者の才能を仔細に調べ、大方のマネジャーの弱点を補う才能を持っているかどうか見きわめるべきだということだ。一度に一人ずつでも、時間をかけて慎重に取り組めば企業の体質は必ず変わる。

〈資質プロフィール〉作成のもう一つの利点は、採用後長期にわたり、従業員にキャリアパスを用意するのにも利用できるということだ。企業とは流動的な共同体であり、従業員や企業自体の成長に応じて、さまざまな業務で従業員の異動が生じる。推進力のあるたくましい企業でありつづけるには、従業員の才能に準じた人事異動を行い、一人ひとりに適した業務を与えることを心掛けなければならない。しかし、こういうことが現実に実践できている企業はきわめて少ない。大多数の企業は、従業員の技術や知識や経験にばかり眼を向け、才能を考慮に入れていない。採用時にはその人の資質に関するなんらかの情報を得ていても、その手の情報はすぐに忘れ去られ、やがて話題にものぼらなくなる。

完璧な採用システムを築くには、こうした根本的な誤りを犯してはならない。従業員一人ひとりの才能は常に把握しておく必要があるが、それには〈資質プロフィール〉がとても有効だ。イントラネットでもインターネットでももっと原始的な方法でもいい。とにかくファイルにまとめ、人事異動で必要が生じたときには、従業員の資質に関する情報がすぐに取り出せるよう、システムづくりをしておくことだ。そうしておけば、キャリアの幅を限定することなく、従業員が最も成長できそうな新たな職務を見つけることができる。たとえその従業員に充分な技術や知識や経験がなかったとしても。第5章で述べたようにどこに配属しようと、才能は常にその人とともにある。それ以外のものを身につけるのはいつでもできることだ。

最後のステップは、**才能とそれが生み出す成果との関係を調べる**ことだ。なんとなく不遇な思いを抱いている人事担当者は少なくない。機会あるごとに、彼らは人材確保の重要性を力説している。にもかかわらず、会議の席に並ぶと、経理部やマーケティング部や事業部と同じ敬意が払われているとはどうしても思えない。そんな彼らの不満に理があることももちろんあるが、一方、残念ながら、敬意が払われなくて当然というケースも少なくない。それはなぜか。彼らにはデータがないからだ。従業員の能力がなんらかの形で業績に影響を与えていることぐらいどんな役員も承知している。が、彼らが望んでいるのはもっと詳細な説明だ。有能な役員ならきっと知りたいと思うにちがいない点をいくつか挙げてみよう。

・新規採用の努力はどれくらい効を奏しているのか。才能に特に恵まれた人材はどこで見つければいいのか。大学か、ライバル会社か、軍隊か、地元紙か、インターネットか。それはどうすればわかるのか。

・最初は驚くほどめざましい活躍をしながら、すぐに目立たなくなり、やがて企業から消えてしまう流れ星のような人材は、つまるところ、どういうタイプの人間なのか。

・従業員をマネジャーに昇進させるたびに、マネジャー全体のレベルは上がっているのか。それはどうすればわかるのか。

・将来のリーダーにふさわしい才能を持つのはどういう人材か。そういう人材は現在の従業員の中に何人ぐらいいるのか。また、新規採用にあたり、われわれは意図的にそういった才能を持つ人間を選んでいるのか。それはどうすればわかるのか。

・教育予算は最も才能豊かな従業員に投資されているのかどうか。それはどうすればわかるのか。

・マネジャーからは高い評価を得ていながら、顧客からは低い評価しか得られない従業員とはどういう人材か。それはどうすればわかるのか。

以上のような質問に関して、才能を客観的に評価した、いかなるデータもなければ、経験豊富な人事部長でも答えに窮するはずだ。しかし、データさえあれば、才能と才能が生み出す成果との関係をくわしく説明することができる。「マネジャーからは高い評価を得ていながら、顧客からは低い評価しか得られない従業員とはどういう人材か」という最後の質問を例に考えてみよう。

ある大手の電気通信会社とともに仕事をしていたとき、われわれは五〇〇〇人を超える顧客担当者に対するマネジャーの評価、その従業員たちの〈資質プロフィール〉、従業員の業務に対する顧客の評価を調べる機会に恵まれた（一人の従業員について、一カ月に一五人の顧客に連絡を取り、サービスの質に関して評価を出してもらった。調査は一〇カ月に及び、従業員一人について延べ一五〇人の顧客からの回答を得た）。次に紹介するのは、その調査結果を分析し、才能と成果の関連性を調べた結果である。

第一の発見、マネジャーから最も高く評価されているのは、〈責任感〉と〈調和性〉にすぐれた従業員である。これは考えてみれば、もっともな話だ。時間をきちんと守り、面倒は起こさない。これで上司に嫌われるわけがない。この結果がまえもってわかっていたら、人事部長は役員にこう進言していたかもしれない。「マネジャーから高く評価される人材をもっと補強したいのであれば、〈責任感〉と〈調和性〉にすぐれた人を雇うべきです」と。しかし、残念ながら、こんな提案がなされ、それが実行に移されたら、企業はまちがった方向に進んでしまう。なぜなら、マネジャーの評価と顧客の評価とのあいだにはなんら関連性がないからだ。それが調査から得られた第二の発見である。統計学的に見ても、この二つには相関関係がまったく見られなかった。マネジャーが評価対象にしている従業員の行動はどんな行動も、顧客とはなんら関係のないものばかりだったのだ。たとえて言えば、顧客の関心とは無関係に、マネジャーは部下の靴のサイズでも測っていたようなものだったのである。

第三にして究極の発見、これこそ企業が選ぶべき道を示す発見だったのだが、顧客から高い評価を引き出す才能は〈責任感〉でもなければ〈調和性〉でもなかった。〈活発性〉〈ポジティブ〉〈学習欲〉〈指令性〉〈回復志向〉だったのだ。これらの才能を持つ従業員は自発性に富み、精力的で、明るく、学習に対して前向きな姿勢を持ち、顧客が困っているときには自ら主導権を握って問題解決にあたろうとする。さらに、マネジャーと意見が衝突したときには、たとえ評価が下がろうと、臆せず渡り合う。そういう従業員が顧客から高い評価を得ていることがわかったのである。この発見をもとにすれば、今後、企業には次の二つのことができるはずだ。まず、採用活動の方向性を変え、求職者の評価については、先ほどあげた必要不可欠な五つの資質に焦点を合わせる。次に、方向をまちがえないためにも、マネジャーに評価させることはやめ、そのかわり業務に対する、より客観的な評価、顧客満足度を評価の対象にする。この二つだ。

最高の人事部を目指すなら、才能を表現できることばを知らなければならない。人間の資質がビジネスに与える微妙で大きな影響を、明確に説明できなければならない。そこまでできて初めて企業内の敬意を集める存在にもなれば、他の部署と同等の価値を認めてもらえるようにもなる。

強みに基づくパフォーマンス管理システム

従業員一人ひとりの才能がわかれば、あとはその才能を育て、その才能が大いに成果を上げるよう持っていくことだ。この提案に反対する企業はあるまい。が、その際には従業員のそれぞれの業務における次の三つの分野に注目し、調査をしてほしい。これまた多くの企業の同意が得られると思う。

1　**個々の従業員が業務そのものに与える影響**　すなわち、販売員にとっては販売した商品の数、製造部門では一〇〇万個あたりの欠陥商品の数、店舗マネジャーにとっては抜き荷や万引きによる商品逸失率、レストランのマネジャーでは収益の増加率などだ。

2　**個々の従業員が企業内および企業外で顧客に与える影響**　これについての調査方法は、客を装って店舗を訪れ実態調査を行う、従業員専用の部屋から店内を観察する、客からの電話をモニターするなど企業によって異なるだろうが、目的は一つ。サービスの質に対する客の評価を知ることである。

3　**個々の従業員がまわりの従業員に与える影響**　これについても、調査方法は従業員の行動を評価する三六〇度評価、同僚からの評価、マネジャーによる質的評価など企業によって異なるだろうが、どんな調査方法を用いるにしろ、目的は個々の従業員が社風にどのような影響を与えているか把握することだ。

先に書いたように、ここまでは大方の企業の同意が得られるはずだ。しかし、この三つの分野で従業員の就労効率を高めるためにはどうすればいいか、となるとそんな同意はどこかに消し飛んでしまう。概念的なことばでしばしば「パフォーマンス管理」と呼ばれるこの分野では、企業は厳密に二つのグループに分けられ、どちらのグループも、人的資源の重要性と潜在能力というものを信じている。が、一方のグループにしか従業員の潜在能力を活かせる環境は提供できない。このグループに属する企業にしか従業員の強みを土台にした職場環境は築けない。そして、残念ながら、現在のところこのグループに属する企業は完全に少数派だ。

他方、多数派グループは仕事の手順を一律に定めている企業だ。従業員が成果を上げるまでを旅にたとえれば、旅程ばかりを気にしているということだ。自らの創造性をことこまかな旅の予定を立てるのに用い、全従業員に同じ道を歩くよう指導しているのである。

こうした手順重視型企業には共通する特徴が多くある。たとえば、決まった手順の過度の押しつけ、手順の改良がもたらす進歩への過信などがそうだが、何にも増してきわだつ特徴は、マネジャーが管理能力に取り憑かれている点だ。こういった企業ではマネジャーが取るべき望ましい行動、すなわち「ときにはユーモアを披露する」にしろ「変化を受け入れる」にしろ「戦略的に考える」にしろ、いわゆる「能力」をリストアップし、多大な時間と資金を費やし、マネジャーにこれらの能力を習得させようとしている。が、結局のところ、こうした試みは、スタイル・トレーニングにすぎず、実際の成果に対する評価は二の次にされる。だから、当然のこととして本質的な問題は解決されないまま放置される——「能力を身につけさせるために多大な投資はしているが、実際に進歩が見られた場合、それをどうやって評価すればいいか」という問題は置き去りにされる。

これは少数派グループ（強みを土台にした企業）には無縁の問題だ。彼らが注目しているのは旅の行程ではなく、終着地なのだから。これこそ先ほど挙げた三つの分野で個々の従業員の成果を測る際、企業が示すべき正しい態度だ。こうした企業では、与えられた目標に向かって従業員が自ら道を見つける手助けをすることに何より重きが置かれる。また、このような企業では指導の効果を測ることにも苦労しない。最終的な成果を正しく評価する基準をそもそも最初に定め、その基準をもとに指導法を考えているからだ。だから、成果が上がれば、指導法がまちがっていなかったことになり、反対に、成果が得られなければ、まちがっていたということだ。

手順重視の企業でも、最終的な成果に評価を与えていることだろう。特に業績関連の分野では。一方、強みを土台にした企業でも、手順を定め、その指導もしている（服飾デザイナーは裁断の仕方を知っていなければならない。銀行の貸付係は顧客の質を見抜けなければならない）。それでも、両者の差は歴然と存在する。手順重視の企業が従業員の個性を押さえつけようとしているのに対し、強みを土台にした企業は逆にその個性を活用しようとしている点だ。

では、どうすれば強みを土台にした企業の仲間入りができるか。そのための四つのステップを紹介しよう。

第一のステップは、**望ましい成果が得られたかどうか——旅の終着地——を正しく測定する基準を定めることだ。**業務成績についてはいたって簡単だ。「この業務を担当する従業員は何をやって給料をもらっているのか」といった単純な問いを立てて考えれば、その業務に対する適切な測定基準は容易にわかる。それでも、工夫を凝らす余地はある。たとえば、カリフォルニア州サンディエゴ郊外にあるコックス・コミュニケーションズ社のカスタマーサポート・センターでは、客の相談を電話で受ける何百人ものテクニカル・サポートのスペシャリストたちの業務を評価するのに、客との平均通話時間や一日の平均通話延べ時間といった明白な測定基準だけでなく、「トラック・ロール」という独自の基準を用いている。サポート・スペシャリストが客のトラブルを解決できないときには、即座に修理の車が客の家に派遣されるのだが、客にとっては電話で解決できればそれに越したことはないので、車の派遣件数が少ないサポート・スペシャリストほど有能と見なし、その件数を評価基準に加えたのである。

これが主要な業務の測定基準を決めるとなると、「私の業務は評価できない。私の業務は流動的で、たえず変化し、いたって主観的な仕事だから」と主張する従業員が出てくるかもしれない。しかし、気にすることはない。彼らの言い分は、もしかしたら正しいのかもしれない。ほんとうにそうした業務を担っているのかもしれない。しかし、移り変わりの激しい今日のビジネス界では、あらゆる業務に同じことが言える。そうした移り変わりの影響をほかより大きく受ける業務も確かにあるだろう。が、影響を受けようと受けまいと、どんな業務もなんらかの成果を上げるためのものである以上、その成果のすべてではなくても、そのいくつかについては、評価を下せなければならない。洞察力と創造力を駆使すれば、「トラック・ロール」はあらゆる業種に見つかるはずだ。

とはいえ、顧客に対する従業員の影響を測定するのはいささかむずかしい。というのも、コックス・コミュニケーションズ社のサポートセンターの客が期待するサービスと、銀行の窓口を訪れる客が期待するサービスとでは、明らかに異なるからだ。また、たとえ同じ部署であっても、海外の客と国内の客とでは要望がちがう。このようなさまざまな顧客のニーズに対応するために、多くの企業が業務ごとに詳細な質問事項を作成し、従業員と顧客との相互関係のあらゆる段階について分析しようとしている。が、不幸なことに、そうした長ったらしい質問事項がかえって事態を面倒にしてしまっている。「顧客と接するとき、正確にはどういったやりとりを交わすか」といった質問は、実態分析の道具として役に立つことはあるかもしれないが、業務を評価するには役に立たない。内容が複雑すぎるからだ。

それより、国内外に関係なく、顧客をどのような気持ちにさせたいのかということを明確にし、その達成度を測る簡単な方法を考案するほうがよほど効果的だ。そして、どのような方法で企業が望む気持ちを顧客に抱かせるか、その方法については従業員に任せるといい。従業員はそれぞれ自らの強みを活かせる方法を自分で考えるだろう。ギャラップが実施した顧客ロイヤルティーに関する大規模な調査の結果をもとに、われわれは国内外に関係なく、従業員が顧客に与える影響を正確に測るための簡単な顧客向けの質問を三つ作成した。

Q1　全体的に見て、期待どおりのサービスが受けられたと思いますか？　それは期待をはるかに上まわるものでしたか……期待をはるかに下まわるものでしたか？

Q2　このたびの製品またはサービスをほかの方にも勧めたいと思いますか？　ぜひ勧めたいです

か……絶対に勧めたくないですか？

Q３　このたびの製品またはサービスを今後も継続して利用したいと思いますか？　ぜひ利用したいと思いますか……二度と利用したくないと思いますか？

現代のテクノロジーを使えば、どの従業員がどの顧客を担当したか調べるくらい造作もない。この三つの質問を国内外を問わず、すべての顧客に向けることで、表面に表れない偏見や、マネジャーが下す見当ちがいの評価を避けられるうえ、個々の従業員が顧客にどのような影響を与えているか、その実態を正確に把握できる。

顧客への影響と同様、個々の従業員が同僚に与える影響を測ることも容易ではない。マネジャーと従業員、従業員と同僚、それぞれの関係はきわめて多面的だ。ある企業がその基準を能力に求め、あらかじめ設定した基準でこれらの関係に評価を下したとしても、それは無理からぬことだ。それでも（繰り返しになるが）職場環境にプラスとなるものを定め、その達成度を測る尺度を決め、あとはマネジャーに任せ、それぞれが最も得意なやり方で目標達成を目指すのに任せることだ。次に挙げる一二の質問で、職場環境にプラスとなるものがどれだけ達成できているか、ある程度把握できると思う。これらはマネジャーのもとで働く従業員に尋ねることをお勧めする。回答は、「５＝まったくそのとおりだ」から「１＝まったくちがう」までの五段階になっている。

Q１　仕事上で自分が何をすべきか、要求されていることがわかっているか？

Q２　自分の仕事を適切に遂行するために必要な材料や道具は揃っているか？

Q３　最高の仕事ができるような機会に毎日恵まれているか？
Q４　この一週間のあいだに、仕事の成果を認められたり、誉められたりしたことはあるか？
Q５　上司や同僚は自分を一人の人間として認めて接してくれているか？
Q６　仕事上で自分の成長をあと押ししてくれている人はいるか？
Q７　仕事上で自分の意見は尊重されているか？
Q８　企業のミッションと照らし合わせて自分自身の仕事は重要だと感じられるか？
Q９　同僚は質の高い仕事しているか？
Q10　職場にだれよりも親しい友人はいるか？
Q11　この半年のあいだに、自分の進歩についてだれかと話し合ったことがあるか？
Q12　この一年のあいだに、職場で学習し、成長する機会に恵まれたか？

『まず、ルールを破れ』の読者はお気づきのとおり、この一二問は以前に作成した一〇〇の質問から選んだものだが、「毎日」「この一週間」「だれよりも親しい友人」といった限定的なことばを使うと、従業員の定着率、生産性、収益性、顧客満足度を正確に予測することができる。調査は年に二回は実施してほしい。ほかのどんな調査よりマネジャーと部下の相互関係を的確に測ることができるはずだ。ただし、マネジャー全員に一つの決まった管理方法を押しつけないように。「Q１　仕事上で自分が何をすべきか、要求されていることがわかっているか？」を例にとると、あるマネジャーが従業員に期待するものを従業員一人ひとりと個別に話し合ったとしても、また、あるマネジャーが期待するものを毎週定期的にチームミーティングを行って決めたとしても、何を期待されているか半年ごとに従業員にわかってさえいれば、マネジャー個々のやり方に干渉してはいけない。これまた繰り返しになるが、目標は旅の行程ではなく、終着地なのだから。

では、従業員同士の相互関係はどうか。先ほどの一二の質問は、マネジャーと従業員の関係を測るものであって、従業員同士の関係が測れるようにはできていない。次に挙げる四つの質問もまた先ほど同様、生産性の高い職場についてわれわれが実施した調査をもとに作成したものである。従業員間の相互関係を測るときには、これらの質問を利用してほしい。


この人は自らの仕事を……

1 時間に遅れず行っているか？
2 的確なやり方で行っているか？
3 建設的かつ有益なやり方で行っているか？
4 あなたの意見を尊重していると思えるやり方で行っているか？

これらの簡潔な質問を年に二回、企業内のイントラネットを利用して全従業員に向けて行うことで、回答者がこの半年間にどの従業員とよく接触したか把握でき、さらに各質問に無記名で一から五までの五段階で回答させることで、一人の従業員に対する同僚の評価を知ることができる。

業務成績、顧客への影響、職場への影響、これら三つの測定ができれば、強みに基づくパフォーマンス管理システムをつくるための残る三つのステップに進むことができる。

第二のステップは、**個々の従業員のパフォーマンス採点表をつくる**ことだ。近年、特に大企業ではバランスの取れた採点表を用いて、従業員のパフォーマンスを総合評価する必要性がとみに増している。ロバート・キャプランとディビッド・ノートンは彼らの著書『バランス・スコアカード』の中で、企業全体のパフォーマンスをあらゆる角度から測定すれば、企業の真の強さが査定できる、と述べている。利益や成長率といった従来の数字は、「近い過去のおおよその近似値」でしかなく、企業の将来を占うにはほとんど役に立たない、と言う学者もいる。将来に向けて、企業にどれほどの推進力があるのか知りたければ、固定客の数はどれだけ伸びているか、従業員はどれほど精力的か、実際に一件ごとの採用で企業に才能の蓄積ができているのかどうか、といった将来に眼を向けた項目をパフォーマンス採点表に加える必要がある。

こうした採点法はいたって実質的である。だから、全従業員にあてはめて考え、採点後は、一人ひとりに採点表を戻し、全従業員に客観的な眼で自らのパフォーマンス全体を把握させるといい。採点は言うまでもなく、業務成績、顧客への影響、職場への影響の三つの分野から得られたパフォーマンス・データが反映されたものでなければならない。採点表そのものは一見してわかりやすく、かさばらないものにし、一つの分野につき、従業員に対する点数とそれを比較できる数値（五〇パーセンタイルまたは、従業員に最高のパフォーマンス・イメージを与えたければ七五パーセンタイル）も中に記しておくといい。そして、調査は少なくとも年に二回行う。

さらに、この採点表には次の二つの利点もある。まず一つは、それぞれの業務において成功とはいかなるものか、それを従業員に伝えることができるということだ。そんなことはわかりきっていると言う人もいるかもしれない。が、どのように成功が測定されているかを知らない従業員がいかに多いか、その数を言えばきっと驚くはずだ。実際のところ、「仕事で自分は何を期待されているか」という質問に対して、われわれのデータベースに収められている一七〇〇万人の従業員のうち、なんと六七％の従業員が「わかっているとは言えない」と答えている。何が期待されているかわからないということは、かぎられた時間の中で、どうやって業務に優先順位をつければいいかもわからないということである。いや、それよりもっと悪いのは、成功がどのように測定されるかわからなければ、自らの成功を実感できる機会など持てるわけがない、ということだ。

採点表のもう一つの利点は、個々の従業員にとっての企業価値が高まるということだ。マネジャーをうまく言いくるめて、敬意を持って従業員に接するようにさせるのと、先ほどの一二の質問を年二回、マネジャーの責任において実施させるのではまるで意味が異なる。客に対する従業員のインパクト、同僚に対するインパクトについてもそれは変わらない。こうした調査で、埋もれている質的価値に計測可能なスポットライトが当てられる。

第三のステップは、**従業員一人ひとりとその人の強みについて話し合う**ことだ。現実には、四つのステップの中で、これが一番おろそかにされがちだ。多くの企業が従業員の独自の才能を考慮せず、同じ業務に就いている従業員はすべて同じように管理すればいいと思っているからだ。たとえて言えば、そうした企業は従業員を駒にしてチェッカーをやっているのと変わらない。一つの業務において、従業員は全員似たり寄ったりのやり方で仕事を進めるものと思い込み、新人には多く、ベテランには少なく、と程度の差こそあれ、全員に画一的な教育を施し、一定の手順で物事を学ばせ、同じレベルの指示を与えればすむと考えている。

これとは対照的に、強みを土台にした企業は従業員を駒にしてチェスをしているようなものだ。駒は一つひとつ動きがちがうことをきちんと理解している。駒の見分けがつかなければ、ルークをナイトのように、ナイトをルークのように動かそうとして、ルークにもナイトにも欲求不満を与え、結局、ゲームにも負けてしまう。だから、時間をかけてでも、それぞれの駒の最も効果的な動かし方を学ぶべきだ。効果的な駒の動きは技術や知識や経験によってももたらされるが、駒の動きに何より多く影響を与えるのはやはり特別な資質、すなわち個々の資質の組み合わせである。

だから、新たに従業員を雇ったり、異動によって新たな上下関係が生まれたりしたときには、強みについて話し合う場を設けるべきだ。どのような形で行うかはマネジャーが自由に決めればいいが、次の四つの点はいつも留意しておくといい。

1　その従業員の最も秀でた強みとは何か？

2　その強みを活かして仕事でどのような成果を収めることができるか？　また、そのためにはどういう手順が効果的か？

3　才能を真の強みに育てるためには、どのような技術を習得し、どのような経験を積む必要があるか？

4　マネジャーに対しては、どのような対応を望むか？（これまでに受けた最高の賞賛は何か？考えていることを自分からマネジャーに話すほうか、それとも常にマネジャーが問いかけなければならないか？　最初から最後まで一人でやりたいほうか、それとも定期的にマネジャーに確認してもらいたいほうか？　などなど。すでに〈ストレングス・ファインダー〉を使っていて優位を占めるマネジャーの資質がわかっていれば、こういうときにも役に立つはずだ）

話し合いの場では、従業員の私的なことや職業上の目標などを取り上げるのも悪くないが、中心的な話題はこの四つに絞るといい。

こうした話し合いの何よりの利点は、従業員に対するマネジャーの理解が深まるということのほかに、企業が個々の従業員の強みに注目していることが本人にも自然と伝わることだ。才能のある人を企業に定着させたければ、その人に伝えるべきことは、企業がその人のことを気にかけていると言うだけでは足りない。成長のあと押しをすると言うことだけでも足りない。何より大切なのは、その人のことがわかっている、ことばに偽りなく、ほんとうにその人がどういう人間か理解している（少なくとも理解しようと努力している）と伝えることだ。ますます変化が激しく、それでいてどこも似たり寄ったりといった風潮の増す今日のビジネス界で、従業員の強みをあれこれ詮索したがる企業は、それだけでも他と一線を画すことができる。

しかし、これは何も従業員をいい気分にさせるためではもちろんない。あれこれ詮索するのは、従業員を成長させたいからだ。むしろこちらから従業員に挑んでいるのである。卓越する可能性を秘めた才能はどこに潜んでいるのか。それがわかれば、従業員からさらに得るものがあることがわかっているから、あれこれきくのだ。そうすることで、相手にも自分が企業に理解されていること、自分の強みをきちんと把握してくれていることが伝わる。最高の成果に向けて旅立つ従業員にとっても企業にとっても、これにまさる門出があるだろうか。

さて、旅の終着地——パフォーマンスを測る計測システムはもうできた。従業員の旅を追うためのバランスの取れた採点表もできた。また、従業員の強みに注目していることを従業員にわからせるという、マネジャーと従業員の関係の第一段階もすでに築かれた。パフォーマンス管理システムをさらに理想的なものにするには、これら個々の要素をまとめるメカニズムが要る。すぐれた成果につながる、障害の最も少ない道。それを見つけ、その道を強みに歩かせるメカニズムだ。

多くの人的資源と企業の教育担当による貢献はもちろんだが、従業員にとっては、やはりなんと言ってもマネジャーが一番大きな影響を与える旅のパートナーとなる。だから、成功への道を選ぶための最良のメカニズムは、マネジャーと従業員との定期的で、予見的で、生産的な話し合い以外には考えられない。ほかの二つのステップを実践しながら、少なくとも三カ月に最低一時間は、パフォーマンスについてマネジャーと従業員が話し合う場を設けることだ。そこまでできれば、自らの強みを毎日活かしていると実感している従業員の数が倍増すること請け合いである。

あまりに簡単すぎると思う向きもあるかもしれない。実際、ある意味ではしごく簡単なことだ。しかし、話し合いをより高度なものにするためにやれることはいくらもある。たとえば、個々の重要な業務について、最もすぐれた従業員のやり方を観察し、従来の手引き書に書かれていないことが見つかれば、従業員に何をアドバイスしていいかわからないでいるマネジャーに、その発見を教えるというのも悪くない。また、これは『まず、ルールを破れ』に書いたことだが、話し合いの場では毎回、次の三つの質問をぶつけるのも一案である。

Q１　今後三カ月、何に一番力を入れるつもりか？
Q２　何を発見しようと（学ぼうと）しているのか？
Q３　どのような（協力）関係を築きたいと思っているのか？

この三つの質問は大いに役に立つはずだ。が、こうした工夫がなくても、定期的で予見的な話し合いを持つだけで驚くほどの効果がある。理由はいくつもあるが、その一つは、従業員が短期の目標を達成しつづけ、マネジャーがその成果に価値を与えることで緊張感を持続させることができる、ということだ。また、これらの話し合いでマネジャーは現場に近づくことになり、従業員の気持ちを理解しやすくもなれば、市場の変化を察知しやすくもなる。あまつさえ、従業員一人ひとりの微妙な相違を明確にとらえることができるようにもなれば、個々に応じた教育を施すことができるようにもなる。そして、もちろん、何よりマネジャーと従業員との人間関係を築く一助になる。

実際、今日の労働社会はきわめて動的で、きわめて個人的であるから、こういった話し合いなしに、強みを土台にした企業を築くのはまず不可能だろう。マネジャーが個々の従業員と定期的に彼らのパフォーマンスについて話し合わなければ、上層部が並存的妥当性の高い調査を何度行おうと、〈資質プロフィール〉を何冊つくろうと、評価システムをいくら改善しようと、なんの効果もないだろう。従業員との話し合いは強い企業を築く管理の要だ。

強みに基づくキャリア開発システム

個々の強みに適さない業務に就かせてしまうような昇進を続けていては、当然のことながら、従業員の強みを活かすことはできない。これが強みを土台にした企業を築くための最後のハードルだ。『ピーターの法則』の中で、ローレンス・ピーターが、あまりにも多くの人が能力以上の昇進をしている、と述べたのは一九六〇年代後半のことだが、そうした昇進がどれほど危険なことか、われわれにはよくわかっている。では、よくわかりながらその後も三〇年、いまだに同じことを続けているのはなぜか。従業員に成長の機会を与えたいからなのか。一つの職務に同じ人を据えておきたくないからか。キャリアを積ませたいからなのか。それとも功績に報いたいからか。こうした思慮が働いているのはまちがいない。が、だからと言って必ずしも昇進させる必要はないのではないか。昇進しなくても、人は学ぶことも、キャリアを積むことも、功績に対する賞賛を受けることもできる。だから、どうしても疑問が残る。従業員を成長させ、キャリアを積ませ、功績に報いようとするとき、企業はどうして出世の階段を昇らせることとしか考えないのか。この問題の核心に迫らなければ三〇年後も今と変わらず、ピーターの法則がまかり通っているだろう。何百万人もの従業員が適さない職務を与えられていると感じ、そのため多くの企業がより弱体化していることだろう。

この問題については次のように断じたい。企業の大半が従業員を昇進させるのは、一つのすぐれた洞察と一つの大きな誤りとの危険な組み合わせによるものだ、と。すぐれた洞察というのは、名声欲が人間にとってはおそらく最も強力な動因だと直感的に見抜いているからである。フランシス・フクヤマは著書『歴史の終わり』の中でこう述べている。すぐれた思想家たちの多くが何世紀にもわたって、「尊敬に値する立派な人間として認められたいという欲望」こそ人間の本質と見なしてきた。「プラトンにとってそれは気概（テューモス）であり、マキアベリにとっては栄光を求める欲望、ホッブズには誇りと虚栄、ルソーには自己愛、アレクサンダー・ハミルトンには名声への愛、ジェームズ・マディソンには野心、ヘーゲルには承認だった。さらに、ニーチェにとって人間とは『赤い頰をした獣』だった」。だからと言って、これらの偉大な思想家たちのだれ一人、人間は利己的な生きものだなどと示唆してはいない。ただ、人間の精神の奥底には、尊敬に値する人間として認められたいという非常に強い欲望があり、自らを危険にさらしてでもその欲望を満たそうとする、と言っているのだ。

このことは、何もヘーゲルやニーチェやプラトンの助けを借りなくてもわれわれにはよくわかっている。本能的に感じている、といったほうがいいかもしれない。子供の口喧嘩から、迫害に対する高貴な人間性の闘いに至るまで、あらゆる相互関係において、「人間として受けて当然の敬意を持って私を扱ってくれ」という声には、われわれは迷いなく倫理的正当性を認める。だからこそ、偏見を持つのはよくないということも、人間は自由であってしかるべきだということも、そして、人に敬意を表する最善の方法はより高い評価を与えることだということも、われわれは直感的に知っているのである。

この考え方は正しい。この洞察を忘れて、従業員の名声願望を満たそうとしない企業はどうなるか。それを知りたければ、共産主義体制に何が起きたか思い出すといい。共産主義体制の崩壊は当然の結果である（意外に長続きしたとは言えるだろうが）。なぜなら、共産主義体制における敬意はあくまで共同体に向けられたもので、個人に向けられたものではなかったからだ。その結果、徐々に生命力とその精神を失った。共産主義体制下にいる個人が個々に失うたびに。これと同じことがヒエラルキーの廃止を試みている最近の企業にも言える。そうした企業では職階がなく、チームに責任者を置かない自己管理制が取り入れられ、社員全員が「平社員」の肩書きを持つ。考え方はすばらしい。が、実際にはうまく機能していない。それは、一人ひとりに評価を与える人がいないため、従業員の名声欲が満たされないからだ。

人間にはだれしも名声を得たいという欲望があり、それを無視したり抑制したりせず、その欲望を満たす道を切り開くべきだという考えはすぐれた洞察だ。とすれば、もう一方の大きな誤りとは何か。それは、人間が求めている名声には、権力を伴う名声、この一つの形しかないと考えている点だ。二〇年ほどまえまでなら、これは誤りと見なされなかったかもしれない。権威主義の強い社会においては、個人が自由に決定、判断できるかどうかはその上に立つ人の気分で決まり、他を支配する権力を伴う名声でなければ、価値がないと見なされる。二〇年まえまでは大多数の企業がまさにこの状態だった。上層部が命令を下し、企業全体を支配していた。だから、だれもができるかぎり早く出世の階段を昇ろうとしたのも当然だった。それが支配から逃れ、なおかつ敬意を勝ち取る唯一の方法だったのだから。

　しかし、今日の企業はその多くが命令や支配を排し、従業員に決定権を与える方向に向かっている。そうしなければならないからだ。たとえば、専門知識のある従業員と個々の顧客との関係が尊重される知識経済《ナレッジ・エコノミー》の世界では、特定の分野にしろ、顧客情報にしろ、従業員のほうがマネジャーよりもくわしいなどということがいくらでも起こりうる。そういう状況でマネジャーが従業員の決定や判断を覆すおそれがあるようなら、そんな企業はすぐに力をなくすだろう。だいたいそんな企業ではだれが正当な名声に浴するのか。天才的なプログラマーか、それとも、その上司か。超一流の販売員か、販売マネジャーか。インスピレーションのある店舗マネジャーか、その地区主任か。

　知識経済の世界（競争の激しい労働市場も加えていいだろう）では、平社員であれ、地区主任であれ、マネジャーであれ、指導者であれ、その職務ですぐれた成果を収めた人はだれでも名声を得て当然と考えられている。それが先の問いに対する答えだ。が、**企業が求める完璧に近い成果は業務ごとにさまざまに異なる。**だから、当然、その職務ごとの成果に応じたさまざまな名声が用意されなくてはならない。しかし残念ながら、そういう名声を提供できる企業の数はまだまだ圧倒的に少ない。多くの企業が従業員に自由裁量を与える必要性を認めながら、いまだにわずか一種類の名声、つまり他も支配する権力を伴う名声にとらわれている。そうした名声しかないものだから、それを手に入れる道も一つしか用意されない。成功すれば昇進して、他に影響力のある権力を得る、そこでまた成功すればさらに昇進して、より影響力のある権力を得る、という構図だ。ヒエラルキーというものが、さまざまな人たちにさまざまな名声を提供するためのシステムだとすれば、こうした企業の欠点はヒエラルキーが多すぎるのではなく、逆に少なすぎることになる。すなわち、こうした企業では名声が払底しているのだ。

強みを土台にした企業にはこうした欠陥があってはならない。それぞれ異なった意味のある名声を現状に合わせて用意しなくてはいけない。実際にこれを実行に移すと、複雑にして多岐にわたる作業になるだろうが、基本的にやるべきことは二つだ。まず第一のステップは、**名声の階段を増やすこと**だ。その作業は主だった職務から始め、それぞれの階段に「優・良・可」三つの踏み段を設定する。その踏み段をなんと呼ぶかは自由だが、最上段がその職務における最高の成果を意味していなければならない。また、従業員が一つの段から次の段に移るということは、何かが達成された結果なわけだが、その達成度を測る特別な達成基準（永続的なものではない）を設定しなければいけない。その達成基準を定めるには、すでに紹介した採点表を参考にするといい。踏み段の数や求められる達成度は、もちろん職務によって異なるが、どんな職務においても、新たに配属された従業員には、「この役職ではこの段がタイガー・ウッズのレベルで、ここに到達するためにすべきことはこれだ」と明確に説明できるようにしておく必要がある。

この説明に対し、「わかった。では、タイガー・ウッズのレベルまで行けば、ほんとうにみんなから敬意を払われるのだろうか」と尋ねる従業員がいるかもしれない。その問いにはもちろんイエスと答える。さもないと、そういった従業員は初めから階段を昇ろうとしないだろう。そして、これが強みを土台にしたキャリア開発システムを築く第二のステップだ。**階段を昇りたくなる発奮材料を従業員に与えること**。その最も効果的な方法は、名声を現状より細分化して、階段を昇れば昇っただけ、名声が得られるようにすることだが、そうするには肩書きのつけ方から変えていかなければならない。

実際、どうして最高の店舗マネジャーや看護婦長や販売員、さらには顧客サービスの代表者は、主任クラスの肩書きしか得られないのか。こういうことを言うと、あるいは常識はずれに聞こえるかもしれないが、どうして彼らには役員レベルの肩書きはふさわしくないのか。客観的な採点表によって、彼らがいたって優秀な成果を常に収めていることが明らかになっているにもかかわらず、他を支配する権力のある役職に就いていないというだけで、どうして彼らに名声を与えないのか。みなさんの中には、下級の職務に肩書きをつけるのは、組織労働の規範に反すると言う人がいるかもしれない。そのとおりだ。でも、だからなんだというのか？　現実には大多数の企業の規範が強みに基づいていないのである。規範重視の人もそんな企業の規範にいつまでも縛られていたいとは思うまい。

名声の種類を増やしたら、それに応じて給与体系も変える必要がある。これは『まず、ルールを破れ』にも書いたことだが、給与体系を変える最も効果的な方法はブロードバンド化である。つまり、階段の最上段にいる従業員は、同じ職務で同じ階段を昇りはじめた従業員より、三〇から四〇、あるいは五〇％高い給与が得られるような広範囲化された給与体系を考えることだ。

労務費がかさむのではないかと心配する人もいるかもしれないが、ブロードバンド化された給与体系には、オーバーラップする部分のあることを心にとどめておいてほしい。優秀で経験豊富な顧客サービスの代表者が、新米マネジャーより高い給与を得たとしても、なんら不都合はないと思えるなら、代表者の給与を上げ、マネジャーのほうは据え置きにすればいい。ヒエラルキーに準じて昇給する必要はないのだから。

さらに、それぞれの職務で完璧に近い成果（世界レベルと言い換えてもいい）に向かわせるための発奮材料を何人かの従業員に提供していれば、より多く働き、より多くを受け取る従業員の数は、最後には減るかもしれない。だから、収入が増える従業員がいても、そうした従業員の全体数は減って、結局、労働コストの削減につながる。

また、このブロードバンドは一部を基本給ではなく「危険給」にすることも可能だ。給付金は基本給の四〇％と決めておけば、給付金の枠が大幅に増えることもない。結局のところ、職務に対する意味のある名声の形をできるかぎり増やすことで、実質的には給付金を減少させることも可能だということだ。マット・リドリーは最新の著書*Genome: the Autobiography of a Species in 23 Chapter*（ゲノム――二三章の自叙伝）の中で、仕事の地位と健康の関係について次のように述べている。「イギリスの一万七〇〇〇人の公務員を対象に行った、長期にわたる大規模な調査で、ほとんど信じられないような意外な結果が明らかになった。それは、心臓発作の可能性は肥満や喫煙や高血圧より仕事の地位からのほうが推測しやすいということだ。公務員の中で最高位にある事務次官より、清掃作業員のような組織の中で下位にいる人のほうが、心臓発作を起こす可能性が四倍も高い。実際、事務次官が肥満で、高血圧で、喫煙者であったとしても、やせていて、低血圧で、非喫煙者の同年齢の清掃作業員より心臓発作を起こす可能性は格段に低いのだ。実は、これと同じ調査が一九六〇年代にベル・

テレフォン・カンパニーの一〇〇万人の従業員を対象に行われていて、そのときに得られた結果もまったく同じだった」

以上のことから言えるのは、従業員の健康は職務に与えられた名声と密接な関わりがあるということだ。つまり、企業が高い名声を与えるほど、従業員はより健康でいられ、反対に相応の名声を得られないほど罹病率が高くなる。リドリーのことばを借りれば、「あなたの心臓は給与のなすがまま」というわけだ。ギャラップでも約八〇〇〇の組織で働く一九万八〇〇〇人の従業員を対象に、強みを土台にした企業と健康の関連を独自に調査し、最新のメタ分析をしたところ、最も得意な仕事をする機会に毎日恵まれていると感じている従業員ほど、病気で欠勤する日数、労働者補償の請求件数、勤務中の事故件数、いずれも少ないことがわかった。

これで、強みを土台にした企業を築くことがいかに大切かよくおわかりいただけたことと思う。そう、企業の生産性を高めたければ、顧客ロイヤルティーを高めたければ、才能ある従業員の定着率を高めたければ、従業員の強みを活かすことだ。それと同様、従業員の安全と健康を本気で考えているのなら、彼らの強みを活かし、彼らの働きにふさわしい名声を与えることだ。

暗い部屋で組み立てられたジグソーパズル。それが今日の多くの企業の姿である。一つひとつのピースを無理矢理押し込んで、端が傷んでしまっているのに、正しい位置に収めたつもりになっている。ブラインドを上げ、部屋を少し明るくするだけで、真実がわかるだろう。一〇個のピースのうち八個もまちがった場所に収められていることが。

一〇人の従業員のうち八人が適した職務を与えられていないと感じており、一〇人の従業員のうち八人が最高のパフォーマンスを見せる機会にまったく恵まれていないということが。彼らの苦しみは企業の苦しみであり、ひいては顧客の苦しみとなる。彼らの健康が損なわれれば、その友人の健康も、家族の健康も損なわれる。

そんな状態を続けなければならない道理などどこにもない。企業はブラインドを上げることだ。従業員の強みにもっと光を当てることだ。強みを重視するマネジャーのもとに彼らを送り、強みを活かすよう奨励し、強みを武器にすぐれた成果を収めたら、相応の名声が与えられる企業をつくることだ。従業員が持っている最高のものを本人に示し、さらに高みを目指すよう促し、従業員がゆるぎない人生を歩む手助けをすることだ。

知識経済は歩調を速め、グローバルな競争は激しさを増し、新たな技術は次々と開発され、労働人口が高齢化するなか、有能な従業員を獲得することが近年ますます重要になってきている。従業員に投資する際には、より洗練され、より効果的な方法を見つけなくてはならない。従業員の強みを見きわめ、それを最大限に活かせる業務を与えられるようにしなければならない。それができて初めてわれわれは強くなれる。勝利を手にすることができるのである。

参考資料

ストレングス・ファインダーに関するテクニカル・レポート

ストレングス・ファインダーを補強し、より精巧なものにするためにどのような調査を実施したか

ギャラップ・シニア・リサーチ・ディレクター　シオドア・L・ヘイズ博士

〈ストレングス・ファインダー〉のような「道具」には、性能を問う段階で検討すべき技術的な問題が数多くある。それらを大きく分けると、一つは、情報技術（IT）と、人間の本質について学ぼうとする者にインターネットを通じて提供されるアプリケーションの持つ計り知れない可能性に関する問題。もう一つは、人間の行動を科学的に測定する計量心理学に関する問題である。計量心理学についてはアメリカにも世界にも基準がいくつもあり、〈ストレングス・ファインダー〉の開発にあたっては、アメリカ教育学会（AERA）、アメリカ心理学会（APA）、全米教育測定協議会（NCME）などの一九九九年の基準に合わせた。本項では、企業で指導者が〈ストレングス・ファインダー〉を利用する際に疑問を覚えるかもしれない、基準および技術に関する点について説明する。

もとになる資料をご覧になりたい読者のためには、専門書がすでに何点か紹介されているが、それらは地元の大学の図書館やインターネットで閲覧できるはずである。さらにくわしい資料を求めたい向きは、ギャラップに問い合わせるか、本項の最後に挙げた参考文献を読んでいただければと思う。

〈ストレングス・ファインダー〉とは何か？

〈ストレングス・ファインダー〉とは、ポジティブ・サイコロジーの見地から人間性を探るために、ウェ

ブ専用に開発された世界初の道具だ。全部で一八〇の項目からなり、すべてセキュリティーで保護されており、各項目は「使用説明書をよく読む」「いきなり物事に取り組む」といった、被験者に自画像を描かせる設問が二つずつ並記されている。この二つは、連続体の両端に固定されたかのように両極端な内容になっている。被験者は自らの経験に照らし合わせ、どちらの記述があてはまるか判断し、二〇秒以内に回答しなければならない。二〇秒を過ぎると、自動的に次の項目に進むようになっている（二〇秒以内に答えられない項目は、優位を占める資質とつながりはないので、無回答でも問題はない。そのことは、〈ストレングス・ファインダー〉開発時の調査で明らかになっている）。選択肢はすべて三四の資質に関連したものである。

〈ストレングス・ファインダー〉はどのような理論に基づいているか？

〈ストレングス・ファインダー〉は、ポジティブ・サイコロジーの一般的モデルに基づいている。〈ストレングス・ファインダー〉でわかるのは、被験者のモチベーション（努力）、人づきあいの技術（人間関係）、自己顕示（影響）、学習方法（思考）である。

ポジティブ・サイコロジーとは何か？

ポジティブ・サイコロジーとは、健全かつ順調な生活を送るための機能とは何か、という観点から人間の心理に迫る枠組み、パラダイムのことだ。扱うテーマは、楽観、プラス志向、精神性、幸福、満足感、自己開発、および安寧で、これらのテーマ（さらにそれに類似したテーマ）について、個人、職場、家族、地域社会を対象に研究を行っている。ポジティブ・サイコロジーを学ぶセラピストもいるが、ポジティブ・サイコロジー学者との決定的なちがいは、前者は機能障害を取り除くため、後者は順調な機能の維持および増進に焦点を当てていることだ。二〇〇〇年に刊行された「アメリカン・サイコロジスト」誌の特別号に、最も高名な学術研究者たちによるポジティブ・サイコロジーの概観が紹介されているので、参考にされたい。

〈ストレングス・ファインダー〉は仕事に関連した人物調査なのか、臨床検査なのか? その両方か? それとも、そのどちらでもないのか?

〈ストレングス・ファインダー〉は、ポジティブ・サイコロジーに基づく多目的の測定器だ。これまでは主に仕事の場で利用されてきたが、家族や経営陣が利用することも、自己開発に活用することもできる。が、臨床的な査定や精神障害の診断を目的とするものではない。

〈ストレングス・ファインダー〉は、二〇年以上にわたって調査ジャーナリズムに定着している、性格の「五大要素」をどうして基準にしないのか?

性格の「五大要素」とは、神経症的傾向(感情面の安定性を示す)、外向性(人とのふれあいを求める)、開放性(未知の経験や考えなどへの関心)、人あたりのよさ(好感度および協調性)、良心(規則の遵守、自制、誠実さ)、以上の五つだが、これまでに行われてきたいくつもの科学的な調査が、人間の性格の機能はこれら五つに集約できることを示している。また、これらの調査は文化やことばの壁を越えて実施されている(マクレー、コスタ、一九八七年。マクレー、コスタ、リマほか、一九九九年。マクレー、コスタ、オステンドーフほか、二〇〇〇年)。

〈ストレングス・ファインダー〉がこれらの五大要素に拠っていない最たる理由は、これらの要素は概念的な基準というより測定のための基準だからだ。これらは因子分析法から導き出されたもので、理論的な裏づけは何もなされていない。しかも、性格の最も普遍的な要素を最小限にまとめてはいるが、概念という点から見ると、一九九五年にブロックが唱えた四大要素や一九九六年に二人のホーガンとロバーツが唱えた六大要素と同様、現実に即していない。〈ストレングス・ファインダー〉の資質をこの五大要素にまとめることは可能だが、そうしたところで何も得るものはない。被験者の点数を五つの資質にまとめたところで、情報としては五大要素を基準にした測定結果ほどの値打ちもない。現在普及している測定法でさえ、この五大要素以外に副要素をつけ加えているのだから。

一八〇の項目はどのようにして決められたのか?

これらの項目は、ギャラップが三〇年以上にわたり、成功を収めた人たちを体系的かつ建設的な方法で調査した結果をもとに作成されたものだ。項目数は妥当か、その内容はそれぞれの資質を反映し、かつ資質に内包されているかどうかといった検討を重ね、正確な測定が下せる構成を目指した。われわれが測定しようとしている人間のパフォーマンスの幅を考えると、項目の内容も多種多様にならざるをえなかった。しかし、一般によく知られている性格診断でも、その項目数は少ないもので一五〇項目、多いものになると四〇〇項目にもなるのではないだろうか。

イプサティブ方式を用いているのか? もしそうなら、集計法には限界があるのではないか?

「イプサティビティー(多変量解析)」とは、データ・マトリクス(セットになった点数)の一面を表す数学用語だが、被験者の点数の合計が一定なら、そのデータ・マトリクスは「イプサティブ」ということになる。一般的に言えば、イプサティビティーは、ある特定の人間の顕著な資質を表す点数のセットを意味し、非常にかぎられた方法でのみ他との比較ができるということだ。たとえば、あなたが好きな色に順位をつけ、別の人も同じことをしたとする。その場合、イプサティビティーによって、嗜好度を比較することはできない。比較できるのは順位だけだ。〈ストレングス・ファインダー〉でイプサティブ方式によって点数計算されるのは、一八〇項目中、三〇％以下で、それらの項目は〈ストレングス・ファインダー〉の資質全体に及んでいるが、イプサティブ・データ・マトリクスが生じる形で点数計算される項目は、一つの資質に一つしかない（プレイク、一九九九年）。

点数をどのように算定するか？

点数は自己描写の強度の平均値をもとに算定される。すべての項目に「まったくそのとおりである」「どちらかと言えば、そうだ」「そうとは言えない」という三つの選択肢が用意されており、被験者がこのうち一つを選ぶと、〈ストレングス・ファインダー〉独自の算定方法で、それぞれの回答に数値が割り振られ、資質に関わるそれぞれの項目の数値の平均が資質の点数となる。その点数は平均値、標準得点、パーセンタイルのいずれの形でも表記が可能である。

開発時には項目応答理論（IRT）のような最新の採点理論も応用したのか？

〈ストレングス・ファインダー〉は、才能に基づく強みづくりに関し、ギャラップがこれまでに蓄積してきた知識と経験を補強するために開発されたもので、基本的な項目は有効性を立証する伝統的要素（構成、内容、基準）をもとに選ばれている。これは診断テストを開発する際に広く用いられる方法である。異種、同種に関係なく、査定にIRTを応用する方法は、現在、実験段階にある（ウォラー、トンプスン、ウェンク、二〇〇〇年）。しかし、今後、〈ストレングス・ファインダー〉の計算方式を改める際、道具としての性能を高めるためにIRTを利用する可能性は大いにある。

〈ストレングス・ファインダー〉と性格判断や職業適性テストや知能テストとのあいだには、どのような併存的妥当性があるのか?

〈ストレングス・ファインダー〉は、ポジティブ・サイコロジーをもとに個々の才能を査定する多目的測定器だ。だから、〈ストレングス・ファインダー〉で明らかにされる人間性と、一般に用いられている数々の性格判断の結果にある程度の類似が見られても、それは不思議ではない。いずれにしろ、これは将来、調査と経験によって明らかにされる問題だろう。

点数が変わることはあるのか?

これは重要な疑問だ。これには技術的および概念的な二つの答えがある。

1　技術的な答え　〈ストレングス・ファインダー〉によって測定された才能は、当然のことながら、信頼に足る財産でなければならない。ここで言う「信頼」には次の二つの意味がある。まず第一に、〈ストレングス・ファインダー〉で得られる点数は、被験者の資質自体に関係し、気分や疲労などといった一過性のものの影響を受けたものではないという点だ。これは技術的には内的一貫性と呼ばれ、一貫性が高ければ、一つの資質に関する項目が互いに矛盾することなく、また、ほかからの影響も受けていないことを示す。この信頼性については、ギャラップは先頃、五万人以上の被験者の測定結果をもとに調査を行ったのだが（一つの資質に関する項目の数には最低四項目から最高一五項目まで開きがあるので、一五項目ある資質の内的一貫性も反映されるよう調整がなされ、項目相互の平均値が求められた）、その結果、内的一貫性を示す数値の平均は〇・七八五だった。考えうる最高値は一だから、信頼性のあることを示す実質的な目安は〇・八〇といったところだろうか。〇・七八五という数字は充分信用できる数字だ。

もう一つ、それは、再テスト法によって複数回測定してもほぼ同じ点数にならなければならないという点だ。その点に関しては、半年間隔で再テストを実施した結果、〈ストレングス・ファインダー〉の資質のほとんどすべてについて、〇・六〇から〇・八〇のあいだに収まることがわかっている。再テスト法による信頼性の最高値は一。言うまでもなく、これは〈ストレングス・ファインダー〉を複数回試してもまったく同じ点数になった場合である。

2 概念的な答え

点数にどれほど安定性があるか判断するには経験が必要となるのはもちろんだが、演繹的に個人の才能の源について考えることもまた意味のあることだ。ギャラップは長期にわたり、一〇代前半から七〇代半ばまでの卓越した実践者を対象に、大規模で定性的および量的な調査を行っている。どの調査でも、成功と関係する、思考、感情および行動の永続的パターンの特定に主眼が置かれ、インタビューでは、「今から一〇年後に何をしていたいですか」にしろ、「初めてものを売ったのは何歳のときでしたか」にしろ、将来と過去両方に関する質問が盛り込まれた。これはつまり、彼らの優秀さを調べる際、短期ではなく、長期の時間枠が前提にされたということだ。その結果、わかったことの多くが仕事の安定性を予見するのに役立つもので、それらはまた判明した個々の資質が永続的なものであることも示唆していた。そうした調査を二～三年間続けたことで、短期間だけ華々しい活躍を見せるのではなく、卓抜した成果を長く持続させるのに必要なものに対するわれわれの理解は一般と深まった。そうして得られた情報、すなわち卓抜した個性とモチベーションおよび価値観の関連性を明らかにする情報は、個々の永続的な資質を特定できる〈ストレングス・ファインダー〉にも大いに活かされている。

ただ、きわだった特徴の持続期間というものは実際にはどれくらいのものか、それは〈ストレングス・

ファインダー〉が利用されはじめたこの初期の段階では、まだはっきりとはわからない。月単位ではなく、年単位だろうとは思われるが。最低五年から最高三、四〇年、あるいはそれ以上を考えてもいいかもしれない。実際、性格の一部は変わることがなく、何十年先でも予見可能なものだという実証もされている（ジャッジ、ヒギンズ、ソーレスン、バリック、一九九九年）。一方、〈ストレングス・ファインダー〉の資質の中には、すこぶる長続きするものと、短期的とは言えないまでも、永続的とも言えないものもあるかもしれない。さらに、今後、さまざまな年代の人たちを横断的に調査していけば、標準的な行動パターンと年齢との相関関係も明らかになるかもしれない。が、資質の変化が現れたように見えたからといって、年齢に伴う気質、感情、認識力の変化と即座に見なすのではなく、まず測定の誤りを疑うべきだ。明らかな矛盾については、被験者を呼んで事情をきくべきだろう。

資質の点数は人種や性別や年齢によって変わるのか?

〈ストレングス・ファインダー〉の資質を決める際、ギャラップはいっさい条件を設けず、さまざまな人を対象に調査を行った。特定の職務の現職者や志願者にかぎらず、被験者がどんな人でもさしつかえないよう、あらゆる可能性を考慮して資質を決定した。人口統計学的に多数派とされる人たちのあいだに見られる点数差は、世界的なデータベース・レベルで平均〇・〇四ポイント（一〇〇分の四ポイント）以下だ。

実際のところ、この点数差は取るに足りないことだ。しかも、その点数差には一貫したパターンが見られない。たとえば、販売に必要不可欠かもしれない〈活発性〉を例にとると、男性は女性より〇・〇三一ポイントだけ上まわる。また、非白人は白人より〇・〇四八ポイント、三九歳以下の人は四〇歳以上の人より〇・〇三三ポイント上まわるだけである。もう一つ別の特性を見てみると、マネジャーに必要だと思われる〈アレンジ〉に関しては、女性は男性より〇・〇二一ポイント、白人は非白人より〇・〇一六ポイント高く、三九歳以下の人は四〇歳以上の人より〇・〇五三ポイント低い。ただそれだけのことだ。さらに、多くの人が教育関係や人間関係の仕事にたずさわる人に必要と信じている〈共感性〉などは、女性は男性より〇・二四八ポイント、白人は非白人より〇・〇三〇ポイント、三九歳以下の人は四〇歳以上の人より〇・〇一四ポイント高いだけのことだ。

現在、五万人以上の被験者の測定結果がデータベースに収められているが、「統計上の有意性」があるかもしれないと思われるのはその中のほんの一握りで、これは単にサンプル量の問題だ。効果量の差の平均値を「D－プライム」で表すと、すべての資質に関する男女差は、〇・〇九九ポイントになる（資質差とグループの構成員との平均相関値は〇・〇五以下）。さらに、白人と非白人とのあいだでは〇・一三三ポイント（同、〇・〇七以下）、三九歳以下の人と四〇歳以上の人とでは、〇・〇五〇ポイント（同、〇・〇三以下）になる。ついでながら、これらのわずかな差の多くは、一般に「守られている側」と見なされる人々——非白人、女性、四〇歳以上の人にとって望ましいものだ。が、結論としては、それがたとえ有意性のある相違であったとしても、あるグループがほかのグループよりすぐれているということにはならない。単に、われわれのデータベースのレベルでは、ある特定のグループになんらかの得点傾向が見られるというだけのことだ。

いずれにしろ、これらの測定結果を見て、ギャラップは以下の四つの結論を導き出した。一つ、特性の点数差の平均は少数派と多数派のあいだでは非常に小さく、だいたいにおいて〇・〇四ポイント以下、D－プライムで言えば、〇・一〇以下である。ということは、点数分布に関するかぎり、この二つのグループ間には明らかな（あるいは測定レベルの）偏りはないということだ。ついでながら、比較対照された各グループ間では、得点分布の九八から一〇〇％が重複している。

もう一つは、いくつかのケースではきわめて小さいものの、統計学的有意性が見られることである。これは、しかし、五万人以上もの人がプロファイリングを行ったわけで、ほぼすべての点数差が拡大されてしまったせいだろう。しかも、その差に有意性があるときでさえ、弱者に有利であることがほとんどなのである。

最後に、一つの資質はほかの資質よりすぐれているとは言えない。それらはさまざまな種類の強みを生み出す潜在能力を表しているにすぎない。強みの構築はゼロサム・ゲームではないのである。

これら三点をまとめた結論は、世界から得られたデータベース・レベルでのきわめて小さな相違は、個人レベルでの実質的な相違にはならない、ということだ。

どうすれば、コンピューターを操作できない、あるいは経済的な理由でインターネットを利用できない人でも〈ストレングス・ファインダー〉を利用し、資質を測定し、その結果を知ることができるか?

経済的な理由でできない場合は、図書館や学校のコンピューターを利用してインターネットにアクセスするといい。念のために言っておくと、ギャラップが一緒に仕事をした企業の中には、すべての社員がインターネットにアクセスできるとはかぎらないところもあった。そういった恵まれない環境に置かれている場合には、コンピューターが備えられている部署に行き、特別に使わせてもらうのが手っ取り早い解決策だろう。

コンピューターの操作ができない場合は、〈ストレングス・ファインダー〉の設定を調節して利用するといい。〈ストレングス・ファインダー〉を制御しているタイマーは解除できる仕組みになっているので、だれかに頼んでタイマーを止めてもらうのが一番簡単だ。それができれば、〈ストレングス・ファインダー〉を利用するまえにギャラップに連絡してほしい。状況に応じた個別の対応が受けられる。

どの程度の読解力が必要か？　文章を読解するレベルに達していない人はどうすればいいか？

〈ストレングス・ファインダー〉は、少なくとも中学生程度の読解力があれば、利用できるようになっている（一四歳になっていれば、まず一人で最後までできるだろう）。実際、ティーンエイジャーのリーダーシップの調査にこの〈ストレングス・ファインダー〉を利用したことがあるのだが、大きな問題もなければ、同じ問題が繰り返し起こるようなこともなかった。それでも、意味のわからないことばがあればタイマーを止めて、辞書を引くか、だれかに尋ねるといい。

英語を母国語としない人も利用できるのか？

〈ストレングス・ファインダー〉によって測定される個人の資質は国籍や文化に関係ない。それはギャラップも他の調査団体も保証している。点数に変化はあっても、資質の本質は変わらない。現に、この〈ストレングス・ファインダー〉は現時点で七カ国語に訳されており、二〇〇一年にはさらに数カ国語加わる予定である。それぞれの言語による、予測される点数のデータベースも開発中である。

どのようなフィードバックが可能か？

被験者が〈ストレングス・ファインダー〉を実施した理由によって、フィードバックも変わってくるだろう。点数の高い上位五つ、つまりその人の中で優位を占める五つの資質だけを伝えられることもあれば、残る二九の資質もすべてフィードバックされることもあるだろう。後者の場合には、ギャラップのコンサルタントの面談を受けたり、同僚とともに統括チームを築くための会議の場などで、資質一つひとつの活かし方について話し合うのも悪くない。

参考文献

このテクニカル・レポートについてくわしく知りたい方のために、参考文献を次に挙げておく。すべて網羅はできていない。また、統計学の高度な技術に関する文献も少なくないが、興味のある向きは読まれたい。

米国教育学会、米国心理学会、全米教育測定協議会 *Standards for educational and psychological testing.* 米国教育学会、ワシントンDC、一九九九年

American Psychologist. Positive psychology. （特別号）米国心理学会、ワシントンDC、二〇〇〇年

J・ブロック A Contrarian view of the five-factor approach to personality description. *Psychological Bulletin* 177: 187-215 1995

R・ホーガン、J・ホーガン、B・W・ロバーツ Personality measurement and employment decision: Questions and answers. *American Psychologist* 51: 469-77 1996

J・E・ハンター、F・L・シュミット *Methods of meta-analysis: Correcting error and bias in research findings.* Newbury Park, CA: Sage. 1990

T・A・ジャッジ、C・J・ソーレスン、M・R・バリック The big five personality traits, general mental ability, and career success across the life span. *Personnel Psychology* 52:621-52 1999

M・W・リプシー、D・B・ウィルスン The efficacy of psychological, educational, and behavioral treatment. *American Psychologist* 48: 1181-1209 1993

R・R・マクレー、P・T・コスタ Validation of the five-factor model of personality across instruments and observers. *Journal of Personality and Social Psychology* 52: 81-90 1987

R・R・マクレー、P・T・コスタ、M・P・ドゥ・リマほか　Age differences in personality across the adult life span: Parallels in five cultures. *Development Psychology* 35: 466-77 1999

R・R・マクレー、P・T・コスタ、F・オステンドーフほか　Nature over nurture: Temperament, personality, and life span development. *Journal of Personality and Social Psychology* 78: 173-86 2000

B・ブレイク　*An Investigation of ipsativity and multicollinearity properties of the StrengthsFinder Instrument* [technical report]. Lincoln, NE: The Gallup Organization 1999

N・G・ウォラー、J・S・トンプスン、E・ウェンク　Using IRT to separate measurement bias from true group differences on homegeneous and heterogeneous scales: An illustration with the MMPI. *Psychological Methods* 5: 125-46 2000

謝辞

本書は、才能と強みに関する何年にもわたる調査の産物である。まず、世界じゅうにいる多くのギャラップの調査員に感謝したい。彼らの洞察が調査に命を与え、最後には本書で紹介した数々の発見を生んだのである。

ジム・クリフトンとラリー・エモンド。この二人には特に謝意を捧げたい。彼らがいなければ、本書は生まれなかった。才能に対する信念そのままに生きている、コニー・ラス博士とジェームズ・ソレンスン。調査にあたり専門家の意見を聞かせてくれたゲイル・ミュラー博士、デニスン・ボーラ、テッド・ヘイズ。彼らのおかげで本書の構想を固めることができた。キャシー・ソレンスン博士がいてくれたからこそ、われわれは挫折することなく、強みを築く人たちの手助けができた。ローズマリー・トラビス博士。本書に引用した強みに関するインタビューの多くは彼女が引き受けてくれたものだ。トム・ラスとヨーン・コンラートが技術を提供してくれたおかげで、〈ストレングス・ファインダー〉は迅速で強固で、かつ信頼できるものになった。ジュリータ・アンシュッツはウェブサイトの構築に貢献してくれた。アントワネット・サウスウィック、シャロン・ラッツ、ペネロピー・ベイカー、彼女たちは協力して、すべての計画が滞りなく進むよう力を貸してくれた。ベット・カードは、われわれがインタビューした人たちの話をひとこともらすまいと耳を傾けてくれた。アレック・ギャラップは、原稿に何度も、眼を通してくれた。その回数はわれわれ著者が読んだ回数を合わせてもかなわない。

ギャラップ以外の人たちにも世話になった。ここに謝意を表しておきたい。リチャード・ハットン、彼のストーリーテリングの才にはただ驚くばかりだ。ウィリアム・モリス・エージェンシーの友人、ジョニ・エバンズ、ジェニファー・シャーウッドは今も出版界の案内役を引き受けてくれている。フリー・プレスの担当編集者フレッド・ヒルズと彼の同僚ビーラ・ヒラナンダニ、二人の判断と厳しさがなければ、本書は完成しなかっただろう。ミッチとリンダ・ハートの強みはわれわれの支えだった。そして、もちろん、われわれの家族にも感謝している。

本書を書くにあたっては、何百人もの人に〈ストレングス・ファインダー〉を試してもらい、さらに彼らが活かしている資質について話してもらった。彼らとしてもそれは片手間にできることではなかった。なのに、だれ一人いやな顔一つせず、われわれの質問につきあってくれた。彼らが話してくれた成功や苦労が本書に命を与えてくれた。心から感謝する。

訳者あとがき

こんなジョークがあるそうだ。巷《ちまた》にあふれるビジネス系の自己啓発書で成功する秘訣は？　それは読むことではなく、自分で書くこと――というのだが、本書の著者も本書の大成功で、現在あちらでは講演にセミナーにひっぱりだこだという。

しかし、こういうジョークがうけるのもわからないではない。訳者が不実なことを言うようだが、読まず嫌いで、自己啓発書には、およそ自分で考えればだれにでもわかりそうなあたりまえのことしか書かれていないだろう、と勝手に思っていた。それでも、もてはやされるのは、同じことでも言われる相手によって意味が変わるのと同様、あたりまえのことでも自分で考えるのと他人に言われるのとでは、やはり意味が異なるからだろう、ぐらいに思っていた。そんな考えが本書と本著者らの前作『まず、ルールを破れ』『強みを活かせ！』を読んで一変した。

確かに、本書および前二作のテーマ――欠点を克服するのに汲々とならず、一人ひとりが必ず持っている才能を磨いて強みにしろ、というのはことさら目新しい主張ではない。開拓精神とプラグマティズムの家元アメリカはもとより、自己責任、自己責任と、昨今はあらゆる分野で声高に言われる日本でも、当世流行りの考え方といっていい。それでも、「自分で考えればだれにでもわかりそうなあたりまえのことしか書かれていない」などというのはどれほど不遜な物言いか、訳者は思い知らされた。

たとえば、本書の核をなす「才能」の定義、「(才能とは)無意識に繰り返される思考、感情、行動のパターン」であり、なんら「自慢すべきものではない」というのは、まさにコロンブスの卵である。われわれの多くはどうしても「持って生まれた特殊な能力および素質」と考えがちで、本書のこの定義は「自分で考えればだれにでもわかりそうなあたりまえのこと」とは言えまい。もう一つ、「弱点とはすぐれた成果を得るのに妨げになるもの」というのも、「強みを築く」という観点に立てば当然の定義ながら、だれもが考えそうな「不充分なところ、欠点」という辞書のそれとは質的に異なる、前向きでユニークな発想だ。

強みを築くにはまず自分を知ること、と本書は説いているが、「汝自身を知れ」とはアポロンの神殿に掲げられて以来、二〇〇〇年を超す人類不変のテーマで、これまたそれ自体は本書の専売特許でもなんでもない。しかし、人間をいくつかの類型に分類し、そうした類型を通じて読者に自らを知らしめようと試みる類書が多い中、本書は人間そのものではなく、人間の資質を分類し、その組み合わせによって、われわれ一人ひとりの特殊性、個性を数理的に立証しているところがきわめて独創的だ。なんといっても、三四の資質のうち五つの資質がまったく同じになる確率は三三〇〇万分の一なのである。人間は社会的な動物で、自分がなんらかの類型(種類)に属しているとわかれば、とりあえず安心する。しかし、その一方で、人はみな異なり、二人と同じ人間はいないというのも自明の理である。二〇〇万人を対象に行われたインタビューという膨大なデータを武器に、そのあたりの人間心理と人間性そのものを説いて、本書には大いに説得力がある。

かかる資質(強み)を発見するための〈ストレングス・ファインダー〉だが、訳者も英語版で試してみたところ、ユニークな設問が多く、「どちらとも言えない」という答えばかりになってしまった。本書にはそれならそれでかまわないとは書かれていたが、それがあまりに多くて、こんなことで何かわかるのだろうかといささか心もとない気がした。が、私事ながら、〈コミュニケーション〉〈戦略性〉〈着想〉〈内省〉〈達成欲〉という結果を見て驚いた。どれもみな思いあたる節のあるものばかりなのだ。もちろん、私のような人もいれば、結果と自己認識とのずれを感じる人、あたっている資質もあればあたっていない資質もあるという人もいるだろう。それをどう受け止め、どう解釈するかは個々の問題で、そこにも個性が現れるはずだが、いずれにしろ、本書の目玉であるこの〈ストレングス・ファインダー〉、試して損はない、すこぶる興味深いテストであるということだけは、訳者として請け合っておきたい。

本書はおもにビジネスマン、ビジネスウーマンを対象に書かれているが、就職、あるいは進路の選択を考えている学生であれ、地域活動に携わっている主婦であれ、私のような自営業者であれ、自分自身に、人間関係そのものに関心のある人ならだれでも面白く読める内容になっている。そして、読めばそれぞれ何かしらプラスの発見があるはずだ。

地球の資源にはかぎりがある。環境問題も人口問題もその厳然とした現実から生じている。が、人間そのものが何よりの資源ではないか、しかもその資源は無尽蔵ではないか。本書はそんなことを思わせてくれる。また、今までは見過ごされがちだったわれわれ凡夫の能力の新たな可能性を示唆してもいる、読んで愉しい一冊である。

二〇〇一年一一月

【著者紹介】

マーカス・バッキンガム（Marcus Buckingham）

ケンブリッジ大学卒業後、ギャラップ社で17年間、世界トップレベルの職場やリーダー、マネジャーの調査にたずさわる。現在は、フリーのコンサルタント兼作家で、講演もおこなう。著書に、ベストセラーになった『まず、ルールを破れ』『最高のリーダー、マネジャーがいつも考えているたったひとつのこと』『最高の成果を生み出す６つのステップ』（いずれも日本経済新聞出版社）。

ドナルド・O・クリフトン（Donald O. Clifton）1924-2003

ギャラップ社の元会長。「ポジティブ心理学の祖父」「強みの心理学の父」として、全米心理学会からその功績が認められている。本署に登場する〈ストレングス・ファインダー〉の発明者であり、34の資質プロフィールにおいては設計の総指揮をとる。著書に『強みを活かせ！』『心のなかの幸福のバケツ』（日本経済新聞出版社）。

【訳者紹介】

田口俊樹（たぐち・としき）

翻訳家。奈良市生まれ。早稲田大学第一文学部卒業。英米文学を中心に幅広い翻訳活動を展開。主な訳書に、フェレンク・マテ『トスカーナの丘』（徳間書店）、レノア・テア『「遊べない人」の心理学』（講談社）など多数。

さあ、才能《じぶん》に目覚めよう

あなたの５つの強みを見出し、活かす

2001年11月30日　1版1刷
2015年4月23日　50刷

著　者　マーカス・バッキンガム
　　　　ドナルド・O・クリフトン

訳　者　田口俊樹

発行者　斎藤修一

発行所　日本経済新聞出版社
http://www.nikkeibook.com/
東京都千代田区大手町1-3-7　〒100-8066
電話　03-3270-0251(代)

印刷・凸版印刷／製本・大口製本

ISBN978-4-532-14947-5